Éveil

UN ROMAN DE LA SÉRIE MÉLODIE DE L'EAU

Éveil

AMANDA HOCKING

TRADUIT DE L'ANGLAIS PAR
SOPHIE DESHAIES

éditions

Éditeur : François Doucet
Traduction : Sophie DesHaies
Révision linguistique : Féminin pluriel
Correction d'épreuves : Nancy Coulombe, Carine Paradis
Montage de la couverture : Sylvie Valois, Matthieu Fortin
Illustration de la couverture : ©Thinktock
Mise en pages : Sylvie Valois
Design de la couverture : Lisa Marie Pompilio
Photographies de la couverture : fille © James Porto; phare © Khoroshunova Olga/Shutterstock;
ligne de flottaison © Colin Anderson/Getty Images
ISBN livre : 978-2-89733-681-3
ISBN PDF : 978-2-89733-682-0
ISBN ePub : 978-2-89733-683-7
Première impression : 2014
Dépôt légal : 2014
Bibliothèque et Archives nationales du Québec
Bibliothèque Nationale du Canada

Éditions AdA Inc.
1385, boul. Lionel-Boulet
Varennes, Québec, Canada, J3X 1P7
Téléphone : 450-929-0296
Télécopieur : 450-929-0220
www.ada-inc.com
info@ada-inc.com

Diffusion
Canada :   Éditions AdA Inc.
France :   D.G. Diffusion
                  Z.I. des Bogues
                  31750 Escalquens — France
                  Téléphone : 05.61.00.09.99
Suisse :   Transat — 23.42.77.40
Belgique :   D.G. Diffusion — 05.61.00.09.99

Imprimé au Canada $\int$ODEC

Participation de la SODEC.
Nous reconnaissons l'aide financière du gouvernement du Canada par l'entremise du Fonds du livre
du Canada (FLC) pour nos activités d'édition.
Gouvernement du Québec — Programme de crédit d'impôt pour l'édition de livres — Gestion SODEC.

Catalogage avant publication de Bibliothèque et Archives nationales du Québec et Bibliothèque et
Archives Canada

Hocking, Amanda
    [Wake. Français]
    Éveil
    (Mélodie de l'eau; 1)
    Traduction de : Wake.
    Pour les jeunes de 13 ans et plus.
    ISBN 978-2-89733-681-3
    I. Deshaies, Sophie. II. Titre. III. Titre : Wake. Français.

PZ23.H623Ev 2014   j813'.6   C2014-940138-8

Pour ma mère et pour Eric :
pour la quantité ridicule d'amour et
de soutien qu'ils m'ont donnée.

Et pour Jeff Bryan :
pour toujours accepter que je fasse
rebondir mes idées sur lui.

Devenir la nôtre

Même près de la mer, Thea pouvait sentir le sang sur elle. Lorsqu'elle aspira, il l'emplit d'un appétit familier qui hantait ses rêves. Cependant, maintenant, il la dégoûta, laissant un goût horrible dans sa bouche, car elle savait d'où il provenait.

— Est-ce fait ? demanda-t-elle.

Elle se leva sur le rivage rocailleux, fixant la mer, dos à sa sœur.

— Tu le sais, répondit Penn.

Même si Penn était en colère, sa voix garda son ton séducteur, cette texture attrayante qu'elle ne pourrait jamais complètement effacer.

— Et pas grâce à toi.

Thea lança un regard par-dessus son épaule vers Penn. Même sous la lumière terne de la lune, les cheveux noirs de Penn scintillaient, et sa peau bronzée semblait rayonner. Ayant fraîchement mangé, elle était encore plus belle qu'il y avait quelques heures.

Quelques gouttelettes de sang avaient éclaboussé les vêtements de Thea, mais Penn avait été épargnée, à l'exception de sa main droite. Elle était cramoisie jusqu'au coude.

Le ventre de Thea grogna de faim et de dégoût, puis elle se tourna de nouveau.

— Thea, soupira Penn en se dirigeant vers elle. Tu sais que cela devait être fait.

Thea ne dit rien pendant un moment. Elle écouta seulement comment l'océan chantait pour elle, la mélodie de l'eau l'appelant.

— Je sais, lâcha finalement Thea, espérant que ses mots ne trahissent pas ses véritables sentiments. Mais le moment est terrible. Nous aurions dû attendre.

— Je ne pouvais plus attendre, insista Penn, et Thea ne fut pas certaine si c'était la vérité ou non.

Mais Penn avait pris une décision, et Penn obtenait toujours ce qu'elle voulait.

— Nous n'avons pas beaucoup de temps, dit Thea en faisant un geste vers la lune presque pleine au-dessus d'elles, puis regarda Penn.

— Je sais. Mais je te l'ai déjà dit. J'ai l'œil sur quelqu'un.

Penn lui fit un large sourire exposant des dents aussi affûtées qu'une lame de rasoir.

— Et il ne faudra pas longtemps avant qu'elle soit nôtre.

CHAPITRE 1

Bain de minuit

Le moteur fit un étrange son d'essoufflement, comme un robot agonisant, suivi d'un cliquetis de mauvais augure, puis le silence. Gemma tourna la clé plus fortement, espérant que cela soufflerait de la vie dans la vieille Chevrolet, mais elle ne broncha pas. Le robot était mort.

— Tu te fous de moi, dit Gemma en jurant entre ses dents.

Elle avait travaillé comme une folle pour payer cette voiture. Entre ses longues heures d'entraînement à la piscine et ses devoirs, elle avait peu de temps pour un emploi stable, ce qui l'avait obligée à garder les horribles garçons Tennenmeyer. Ils avaient mis de la gomme à mâcher dans ses cheveux et versé de l'eau de Javel sur son chandail préféré.

Mais elle avait enduré. Gemma était déterminée à avoir une voiture quand elle aurait seize ans, même si cela signifiait affronter les Tennenmeyer. Sa sœur aînée, Harper, avait eu en seconde main la vieille voiture de leur père. Harper avait offert à Gemma de la conduire, mais elle avait décliné.

Essentiellement, Gemma avait besoin de sa propre voiture, car ni Harper ni son père approuvait encore ses baignades nocturnes à la baie Anthemusa. Ils n'habitaient pas loin de la baie, mais la distance n'était pas ce qui ennuyait sa famille. C'était la partie nocturne, et c'était ce qui plaisait le plus à Gemma.

Là, sous les étoiles, il semblait que l'eau s'étirait à l'infini. La baie rejoignait la mer, qui, à son tour, rejoignait le ciel, et tout se mélangeait. C'était comme si elle flottait dans une boucle éternelle. Il y avait quelque chose de magique dans la baie la nuit, quelque chose que sa famille ne semblait pas comprendre.

Gemma essaya de tourner encore une fois la clé, mais cela n'amena que le même cliquetis creux de la voiture. En soupirant, elle s'inclina pour observer à travers le pare-brise craqué le ciel éclairé par la lune. Il se faisait tard. Même si elle partait à pied immédiatement, elle ne serait pas de retour de sa baignade avant près de minuit.

Ce ne serait pas un énorme problème, mais son couvre-feu était à 23 h. Commencer l'été en étant punie, en plus d'avoir une voiture morte, était la dernière chose qu'elle voulait. Sa baignade allait devoir attendre une autre soirée.

Elle sortit de la voiture. Quand elle voulut claquer la portière en signe de frustration, celle-ci ne fit que grincer, et un morceau de rouille s'en détacha.

— C'est bien les pires trois cents dollars que je n'ai jamais dépensés, grommela Gemma.

— Des problèmes de voiture ? demanda Alex derrière elle, la prenant tellement par surprise qu'elle faillit crier. Désolé, je ne voulais pas t'effrayer.

Elle se retourna pour lui faire face.

— Non, ça va, dit-elle en agitant la main. Je ne t'ai pas entendu sortir.

Alex habitait la maison voisine de la leur depuis les dix dernières années, et il n'y avait rien d'effrayant en lui. En vieillissant, il essayait de lisser ses cheveux foncés indisciplinés, mais une boucle près du front se dressait sans cesse, une mèche qu'il ne réussissait jamais à dompter. Cela le faisait paraître plus jeune que ses dix-huit ans, et quand il souriait, il semblait encore plus jeune.

Il y avait quelque chose d'innocent en lui, et c'est probablement pour cette raison que Harper n'avait jamais pensé à lui en d'autres termes qu'un ami. Même Gemma l'avait rejeté d'emblée comme un béguin possible jusqu'à tout récemment. Elle avait vu les subtils changements en lui, sa jeunesse cédant la place à des épaules larges et des bras puissants.

C'était cette nouvelle chose, cette nouvelle *virilité* qu'il commençait à démontrer, qui faisait tressaillir son estomac, quand Alex lui souriait. Elle n'était pas encore habituée à avoir ce sentiment près de lui, alors elle le refoula et tenta de l'ignorer.

— Ce stupide tas de ferraille ne veut pas démarrer.

Gemma fit un geste vers la petite voiture rouillée et se rendit sur la pelouse, où se tenait Alex.

— Je ne l'ai que depuis trois mois, et elle est déjà morte.

— Je suis désolé d'entendre cela, dit Alex. As-tu besoin d'aide?

— Tu connais quelque chose dans les voitures? demanda Gemma, un sourcil levé.

Elle l'avait vu passer beaucoup de temps à jouer à des jeux vidéo ou le nez plongé dans un livre, mais elle ne l'avait jamais vu sous le capot d'une voiture.

Alex sourit honteusement et baissa les yeux. Il avait la chance d'avoir la peau hâlée, ce qui l'aidait à camoufler son embarras, mais Gemma le connaissait suffisamment pour savoir qu'il rougissait à presque tout.

— Non, admit-il avec un petit rire et en reculant vers l'allée, où se trouvait sa Mercury Cougar bleue. Mais j'ai ma voiture.

Il tira ses clés de sa poche et les fit tourner autour de son doigt. Pendant un moment il réussit à avoir l'air décontracté avant que les clés volent de sa main et le frappe au menton. Gemma étouffa un rire pendant qu'il se dépêtra pour les ramasser.

— Ça va?

— Euh, ouais, ça va.

Il se frotta le menton et passa à autre chose.

— Alors, veux-tu que je t'amène?

— Es-tu certain? Il est tard. Je ne veux pas te déranger.

— Non, tu ne me déranges pas.

Il fit un pas vers sa voiture, attendant que Gemma le suive.

— Où allais-tu?

— Juste à la baie.

— J'aurais dû m'en douter.

Il sourit.

— Ta baignade de nuit?

— Ce n'est pas la *nuit*, répondit Gemma, même s'il n'était pas loin de la vérité.

— Allez, lança Alex en se dirigeant vers la Cougar et ouvrant sa portière. Monte.

— D'accord, si tu insistes.

Gemma n'aimait pas s'imposer, mais elle ne voulait pas manquer une chance d'aller nager. Et une balade en voiture seule avec Alex n'était pas à négliger non plus. Habituellement, elle ne passait du temps avec lui que lorsqu'il traînait avec sa sœur.

— Alors, qu'est-ce qui te fascine autant dans ces baignades? la questionna Alex après qu'elle soit montée dans la voiture.

— Je ne crois pas que je les décrirais comme fascinantes.

Elle boucla sa ceinture, puis s'adossa.

— Je ne sais pas ce que c'est exactement. Elles sont simplement... il n'y a rien de semblable.

— Que veux-tu dire? demanda Alex.

Il avait démarré la voiture, mais était demeuré stationné dans l'allée, l'observant pendant qu'elle essayait d'expliquer.

— Durant la journée, il y a tant de gens à la baie, particulièrement l'été, mais la nuit... il n'y a que soi, l'eau et les étoiles. Et il fait noir, alors cela fait un tout dont tu fais partie.

Elle fronça les sourcils, mais son sourire fut pensif.

— Je suppose que c'est un peu fascinant, admit-elle.

Elle secoua la tête, y chassant cette idée.

— Je ne sais pas. Peut-être ne suis-je qu'une excentrique qui aime nager la nuit.

C'est à ce moment que Gemma remarqua qu'Alex l'observait, et elle lui lança un regard. Il y eut une étrange expression sur son visage, comme s'il était abasourdi.

— Quoi ? demanda Gemma, commençant à être embarrassée par la façon dont il la regardait.

Elle joua avec ses cheveux, les repoussant derrière ses oreilles et remua sur son siège.

— Rien. Désolé.

Alex secoua la tête et mit la voiture en route.

— Tu veux probablement te rendre à l'eau.

— Je ne suis pas pressée, dit Gemma, même si cela était en quelque sorte un mensonge.

Elle voulait passer le plus de temps possible dans l'eau avant son couvre-feu.

— Est-ce que tu t'entraînes encore ? la questionna Alex. Ou as-tu arrêté pour les vacances d'été ?

— Non, je m'entraîne encore.

Elle baissa la vitre de la voiture, laissant entrer le vent salin.

— Je nage tous les jours à la piscine avec l'entraîneur. Il dit que mes temps deviennent très bons.

— À la piscine, tu nages toute la journée, puis tu veux sortir et nager toute la nuit.

Alex sourit.

— C'est pas un peu étrange ?

— C'est différent.

Elle sortit un bras par la fenêtre, le tenant droit comme l'aile d'un avion.

— Nager à la piscine, c'est des longueurs et des temps. C'est du travail. À la baie, c'est flotter et s'amuser dans l'eau.

— Mais tu ne te fatigues jamais d'être mouillée ? lui demanda Alex.

— Non. C'est comme te demander : « Tu ne te fatigues jamais de respirer de l'air ? »

— À vrai dire, oui. Parfois, je me dis : « Ne serait-ce pas génial si je n'avais pas besoin de respirer ? »

— Pourquoi ? s'esclaffa Gemma. Pourquoi cela serait-il génial ?

— Je ne sais pas.

Il parut gêné pendant une minute, son sourire se tordant nerveusement.

— Je suppose que j'y ai généralement pensé en cours de gym et que je devais courir ou quelque chose comme ça. J'étais tellement toujours à bout de souffle.

Alex lui jeta un coup d'œil, comme pour voir si elle croyait qu'il était un parfait raté pour avoir fait cet aveu. Mais elle ne fit que lui sourire en guise de réponse.

— Tu aurais dû passer plus de temps à nager avec moi, lança Gemma. Tu n'aurais alors pas été en si mauvaise forme.

— Je sais, mais je suis un rat de bibliothèque.

Il soupira.

— Au moins, j'en ai terminé avec tous ces trucs de gym, maintenant que j'ai reçu mon diplôme.

— Bientôt, tu seras tellement occupé à l'université que tu ne te souviendras même plus des horreurs du lycée, dit Gemma, son ton tout à coup curieusement abattu.

— Ouais, je suppose.

Alex fronça les sourcils.

Gemma s'inclina davantage à la fenêtre, faisant pendre son coude sur le côté, déposant son menton sur sa main et regardant les maisons et les arbres défiler. Dans leur quartier, les maisons étaient toutes bas de gamme et délabrées, mais dès qu'ils eurent dépassé Capri Lane, tout devint propre et moderne.

Comme c'était la saison touristique, tous les édifices et les arbres étaient vivement éclairés. La musique provenant des bars et les bruits des gens parlant et riant flottaient dans l'air.

— Es-tu impatient d'échapper à tout ceci? demanda Gemma avec un sourire ironique en pointant un couple ivre se disputant sur le boulevard.

— Il y a certaines choses auxquelles je vais être heureux d'échapper, admit-il, mais lorsqu'il la regarda, son expression se radoucit. Mais il y aura indéniablement des choses qui vont me manquer.

La plage était presque déserte, mis à part quelques adolescents faisant un feu de joie, et Gemma fit signe à Alex d'aller un peu plus loin. Le sable doux céda la place à des pierres irrégulières, limitant le rivage, et le stationnement pavé fut remplacé par une forêt de cyprès. Il gara la voiture sur une route en terre aussi près de l'eau qu'il put.

Si loin des attractions touristiques, il n'y avait personne et aucun sentier ne menait à l'eau. Quand Alex éteignit les phares de la Cougar, ils furent submergés par l'obscurité. La seule lumière provenait de la lune au-dessus d'eux et de la pollution lumineuse que projetait la ville.

— C'est vraiment ici que tu nages? demanda Alex.

— Ouais. C'est le meilleur endroit.

Elle haussa les épaules et ouvrit la portière.

— Mais c'est couvert de pierres.

Alex sortit de la voiture et balaya du regard les pierres moussues couvrant le sol.

— Ça semble dangereux.

— C'est le but, sourit Gemma. Personne d'autre ne vient nager ici.

Dès qu'elle fut sortie de la voiture, elle glissa hors de sa robe d'été, révélant son maillot de bain qu'elle portait en dessous. Ses cheveux étaient attachés en queue de cheval, mais elle la défit et secoua la tête. Elle enleva ses sandales et les mit dans la voiture avec sa robe.

Alex se tint près de la voiture, les mains profondément enfoncées dans ses poches et essayant de ne pas la regarder. Il savait qu'elle portait un maillot de bain, un qu'il l'avait vue porter des centaines de fois. Gemma vivait pratiquement en maillot. Mais seul ainsi avec elle, il fut intensément conscient de ce dont elle avait l'air en bikini.

Des deux sœurs Fisher, Gemma était assurément la plus jolie. Elle avait le corps souple d'une nageuse, petite et élancée, mais avec des courbes aux bons endroits. Sa peau était bronzée par le soleil, et ses cheveux foncés avaient des reflets dorés, causés par le chlore et les rayons du soleil. Ses yeux étaient couleur miel, même s'il ne pouvait pas les voir sous cette faible lumière, mais ils pétillaient, quand elle lui souriait.

— Tu ne viens pas nager ? demanda Gemma.

— Euh, non.

Il secoua la tête. Il scruta délibérément la baie, afin d'éviter de la regarder.

— Ça ira. Je vais attendre dans la voiture jusqu'à ce que tu aies terminé.

— Non, tu m'as amenée jusqu'ici. Tu ne peux pas simplement attendre dans la voiture. Tu *dois* venir nager avec moi.

— Non, je crois que ça ira.

Il gratta son bras et baissa les yeux.

— Va t'amuser.

— Alex, viens.

Gemma fit semblant de bouder.

— Je parie que tu n'as jamais fait de baignade au clair de lune. Et tu pars pour l'université à la fin de l'été. Tu dois faire ça au moins une fois, ou alors tu n'as pas vraiment vécu.

— Je n'ai pas mon maillot, dit Alex, mais sa résistance décroissait déjà.

— Vas-y en boxeur.

Il pensa protester davantage, mais Gemma avait raison. Elle faisait tout le temps des trucs de ce genre, mais lui avait passé la majorité de ses années de lycée dans sa chambre.

En plus, nager serait plus intéressant que d'attendre. Et quand il y réfléchit, c'était beaucoup moins effrayant d'aller *avec* elle nager plutôt que de la regarder à partir du rivage.

— D'accord, mais il vaut mieux que je ne me blesse pas au pied sur une de ces pierres, dit Alex en enlevant ses chaussures.

— Je promets de te garder sain et sauf.

Elle fit un signe de croix sur son cœur pour le prouver.

— J'y compte bien.

Il fit passer son t-shirt par-dessus sa tête, et ce fut exactement comme Gemma l'avait imaginé. Son corps dégingandé s'était gonflé de muscles, ce qu'elle ne comprenait pas complètement, puisqu'il s'était auto-proclamé rat de bibliothèque.

Quand il commença à enlever son pantalon, Gemma se détourna, par politesse. Même si elle allait le voir en boxeur dans quelques secondes, il lui parut étrange de le regarder ôter son jeans, comme si cela était indécent.

— Alors, comment descend-on à l'eau ? demanda Alex.

— Très prudemment.

Elle y alla en premier, marchant délicatement sur les pierres, et il sut qu'il ne parviendrait pas à avoir sa grâce. Elle bougeait comme une ballerine, marchant sur la pointe des pieds d'une pierre lisse à une autre jusqu'à ce qu'elle atteigne l'eau.

— Il y a quelques pierres pointues, quand tu entres dans l'eau, le mit Gemma en garde.

— Merci pour le tuyau, marmonna-t-il en avançant aussi prudemment qu'il put.

Il suivit son chemin, lequel avait semblé si facile, mais qui s'avéra plutôt traître, et il trébucha plusieurs fois.

— Ne te presse pas ! Tout ira bien, si tu y vas lentement.

— J'essaie.

À son propre étonnement, il arriva jusqu'à l'eau sans s'ouvrir un pied. Gemma lui sourit fièrement en s'enfonçant dans l'eau pour patauger.

— Tu n'as pas peur ? lui demanda Alex.

— De quoi ?

Elle était rendue suffisamment loin dans l'eau pour se mettre sur le dos et nager, battant des jambes devant elle.

— Je ne sais pas, des monstres marins, par exemple.
L'eau est si sombre. On ne voit rien.

Alex avait maintenant de l'eau un peu plus haut que
la taille et, honnêtement, ne désirait pas aller plus loin.

— Il n'y a pas de monstres marins.

Gemma rit et l'éclaboussa. Afin de l'encourager à
s'amuser, elle décida de lui lancer un défi.

— Faisons la course jusqu'à la pierre là-bas.

— Quelle pierre ?

— Celle-là.

Elle pointa vers une énorme pierre grise pointue qui
s'élevait de l'eau à quelques mètres d'où ils nageaient.

— Tu vas me battre, dit-il.

— Je vais te donner une avance, offrit Gemma.

— Combien de temps ?

— Euh… cinq secondes.

— Cinq secondes ?

Alex sembla y réfléchir.

— Je suppose que je pourrais…

Mais plutôt que de terminer sa pensée, il plongea
dans l'eau, nageant rapidement.

— Je te donne déjà une avance ! lui lança Gemma en
riant. Tu n'as pas besoin de tricher !

Alex nagea aussi furieusement qu'il put, mais il ne fallut pas longtemps pour que Gemma le dépasse. Elle était
imparable dans l'eau, et il n'avait honnêtement jamais
rien vu d'aussi rapide qu'elle. Par le passé, il s'était rendu
avec Harper à des compétitions de natation à l'école et il
était rare que Gemma ne gagne pas.

— J'ai gagné ! déclara Gemma en atteignant la pierre.

— Comme si on avait pu en douter.

Alex nagea jusqu'à elle et s'accrocha à la pierre. Son souffle était encore court, et il essuya l'eau salée de ses yeux.

— Ce n'était pas vraiment une course équitable.

— Désolée.

Elle sourit. Gemma était loin d'être aussi essoufflée qu'Alex, mais elle s'appuya à la pierre près de lui.

— Pour une quelconque raison, je ne crois pas que tu es sincère, dit Alex sur un ton faussement indigné.

Sa main glissa de la pierre. Lorsqu'il la tendit pour se stabiliser, il mit accidentellement sa main sur celle de Gemma. Son premier réflexe fut de la retirer en un geste précipité d'embarras, mais la seconde avant qu'il le fasse, il changea d'avis.

Alex laissa sa main s'attarder sur la sienne, les deux froides et mouillées. Le sourire de Gemma changea, se transformant en quelque chose de plus tendre. Pendant un moment, personne ne dit rien. Ils restèrent ainsi accrochés à la pierre un peu plus longtemps, le seul son étant l'eau clapotant autour d'eux.

Gemma aurait été satisfaite de demeurer ainsi avec Alex, mais une lumière s'enflamma dans la crique derrière lui, ce qui détourna son attention. La petite crique se trouvait à l'embouchure de la baie, juste avant de se jeter dans l'océan, environ à un kilomètre de l'endroit où flottaient Gemma et Alex.

Alex suivit son regard. Un instant plus tard, un rire retentit sur l'eau, et il retira sa main de la sienne.

Un feu s'embrasa dans la crique, la lueur vacillante sur les trois formes dansantes l'entourant. De si loin il était difficile de voir ce qu'elles faisaient, mais il était évident de qui il s'agissait à la manière dont elles bougeaient. Tout le monde en ville les connaissait, même si personne ne semblait vraiment les connaître personnellement.

— C'est ces filles, dit Alex doucement, comme si les filles pouvaient l'entendre de la crique.

Les trois filles dansaient avec élégance et grâce. Même leurs ombres, jaillissant sur les murs de pierres autour d'elles, semblaient avoir des mouvements sensuels.

— Que font-elles là ? demanda Alex.

— Je ne sais pas.

Gemma haussa les épaules tout en continuant à les fixer sans gêne.

— Elles viennent là de plus en plus. Elles semblent aimer traîner dans cette crique.

— Hum, lâcha Alex.

Elle le regarda et vit ses sourcils se froncer sous la réflexion.

— Je ne sais même pas ce qu'elles font en ville.

— Moi non plus.

Il regarda par-dessus son épaule, afin de les observer de nouveau.

— Quelqu'un m'a dit qu'elles étaient des vedettes canadiennes de cinéma.

— Peut-être. Mais elles n'ont pas d'accent.

— Tu les as entendues parler ? lui demanda Alex, paraissant impressionné.

— Ouais. Je les ai vues au casse-croûte Chez Pearl, en face de la bibliothèque. Elles commandent toujours des laits frappés.

— Elles n'étaient pas quatre ?

— Ouais, je crois que oui.

Gemma plissa les yeux, essayant de s'assurer qu'elle comptait bien.

— La dernière fois que je les ai vues là-bas, elles étaient quatre. Mais maintenant, elles ne sont que trois.

— Je me demande où l'autre est allée.

Gemma et Alex étaient trop loin pour comprendre clairement, mais elles parlaient et riaient, leurs voix flottant par-dessus la baie. L'une des filles se mit à chanter, sa voix était aussi claire que le cristal et si douce qu'elle faisait presque mal à entendre. La mélodie serra le cœur de Gemma.

La mâchoire d'Alex s'ouvrit, les regardant bouche bée. Il s'éloigna de la pierre, flottant lentement vers elles, mais Gemma le remarqua à peine. Elle était concentrée sur les filles, ou plus précisément sur la fille qui ne chantait pas.

Penn... Gemma en était certaine par la manière dont Penn s'éloignait des deux autres filles. Sa longue chevelure noire tombait derrière elle, le vent la repoussant. Elle marchait avec une grâce et une résolution étonnantes, les yeux droits devant.

À cette distance dans l'obscurité, Penn n'aurait pas dû la remarquer, mais Gemma sentit ses yeux percer directement à travers elle, envoyant des frissons tout le long de sa colonne.

— Alex, dit Gemma d'une voix qui semblait à peine être la sienne. Je crois que nous devrions y aller.

— Quoi? répliqua Alex médusé, et c'est à cet instant que Gemma remarqua à quel point il avait nagé loin d'elle.

— Alex, viens. Je crois que nous les dérangeons. Nous devrions partir.

— Partir?

Il se tourna vers elle, semblant étonné par l'idée.

— Alex! dit Gemma, criant presque maintenant, mais cela sembla au moins l'atteindre. Nous devons rentrer. Il est tard.

— Oh, oui.

Il secoua la tête, clarifiant ses idées, puis nagea vers le rivage.

Quand Gemma fut certaine qu'il était de nouveau normal, elle le suivit.

Penn, Thea, Lexi et Arista étaient en ville depuis que la température s'était adoucie, et les gens avaient supposé qu'elles étaient les premières touristes de la saison. Mais personne ne savait vraiment qui elles étaient ou ce qu'elles faisaient là.

Tout ce que Gemma savait, c'est qu'elle détestait quand elles venaient à la crique. Cela dérangeait ses baignades de nuit. Elle ne se sentait pas à l'aise d'être dans l'eau, pas quand elles étaient là dans la crique, dansant et chantant et y faisant ce qu'elles faisaient.

CHAPITRE 2

Capri

Le claquement d'une portière de voiture la fit sursauter, et Harper s'assit, mettant de côté son livre électronique. Elle sauta de son lit et repoussa son rideau juste à temps pour voir Gemma dire bonne nuit à Alex avant d'entrer dans la maison.

Selon le réveil de sa table de chevet, il n'était que 22 h 30. Elle n'avait pas de raison de gronder Gemma, mais Harper n'aima tout de même pas cela.

Elle s'assit sur son lit et attendit que Gemma monte à l'étage. Il faudrait quelques minutes, puisque leur père, Brian, était au rez-de-chaussée en train de regarder la télé. Il restait habituellement éveillé à attendre Gemma, même si elle ne semblait pas y prêter attention. Elle sortait quand même, même lorsque Brian devait être debout à 5 h pour le travail.

Cela rendait Harper folle, mais elle avait depuis longtemps abandonné cette bataille. Son père avait fixé le couvre-feu de Gemma, et si cela le dérangeait de l'attendre, il pouvait le mettre plus tôt, ou du moins c'est ce qu'il disait.

Brian et Gemma parlèrent pendant quelques minutes, Harper écoutant leur conversation étouffée à l'étage. Puis, elle entendit des bruits de pas dans l'escalier. Avant que Gemma puisse atteindre sa chambre, Harper ouvrit sa porte et la surprit.

— Gemma, chuchota Harper.

Gemma demeura de l'autre côté du couloir, dos à Harper et la main sur la poignée de sa porte de chambre. Sa robe soleil collée à sa peau humide, Harper pouvait voir le contour de son bikini à travers le tissu.

Avec une forte réticence, Gemma se tourna pour faire face à sa sœur aînée.

— Tu sais, tu n'as pas à m'attendre. Papa le fait.

— Je ne t'attendais pas, mentit Harper. J'étais en train de lire.

— Ouais. D'accord.

Gemma roula les yeux et croisa les bras sur sa poitrine.

— Alors, vas-y. Dis-moi ce que j'ai fait de mal.

— Tu n'as rien fait de mal, dit Harper, son ton s'adoucissant.

Ce n'était pas qu'elle prenait plaisir à réprimander Gemma tout le temps, vraiment pas. Gemma avait simplement la mauvaise habitude de faire des choses stupides.

— Je sais, répondit Gemma.

— J'étais seulement…

Harper fit courir ses doigts le long de la moulure de sa porte de chambre, évitant de regarder Gemma au cas où ses yeux auraient une lueur de critique.

— Que faisais-tu avec Alex ?

— Ma voiture ne voulait pas démarrer, alors il m'a emmenée pour une baignade à la baie.

— Pourquoi t'a-t-il emmenée ?

Gemma haussa les épaules.

— Je ne sais pas. Parce qu'il est gentil.

— Gemma, grogna Harper.

— Quoi ? demanda Gemma. Je n'ai rien fait.

Harper soupira.

— Il est trop vieux pour toi. Je sais...

— Harper ! Beurk !

Les joues de Gemma rougirent, et elle baissa les yeux.

— Alex est comme... un frère ou quelque chose du genre. Ne sois pas dégueu. Et c'est ton meilleur ami.

— Je t'en prie.

Harper secoua la tête.

— J'ai observé le petit jeu auquel vous vous adonnez tous les deux depuis quelques mois, et cela ne me dérangerait pas, mais il part pour l'université bientôt. Je ne veux pas que tu sois blessée.

— Je ne serai pas blessée. Rien ne se passe.

Gemma insista.

— Tu sais, je croyais que tu serais heureuse. Tu me dis tout le temps de ne pas aller seule à ces baignades nocturnes, et j'ai amené quelqu'un avec moi.

— Alex ?

Harper leva un sourcil. Même Gemma dut admettre qu'Alex n'aurait probablement pas été un garde du corps très efficace.

— Ces baignades nocturnes ne sont pas sécuritaires. Tu ne devrais pas y aller du tout.

— Je vais bien ! Rien n'est arrivé !

— Rien n'est *encore* arrivé, rétorqua Harper. Mais trois personnes ont disparu depuis les deux derniers mois, Gemma. Tu dois être prudente.

— Je suis prudente !

Gemma mit les poings sur ses hanches.

— Et peu importe ce que tu dis, papa dit que je peux y aller tant que je suis de retour pour 23 h, et c'est le cas.

— Hé bien, papa ne devrait pas te laisser y aller.

— Y a-t-il un problème, les filles ? appela Brian du bas de l'escalier.

— Non, grommela Harper.

— Je vais prendre une douche et me mettre au lit, si ça va pour Harper, dit Gemma.

— Je me fiche de ce que tu fais, fit Harper en levant les mains et en haussant les épaules.

— Merci.

Gemma tourna les talons et claqua la porte de sa chambre derrière elle.

Harper s'appuya contre le cadre de sa porte tandis que son père montait l'escalier. C'était un homme grand avec de grandes mains puissantes, usées par des années de travail sur les docks. Même s'il était dans la quarantaine, Brian était plutôt en forme, et mis à part quelques mèches grises dans les cheveux, il ne faisait pas son âge.

S'arrêtant devant la chambre de Harper, son père croisa les bras et la regarda.

— Qu'est-ce que c'était ?

— Je ne sais pas.

Elle haussa les épaules et baissa les yeux vers ses orteils, remarquant que l'intense vernis bleu avait commencé à s'écailler.

— Tu dois cesser de lui dire quoi faire, dit Brian doucement.

— Je ne le fais pas !

— Elle fera des erreurs, tout comme toi, mais elle ira bien, tout comme toi.

— Pourquoi suis-je la méchante ?

Harper leva enfin les yeux, afin de regarder son père.

— Alex est trop vieux pour elle, et c'est dangereux là-bas. Je ne suis pas déraisonnable.

— Mais tu n'es pas son parent, déclara Brian. Je le suis. Tu as ta propre vie à vivre. Tu devrais plutôt t'inquiéter de l'université pour cet automne. Laisse-moi m'inquiéter de Gemma, d'accord ? Je peux m'en occuper.

— Je sais.

Elle soupira.

— Vraiment ?

Brian la questionna avec honnêteté, scrutant ses yeux.

— Je sais que je t'ai laissé en prendre trop depuis que ta mère...

Il s'interrompit, laissant les mots en suspens.

— Mais cela ne signifie pas que nous ne nous débrouillerons pas sans toi.

— Je sais. Je suis désolée, papa.

Elle se força à sourire.

— Je m'inquiète, c'est tout.

— Eh bien, essaie d'arrêter et dors un peu cette nuit, d'accord ?

— D'accord.

Elle hocha la tête.

Il s'inclina et l'embrassa sur le front.

— Bonne nuit, chérie.

— Bonne nuit, papa.

Harper retourna dans sa chambre, fermant la porte derrière elle. Son père avait raison, et elle le savait, mais cela ne modifiait pas ce qu'elle ressentait. Pour le meilleur ou pour le pire, Gemma avait été sa responsabilité depuis les neuf dernières années, ou du moins Harper s'était sentie responsable.

Elle s'assit sur son lit en soupirant profondément. Les quitter serait impossible.

Elle aurait dû être impatiente de voler de ses propres ailes, particulièrement en considérant à quel point elle avait travaillé dur. Même en travaillant à temps partiel à la bibliothèque et en faisant du bénévolat au refuge d'animaux, Harper avait réussi à maintenir une moyenne de 4.0 pendant tout son lycée.

La bourse d'études qu'elle avait reçue lui avait ouvert les portes d'endroits que le budget de son père n'aurait pas pu. Toutes les universités où elle avait postulé avaient été désireuses de l'accueillir. Elle aurait pu aller n'importe où, mais elle avait choisi une école d'État à seulement quarante minutes de Capri.

Regardant à travers son rideau, Harper put voir la lumière dans la chambre d'Alex. Elle prit son téléphone cellulaire sur sa table de chevet, voulant lui envoyer un texto, mais changea d'idée. Il était son ami depuis des années, et malgré le fait qu'elle ne nourrirait jamais aucun sentiment romantique pour lui, son flirt grandissant avec sa jeune sœur rendait mal à l'aise Harper.

Les tuyaux grondèrent, quand Gemma ouvrit le robinet d'eau chaude dans la salle de bain de l'autre côté du couloir. Harper prit son vernis à ongles bleu, afin de faire des retouches à ses ongles d'orteil, et écouta Gemma chanter sous la douche, sa voix douce comme une berceuse.

Harper laissa tomber après avoir terminé un pied et se blottit dans son lit. Quelques instants après que sa tête eut touché l'oreiller, elle dormait.

Lorsque Harper s'éveilla le lendemain matin, son père était déjà parti au travail et Gemma se démenait dans la cuisine. Harper ne pouvait cesser de trouver étrange le fait que même en s'éveillant à 7 h, elle était la lève-tard de la famille.

— J'ai fait des œufs cuits durs, ce matin, dit Gemma, la bouche pleine.

En se fiant aux morceaux jaunes sortant de sa bouche, il semblait que Gemma venait à peine d'en manger.

— J'ai fait toute la douzaine, afin que tu en aies.

— Merci.

Harper bâilla et s'assit à la table de la cuisine.

Gemma se tint près du lave-vaisselle, avalant rapidement un verre de jus d'orange. Lorsqu'elle eut terminé, elle mit le verre dans la machine, près de son assiette sale. Elle était déjà habillée d'un jeans usé et d'un t-shirt, et ses cheveux étaient tirés en une queue de cheval.

— Je dois aller à ma pratique de natation, lança Gemma en se pressant.

— Pourquoi si tôt ?

Harper s'appuya à sa chaise, afin de pouvoir observer Gemma par l'embrasure de la porte en train d'enfiler ses chaussures.

— Je croyais que la pratique ne commençait pas avant 8 h.

— Oui, mais ma voiture ne veut pas démarrer, alors j'y vais en vélo.

— Je peux t'y conduire, offrit Harper.

— Non, ça va.

Gemma agrippa son sac de gym et y fouilla, s'assurant qu'elle avait tout ce dont elle avait besoin. Elle en sortit son iPod et l'enfouit dans la poche de son jeans.

— Tu n'es pas censée écouter ça, lorsque tu es en vélo, lui rappela Harper. Tu n'entends pas les voitures qui arrivent.

— Ça ira.

Gemma l'ignora et enroula ses écouteurs autour de son cou.

— Il est censé pleuvoir, aujourd'hui, ajouta Harper.

Gemma prit un pull gris suspendu au portemanteau et le tint devant Harper.

— J'ai ma capuche.

Sans attendre que Harper ajoute quelque chose, Gemma se détourna et ouvrit la porte avant.

— À plus tard !

— Bonne journée ! lui lança Harper, mais la porte claquait déjà derrière Gemma.

Harper resta assise dans la cuisine pendant quelques minutes, se permettant de se réveiller avant que le silence ne la pousse à l'action. Elle ouvrit la radio, afin que la maison semble moins vide. Son père la laissait toujours à la chaîne de rock classique ; ainsi, elle passait souvent ses matins en compagnie de Bruce Springsteen.

Lorsqu'elle ouvrit le frigo pour se prendre un petit déjeuner, elle vit le sac brun froissé contenant le repas de son père. Il l'avait oublié, encore. À sa pause, elle allait devoir partir plus tôt, afin de le lui apporter sur les docks.

Après avoir mangé, Harper entreprit sa routine matinale quotidienne. Elle nettoya le frigo, jetant les vieux restes, avant de mettre en marche le lave-vaisselle et de sortir les ordures. C'était jeudi, et le calendrier des tâches vivement coloré qu'elle avait fabriqué disait « LESSIVE » et « SALLE DE BAIN » en lettres majuscules.

Comme la lessive prenait plus de temps, Harper commença par cela. Dans le processus, elle découvrit que Gemma avait dû lui emprunter l'un de ses hauts et l'avait taché de sauce chili. Elle devait se souvenir d'avoir une conversation à ce sujet plus tard avec elle.

La salle de bain était toujours un calvaire à nettoyer. Le drain de la douche était toujours empli d'une quantité astronomique des cheveux dorés de Gemma. Comme les cheveux de Harper étaient plus foncés, plus épais et plus longs, elle s'attendait à en avoir davantage, mais c'était toujours ceux de Gemma qui bloquaient les tuyaux.

Harper termina ses corvées, puis se lava et se prépara pour le travail. La pluie qu'elle avait prédite plus tôt ce matin-là tombait, une forte averse, et elle dut courir jusqu'à sa voiture afin de ne pas être trempée.

Comme il pleuvait, la bibliothèque où travaillait Harper était un peu plus occupée qu'à l'habitude. Sa collègue, Marcy, annonça qu'elle prenait la tâche de replacer les livres et réarranger les étagères, laissant

Harper aider les abonnés de la bibliothèque à enregistrer les livres qu'ils voulaient sortir.

La bibliothèque possédait un système automatisé; ainsi, les gens pouvaient enregistrer leurs livres sans demander l'aide des commis ou de la bibliothécaire, mais certaines personnes n'avaient jamais compris. Plusieurs autres personnes avaient des questions concernant des frais de retard ou la réservation de livres, et une gentille vieille dame avait besoin d'aide pour trouver «ce livre avec le poisson, ou peut-être une baleine, et la fille qui tombe amoureuse».

Près de l'heure du repas, la pluie avait diminué, tout comme la petite invasion qu'avait connue la bibliothèque. Marcy était délibérément demeurée dans les allées arrière à réarranger des livres, mais elle sortit de sa cachette et s'assit sur la chaise près de Harper à l'accueil.

Même si Marcy avait sept années de plus que Harper et était techniquement sa patronne, Harper était la plus responsable des deux. Marcy aimait les livres. C'est pour cette raison qu'elle était dans ce domaine. Mais elle aurait été heureuse de passer le reste de sa vie sans parler à une autre personne. Son jeans avait un trou au genou, et son t-shirt portait l'inscription «J'ÉCOUTE DES GROUPES QUI N'EXISTENT PAS ENCORE».

— Eh bien, je suis heureuse que ça soit terminé, dit Marcy en faisant claquer les élastiques d'une balle d'élastiques.

— Si les gens ne venaient pas ici, tu perdrais ton emploi, fit remarquer Harper.

— Je sais.

Elle haussa les épaules et chassa sa frange raide de ses yeux.

— Parfois, je me dis que je suis comme ce gars dans *La Quatrième Dimension*.

— Quel gars? demanda Harper.

— Ce gars : Burgess Meredith, je crois.

Marcy s'enfonça dans sa chaise, faisant bondir la balle d'élastiques entre ses mains.

— Tout ce qu'il désirait était de lire des livres, puis il a enfin ce qu'il veut, et tout le monde meurt dans ce massacre nucléaire.

— Il voulait que tout le monde explose? demanda Harper en regardant son amie sérieusement. *Tu* veux que tout le monde explose?

— Non, il ne le voulait pas, et moi non plus.

Marcy secoua la tête.

— Il voulait simplement être laissé en paix pour lire, puis c'est ce qui se produit. C'est là que l'ironie arrive. Il brise ses lunettes et il ne peut plus lire, et il est en colère. C'est pour cette raison que je mange tant de carottes.

— *Quoi?* lâcha Harper.

— Afin d'avoir une bonne vision, expliqua Marcy, comme si c'était super évident. Dans l'éventualité qu'une bombe éclate, je n'aurais pas à m'inquiéter pour mes lunettes et je pourrais survivre aux retombées ou à l'apocalypse de zombies, ou que sais-je encore.

— Wow. On dirait que tu as bien réfléchi à tout ça.

— C'est vrai, admit Marcy. Et tout le monde devrait le faire. C'est un sujet important.

— Manifestement.

Harper repoussa sa chaise de l'accueil.

— Hé, comme c'est tranquille, est-ce que ça te gêne si je prends ma pause plus tôt ? Je dois aller porter le lunch à mon père.

Marcy haussa les épaules.

— Ouais, ça va. Mais il devra apprendre à s'en souvenir par lui-même bientôt.

— Je sais.

Harper soupira.

— Merci.

Elle se leva et alla vers le petit bureau derrière l'accueil pour sortir le sac du minifrigo. Le bureau servait à la bibliothécaire, mais elle était en lune de miel pour le prochain mois, voyageant à travers le monde. Ce qui faisait que c'était Marcy la responsable, donc en fait Harper.

— Les voilà de nouveau, dit Marcy.

— Voilà qui ? demanda Harper en revenant à l'accueil et découvrant Marcy en train de regarder par la large vitrine avant.

— *Elles*.

Marcy fit un signe vers la fenêtre.

Comme la pluie avait cessé, les rues étaient à nouveau envahies par les touristes, mais Harper vit exactement de qui Marcy parlait.

Penn, Thea et Lexi se pavanaient sur le trottoir. Penn menait la marche, ses longues jambes bronzées semblant s'étirer sans fin sous l'ourlet de sa courte jupe, et ses cheveux noirs tombaient comme de la soie dans son dos. Lexi et Thea suivaient de près. Lexi était blonde, ses cheveux ayant littéralement la couleur de l'or, et Thea avait des boucles rousses enflammées.

Harper avait toujours pensé que sa sœur, Gemma, était la plus belle fille de Capri. Mais depuis que Penn et ses amies étaient arrivées dans la ville, cela n'était même plus près de la vérité.

Penn fit un clin d'œil à Bernie McAllister, lorsqu'elle passa près de lui, et celui-ci dut se tenir à un banc pour se soutenir. Il était un vieil homme qui quittait rarement la minuscule île sur laquelle il habitait, à la sortie de la baie d'Anthemusa. Harper le connaissait parce qu'il avait travaillé avec son père avant de prendre sa retraite, et Bernie avait toujours bien aimé Harper et Gemma, leur offrant des friandises chaque fois qu'elles visitaient les docks. Il les avait même surveillées lorsqu'elles étaient plus jeunes et que leur père était occupé.

— Oh, ce n'est pas gentil du tout.

Marcy fronça les sourcils en regardant Bernie s'agripper au banc.

— Elles lui ont presque donné une attaque cardiaque.

Harper fut sur le point de traverser en vitesse la rue, afin de l'aider, quand il se reprit enfin. Se redressant, Bernie s'éloigna, probablement en direction de la boutique d'articles de pêche au bas de la rue.

— Elles n'étaient pas quatre? demanda Marcy, son attention retournée vers les trois filles.

— Je crois que oui.

Intérieurement, Harper sentit un petit soulagement en sachant qu'il y en avait une de moins. Elle ne s'était jamais considérée comme une personne ayant des préjugés contre quiconque, même les belles filles, mais elle ne put s'empêcher de sentir que cette ville et tous ses habitants seraient mieux si Penn et ses amies partaient.

— Je me demande ce qu'elles font ici, songea Marcy alors que les filles entraient dans le casse-croûte Chez Pearl, situé en face de la bibliothèque.

— La même chose que tout le monde fait ici.

Harper tenta d'avoir l'air peu touchée par leur présence.

— C'est les vacances d'été.

— Mais elles ont l'air de vedettes de cinéma ou quelque chose du genre.

Marcy se tourna vers Harper maintenant que Penn, Lexi et Thea avaient disparu à l'intérieur du casse-croûte.

— Même les vedettes de cinéma ont besoin de vacances.

Harper prit sa bourse sous le bureau.

— Je me dépêche d'aller aux docks voir mon père. Je reviens dans peu de temps.

Harper se pressa vers sa vieille Mercury Sable, espérant avoir le temps de se rendre aux docks et d'en revenir sans se faire attraper par la pluie. Elle venait à peine de monter dans sa voiture et de la démarrer lorsqu'elle leva les yeux. Penn, Lexi et Thea étaient assises sur une banquette près de la fenêtre de Chez Pearl.

Les deux autres filles sirotaient leurs boissons, agissant comme des clientes normales, mais Penn regardait par la fenêtre, ses yeux sombres fixés sur Harper. Ses lèvres pulpeuses formèrent un sourire. Un garçon aurait pu trouver cela séduisant, mais Harper jugea cela comme étrangement menaçant.

Elle mit sa voiture en route et accéléra si rapidement qu'elle faillit heurter un autre conducteur, ce qui ne lui ressemblait pas du tout. Alors qu'elle se dirigeait vers les docks, ralentissant les battements de son cœur, Harper se dit une nouvelle fois combien il serait préférable si Penn partait simplement.

CHAPITRE 3

Poursuivie

Harper avait espéré le manquer, mais il semblait que dernièrement aucun de ses passages aux docks n'était complet si elle ne rencontrait pas Daniel. Il habitait un bateau qu'il amarrait là, même s'il ne s'agissait que d'un cruiser avec une petite cabine, pas vraiment conçu pour être habité plus d'une journée ou deux.

Brian travaillait à l'extrémité nord de la baie à décharger les barges qui entraient. Comme ce côté de la baie d'Anthemusa était utilisé par des navires de marchandises, c'était moins attirant pour les touristes, et la plupart des bateaux appartenant à des particuliers mouillaient plus près de la plage. Évidemment, quelques locaux gardaient leur bateau du côté des marchandises des docks, et Daniel était l'un d'eux.

La première fois que Harper l'avait rencontré elle allait voir Brian aux docks. Apparemment, Daniel venait de se réveiller et avait décidé d'uriner par-dessus le rebord de son bateau. Elle avait justement levé les yeux à ce mauvais moment et avait eu une vue complète sur ses parties viriles.

Harper avait hurlé, et Daniel avait immédiatement remonté son pantalon. À ce moment, il avait sauté du bateau, afin de se présenter et abondamment s'excuser. S'il n'avait pas ri pendant tout ce temps, elle aurait peut-être accepté ses excuses.

Aujourd'hui, alors que Harper marchait près de son bateau, nommé bien à propos *La mouette crasseuse*, Daniel se tenait sur le pont, torse nu, même si l'air était refroidi par le vent venant de la baie.

Il lui tournait le dos, alors elle put y voir le tatouage qui s'y étirait. Ses racines commençaient juste sous son pantalon, et le tronc poussait au-dessus, par-dessus sa colonne, puis tournait sur le côté. Des branches noires épaisses s'étiraient, couvrant son épaule et descendant sur son bras droit.

Elle porta sa main sur le côté de son visage, s'empê-chant de le regarder. Simplement parce qu'il portait un pantalon et était en train d'accrocher des vêtements sur une corde pour les faire sécher ne signifiait pas qu'il ne pouvait pas se retrouver en sous-vêtements à tout moment.

Comme elle essayait de bloquer sa vue, Harper ne vit rien. Ce n'est que lorsque Daniel cria «Attention!» qu'elle leva les yeux et que quelque chose de trempé lui heurta le visage.

Cela lui fit perdre l'équilibre, et Harper tomba sur le dock, atterrissant brutalement sur les fesses. Daniel sauta par-dessus la rampe de la proue et apparut sur le dock.

Harper tira immédiatement la chose de son visage, toujours incertaine de ce dont il s'agissait exactement, mis à part que c'était mouillé, et venait de Daniel, alors elle pouvait présumer que c'était quelque chose d'affreux.

— Je suis désolé, dit Daniel, mais il riait en ramassant l'objet là où elle l'avait lancé. Est-ce que ça va ?

— Oui, ça va, claqua Harper.

Il tendit la main, afin de l'aider à se relever, mais elle la repoussa et se mit sur ses pieds.

— Je suis réellement désolé, répéta Daniel.

Il continua à lui sourire, mais réussit à avoir l'air penaud, alors Harper décida de le détester un peu moins, mais seulement un peu.

— Qu'est-ce que c'était ? s'enquit Harper en s'essuyant le visage avec la manche de son chemisier.

— Juste un t-shirt.

Il le déplia et le tint devant elle, dévoilant un simple t-shirt.

— Un t-shirt propre, précisa-t-il. J'étais en train de suspendre mes vêtements pour les faire sécher lorsque le vent s'en est emparé et l'a fait voler sur toi.

— Tu suspends tes vêtements *maintenant* ?

Harper fit un geste vers le ciel couvert.

— C'est complètement idiot.

— Eh bien, je manquais de vêtements propres.

Daniel haussa les épaules et glissa une main dans sa chevelure ébouriffée. Harper n'arrivait pas à dire si elle était blond cendré ou simplement cendrée.

— Je sais que certaines dames ne détesteraient pas me voir me promener sans vêtements, mais…

— Ouais, c'est ça.

Harper fit un bruit de dégoût de la gorge, ce qui fit encore plus rire Daniel.

— Écoute, je suis désolé, dit-il. Réellement. Je sais que tu ne me crois pas, mais laisse-moi me racheter.

— Tu peux te racheter en ne me traumatisant pas chaque fois que je passe, suggéra Harper.

— Te traumatiser ?

Daniel sourit et leva un sourcil.

— Ce n'était qu'un t-shirt, Harper.

— Ouais, ce n'était qu'un t-shirt *cette fois-ci*.

Harper le fusilla du regard.

— Tu n'es même pas censé vivre sur ce genre de bateau. Pourquoi ne te trouves-tu pas un véritable endroit, et il n'y aura plus de problème ?

— Plus facile à dire qu'à faire.

Il soupira, puis détourna les yeux d'elle, fixant la baie.

— Mais tu as raison. Je ferai plus attention.

— C'est tout ce que je demande, dit-elle en commençant à s'éloigner.

— Harper, lança Daniel.

Allant à l'encontre de son jugement, elle s'arrêta et se tourna vers lui.

— Pourquoi ne me laisses-tu pas t'offrir un café un jour ?

— Non merci, répondit rapidement Harper, peut-être trop rapidement à en juger l'air blessé qui traversa son visage.

Mais il l'effaça aussi vite et lui sourit.

— D'accord.

Il hocha la tête.

— À plus tard.

Harper tourna les talons sans rien ajouter, le laissant seul sur le dock. Elle était en fait surprise par son invitation, mais elle n'était pas tentée, même pas un peu.

Bien sûr, Daniel était plutôt mignon, à la manière grunge d'une vedette de rock, mais il était plus âgé qu'elle de quelques années, et sa vie n'était pas du tout rangée.

Par ailleurs, elle avait fait un pacte avec elle-même de ne sortir avec personne avant l'université. Elle était trop concentrée à mettre sa vie en ordre et n'avait pas de temps à perdre sur les garçons. Cela avait été son plan depuis le début, mais elle s'y était encore plus engagée après son plongeon dans le monde des rencontres l'automne dernier.

Alex lui avait arrangé une rencontre avec son ami Luke Benfield, soutenant qu'ils iraient bien ensemble. Même s'ils fréquentaient la même école, Harper n'avait jamais eu de cours avec Luke et ne le connaissait pas vraiment, mais comme Alex insistait, elle céda.

Les seules fois où elle avait vu Luke étaient à la maison d'Alex lors de fête *Halo* ou d'autres événements liés à des jeux vidéo. Harper ne participait habituellement pas à ces activités, alors ses échanges avec Luke avaient été minimes avant leur sortie.

La sortie en soi s'était suffisamment bien déroulée pour qu'elle accepte de le revoir. Il était gentil et drôle, même si ses manières étaient un peu trop celles d'un rat de bibliothèque, mais à sa façon, c'était mignon. Ce fut lorsqu'ils décidèrent d'amener leur relation au baiser que les choses se gâtèrent.

Harper n'avait embrassé qu'un autre garçon, lors d'une soirée pyjama en huitième année à la suite d'un défi, mais même avec son expérience limitée, elle savait que le fait de s'embrasser n'était pas censé se passer comme cela s'était passé avec Luke.

C'était baveux et beaucoup trop avide, comme s'il essayait de dévorer son visage. Puis, ses mains devinrent soudainement folles, et au début, elle ne fut pas certaine s'il essayait de la peloter ou s'il avait une attaque. Quand elle fut certaine que c'était la première option, elle décida de cesser de le voir.

C'était un gentil garçon, mais il n'y avait pas d'attirance physique entre eux. Pour y mettre un terme, Harper lui avait dit qu'elle devait se concentrer sur ses travaux scolaires et sa famille, et qu'elle n'avait pas de temps pour une relation. Mais les choses furent tout de même étranges, la fois suivante où elle le croisa.

Cela ne fit que solidifier sa vision de l'amour. Elle n'avait pas le temps ou le besoin pour tout ce drame.

Gemma s'appuya contre le rebord de la piscine et enleva ses lunettes. Levi, son entraîneur, se pencha au-dessus d'elle, et elle sut déjà en voyant son expression qu'elle avait battu son propre temps.

— J'ai réussi, n'est-ce pas ? demanda Gemma en lui souriant.

— C'est exact, répondit Levi.

— Je le savais !

Elle s'accrocha au rebord de la piscine et se dégagea de l'eau.

— Je pouvais le sentir.

— Tu as bien fait.

Levi hocha la tête.

— Maintenant, imagine à quel point tu serais formidable, si tu ne gaspillais pas ton énergie sur ces baignades nocturnes.

Gemma grogna et ôta son bonnet de bain, laissant retomber ses cheveux. Elle observa la piscine vide. Personne d'autre de l'équipe de natation ne s'entraînait durant l'été ; par contre, personne ne s'entraînait aussi fort qu'elle.

Ils en parlaient rarement, pas en termes clairs, mais Gemma et son entraîneur avaient les yeux tournés vers les Jeux olympiques. Les Jeux se trouvaient à plusieurs années, mais elle était déterminée à être en super forme le moment venu. Levi l'amenait à toutes les compétitions qu'il pouvait, et elle gagnait presque chaque fois.

— Ce n'est pas de l'énergie gaspillée.

Gemma fixa l'eau qui ruisselait autour de ses pieds.

— C'est quelque chose que je fais pour m'amuser. J'ai besoin de me détendre.

— C'est vrai, acquiesça Levi.

Il croisa les bras sur sa poitrine, enserrant sa planchette à pinces.

— Tu as besoin de t'amuser, de relaxer et d'être jeune. Mais tu n'as pas besoin de nager la nuit.

— Tu ne serais même pas au courant que je vais nager, si Harper ne rapportait pas, grommela Gemma.

— Ta sœur s'inquiète pour toi, dit doucement Levi. Et moi aussi. Il ne s'agit pas d'entraînement. La baie est dangereuse, la nuit. Un autre jeune a disparu, la semaine dernière.

— Je sais.

Gemma soupira.

Elle en avait déjà entendu parler une douzaine de fois par Harper. Un jeune de dix-sept ans habitait une maison sur le bord de l'eau avec ses parents. Il était sorti pour rencontrer des gens et faire un feu de joie, et il n'était jamais revenu.

Cette histoire en soi ne semblait pas si terrible, mais Harper rappelait rapidement à Gemma que deux autres garçons avaient disparu durant les derniers mois. Ils étaient sortis un soir et n'étaient simplement pas retournés chez eux.

Habituellement, c'était après avoir raconté ces histoires que Harper se précipitait vers Brian pour lui demander de garder Gemma à la maison. Mais Brian ne le faisait pas. Même après tout ce qui était arrivé à leur mère, ou peut-être à cause de cela, il croyait qu'il était plus important que les filles aient la chance de vivre leur vie.

— Tu dois simplement être prudente, lui dit Levi. Cela ne vaut pas la peine de tout gâcher pour une stupide erreur.

— Je sais, dit Gemma, cette fois avec plus de conviction.

Après tout ce dur labeur et ces sacrifices, elle n'allait pas laisser tout lui échapper.

— D'accord, dit Levi. Mais Gemma, c'était vraiment un bon temps aujourd'hui. Tu devrais être fière.

— Merci. Je ferai encore mieux demain.

— Ne te pousse pas trop, répondit Levi, mais il lui sourit.

— D'accord.

Elle lui rendit son sourire et pointa vers les vestiaires derrière elle.

— Je vais aller me doucher, maintenant.

— Essaie de t'amuser ce soir avec une activité qui ne comporte pas d'eau, d'accord? Élargis tes horizons au-delà de la natation. Ce sera bon pour toi.

— Oui, monsieur.

Gemma le salua en reculant vers les vestiaires, et il s'esclaffa.

Elle se doucha rapidement, seulement pour rincer le chlore de ses cheveux. Tout ce temps passé dans l'eau aurait dû rendre sa peau extrêmement desséchée, mais elle utilisait de l'huile pour bébé chaque fois qu'elle devenait sèche. C'était la seule chose l'empêchant de se transformer en alligator.

Après s'être habillée, elle sortit pour déverrouiller son vélo. La pluie avait recommencé, tombant deux fois plus dru que plus tôt. Gemma enfonça sa capuche sur sa tête, regrettant sa décision d'être venue à sa séance en vélo, lorsqu'elle entendit le bruit d'un klaxon derrière elle.

— Tu veux que je t'emmène? appela Harper en descendant la fenêtre de sa portière, afin de crier en direction de sa sœur.

— Et mon vélo? demanda Gemma.

— Tu le prendras demain.

Gemma réfléchit pendant une seconde avant de courir vers la voiture de sa sœur et d'y sauter. Elle jeta son sac de gym sur le siège arrière et boucla sa ceinture.

— J'étais en direction de la maison après le travail. Je me suis dit que j'allais passer pour voir si tu avais besoin que je te ramène, expliqua Harper en s'éloignant du gymnase.

La pratique ne durait que quelques heures, mais habituellement, Gemma mangeait, puis se rendait en salle de musculation. Elle n'était pas musclée, mais devait garder son corps au sommet de sa condition.

— Merci.

Gemma dirigea la bouche d'aération, afin que la chaleur souffle directement vers elle.

— La pluie est assez froide.

— Comment s'est passée la pratique aujourd'hui ?

— Bien.

Gemma haussa les épaules.

— J'ai battu mon meilleur temps.

— Vraiment ?

Harper semblait véritablement excitée et lui sourit.

— C'est incroyable ! Félicitations !

— Merci.

Elle s'enfonça dans son siège.

— Tu sais ce qui se passe ce soir ?

— À quel sujet ? questionna Harper. Papa fait une pizza pour le souper, et je pensais aller chez Marcy pour regarder ce documentaire appelé *Hot Coffee*. Qu'avais-tu de prévu ?

— Je ne sais pas. Rien. Je pense rester à la maison ce soir.

— Tu veux dire *réellement* rester à la maison ? s'enquit Harper. Pas de bain de minuit ?

— Non.

— Oh.

Harper fit une pause, surprise.

— Ce serait bien. Papa aimera cela.

— Je suppose.

— Je peux rester à la maison, si tu veux, offrit Harper. Je pourrais louer des films à regarder ensemble.

— Non, ça ira.

Gemma regarda par la fenêtre tandis que Harper les ramena à la maison.

— Je pensais qu'après dîner, j'irais voir si Alex voulait venir pour jouer à *Red Dead Redemption*.

— Oh.

Harper expira profondément, mais ne dit rien.

Elle n'était pas enchantée par leur amitié, mais avait déjà donné son avis sur le sujet. Par ailleurs, il était préférable que Gemma soit à la maison à jouer à des jeux vidéo avec le voisin que de se promener dans la ville en plein milieu de la nuit.

— Elles ne sont que trois, dit Gemma, tirant Harper de ses pensées.

— Pardon ?

Harper leva les yeux pour voir Penn, Thea et Lexi marcher sur la rue.

Il pleuvait à verse, mais elles ne portaient pas de veste et ne semblaient pas s'en soucier. S'il s'était agi de n'importe qui d'autre, elle leur aurait offert de les déposer, mais elle accéléra intentionnellement, quand elle passa près d'elles.

— Elles ne sont que trois.

Gemma se tourna vers sa sœur.

— Qu'est-il arrivé à la quatrième ?

— Je ne sais pas.

Harper secoua la tête.

— Peut-être est-elle malade.

— Non, je ne crois pas.

Gemma déposa la tête contre son siège et s'enfonça.

— Quel était son nom ?

— Arista, je crois, dit Harper.

Elle avait appris leurs noms de Marcy, qui, elle, les avait appris de Pearl, qui était habituellement plutôt juste, quand il s'agissait de potins de la ville.

— Arista, répéta Gemma. Quel nom stupide.

— Je suis certaine que de nombreuses personnes trouvent nos noms stupides, fit remarquer Harper. Ce n'est pas bien de se moquer de quelque chose sur laquelle les gens n'ont aucun pouvoir.

— Je ne me moque pas d'elle. Je ne fais que le dire.

Gemma se tourna pour observer les formes s'estompant des trois filles.

— Crois-tu qu'elles l'ont tuée ?

— Ne dis pas des choses comme ça, lâcha Harper, même si cette idée lui avait déjà traversé l'esprit. C'est ainsi que les rumeurs commencent.

— Je ne fais pas courir de rumeur.

Gemma roula les yeux.

— Je ne fais que te demander ce que tu penses.

— Bien sûr que non, je ne crois pas qu'elles l'ont tuée.

Harper espéra qu'elle avait l'air plus convaincue qu'elle l'était vraiment.

— Elle est probablement malade ou elle est retournée chez elle, ou quelque chose du genre. Je suis certaine que tout va bien.

— Mais il y a quelque chose qui cloche avec ces filles, dit pensivement Gemma, davantage pour elle que pour Harper. Il y a quelque chose de pas normal.

— Ce ne sont que de jolies filles. C'est tout.

— Mais personne ne sait d'où elles viennent, insista Gemma.

— C'est la saison touristique. Personne ne sait d'où quiconque vient.

Harper tourna un coin et regarda sa sœur, voulant la réprimander de nourrir la rumeur.

— Attention ! cria Gemma, et Harper appuya sur les freins juste à temps pour éviter de heurter Penn et Thea.

Pendant une minute, ni Harper ni Gemma ne dirent quoi que ce soit, bien que Harper n'aurait rien entendu au-delà des battements de son cœur. Penn et Thea se tenaient directement devant la Sable, les fixant à travers le pare-brise.

Lorsque Lexi frappa à la fenêtre du côté de Gemma, elles crièrent de surprise. Gemma lança un coup d'œil vers Harper, comme si elle n'était pas certaine de ce qu'elle devait faire.

— Descends ta fenêtre, lança précipitamment Harper, et Gemma obtempéra.

Elle s'inclina et se força à sourire à Lexi.

— Je suis désolée. Nous ne vous avions pas vues.

— Pas de problème.

Lexi sourit largement, insouciante de la pluie tombant sur sa chevelure blonde.

— Nous cherchions des indications.

— Des indications ? demanda Harper.

— Ouais, nous nous sommes un peu perdues et nous voulions retourner à la baie.

Lexi appuya son bras mince contre la voiture et baissa les yeux vers Gemma.

— Tu sais comment se rendre à la baie, n'est-ce pas? Nous t'y voyons toujours.

— Euh, ouais.

Gemma pointa directement devant elles.

— Descendez trois pâtés de maisons, puis tournez à droite sur l'avenue Seaside. Cela vous y mènera directement.

— Merci, dit Lexi. Seras-tu à la baie ce soir?

— Non, dirent Gemma et Harper à l'unisson, et Gemma toisa du regard sa sœur avant d'ajouter :

— Ce n'est pas plaisant de nager avec toute cette pluie.

— Pourquoi pas? L'eau est tout de même mouillée.

Lexi éclata de rire à sa blague, mais Gemma ne dit rien.

— Oh, eh bien, je suis certaine que nous te verrons de toute façon dans les environs. Nous garderons un œil sur toi.

Elle fit un clin d'œil à Gemma, puis se redressa et s'éloigna de la voiture. Gemma remonta sa fenêtre, mais Penn et Thea furent lentes à s'écarter de devant le véhicule. Pendant un instant, Harper craint qu'elle dût mettre la voiture en marche arrière pour les esquiver.

Lorsqu'elles se déplacèrent enfin, Harper dut contenir son envie d'écraser l'accélérateur loin d'elles. À la place, elle leur fit un petit signe de la main, mais Gemma demeura raide sur son siège, refusant le moindre geste vers les filles.

— C'était bizarre, dit Harper alors qu'elles s'éloignaient et que son cœur commençait à ralentir.

— Et terrifiant, ajouta Gemma.

Comme Harper ne dit rien, Gemma lui lança un regard.

— Oh, allez. Tu dois admettre que c'était terrifiant. Pour quelle autre raison ne leur as-tu pas offert de les déposer chez elles ?

Harper agrippa le volant et chercha une excuse.

— Elles semblent apprécier l'eau.

— N'importe quoi.

Gemma roula les yeux.

— Elles sont sorties de nulle part. Tu as bien vu ! Elles étaient derrière nous et tout à coup, elles étaient devant nous. Elles sont comme… surnaturelles.

— Elles ont pris un raccourci, avança de manière peu convaincante Harper en se garant dans l'allée près de la camionnette déglinguée Ford F-150 de son père.

— Harper ! grogna Gemma. Peux-tu cesser d'être logique pendant une seconde et admettre que ces filles te donnent la chair de poule ?

— Il n'y a rien à admettre, mentit Harper.

Elle éteignit le moteur et changea de sujet.

— Vas-tu demander à papa de jeter un coup d'œil à ta voiture ?

— Demain, quand il aura cessé de pleuvoir.

Gemma prit son sac de gym sur le siège arrière. Elle bondit de la voiture et courut dans la maison, Harper se pressant derrière elle.

Dès qu'elles s'étaient garées dans l'allée, Harper avait eu l'étrange sensation qu'elles étaient suivies et n'arrivait pas à s'en défaire.

Quand elle fut à l'intérieur, elle verrouilla la porte derrière elle et écouta Gemma et Brian discuter de leur journée.

La maison sentait déjà la pizza, grâce à la sauce maison de Brian. Mais malgré l'atmosphère douillette, Harper ne put se calmer. Elle regarda à travers le judas de la porte et balaya du regard la rue, mais ne vit rien. Il lui fallut près de quinze minutes pour se sentir à la maison, mais elle ne réussit pas à se convaincre qu'on ne les surveillait pas.

CHAPITRE 4

Mère

— Désolé, chérie, mais c'est un projet de toute une journée, dit Brian la tête sous le capot de la Chevrolet de Gemma.

Du noir, provenant vraisemblablement d'huile ou d'autre liquide, maculait ses bras et sa vieille chemise de travail tachée.

— Je comprends, répondit Harper.

Elle ne s'était pas attendue à une autre réponse de sa part, mais cela ne l'avait pas empêchée de le lui demander.

— Peut-être une autre fois.

Brian ne leva pas les yeux vers elle. Toute son attention sembla se concentrer sur le moteur, mais il trouvait toujours quelque chose à s'occuper les samedis, afin de ne pas avoir à aller avec Harper et Gemma.

— D'accord.

Harper soupira et fit jouer ses clés de voiture dans sa main.

— Je suppose qu'on devrait y aller, alors.

La porte-moustiquaire claqua, et Harper regarda Gemma, qui venait de sortir. Gemma portait d'énormes lunettes de soleil foncées, mais ses lèvres étaient pincées en une mince ligne, ainsi Harper sut qu'elle fusillait du regard leur père.

— Il ne vient pas, c'est ça ? demanda Gemma en croisant les bras sur sa poitrine.

— Pas aujourd'hui, répondit doucement Harper, essayant de calmer sa sœur.

— Désolé, mon cœur.

Brian sortit la tête de sous le capot et fit un geste vers le soleil éclatant.

— Je veux examiner cela pendant que la température le permet.

— N'importe quoi, railla Gemma en fonçant vers la voiture de Harper.

— Gemma ! appela derrière elle Harper, mais Gemma ne fit que secouer la tête.

— Laisse-la, dit Brian à Harper.

Gemma entra dans la voiture et ferma la porte bruyamment. Harper savait qu'elle était en colère, et comprenait même la raison, mais cela ne signifiait pas que Gemma avait le droit d'être aussi impolie.

— Désolée, papa.

Harper lui sourit faiblement.

— Elle est…

Harper fit un geste de la main dans l'air, incertaine de la manière de décrire Gemma.

— Non, ça va.

Brian plissa les yeux en direction du soleil pendant un moment, puis les redescendit vers la voiture. Il avait une clé à molette dans une main et la tapota distraitement sur la voiture.

— Elle a raison. Je le sais, et tu le sais. Mais je…

Il ne dit rien, mais ses épaules s'affaissèrent. Il se rembrunit, se durcissant, afin de contenir ses émotions. Harper détestait voir son père ainsi et souhaita pouvoir dire quelque chose pour le soulager.

— Je comprends, papa.

Harper insista.

— Je comprends réellement.

Elle tendit la main et toucha son épaule avant d'être interrompue par le bruit assourdissant du klaxon de sa voiture.

— Elle nous attend, Harper! cria Gemma de la voiture.

— Désolée.

Harper s'éloigna en reculant, se dirigeant vers sa voiture.

— Je dois y aller. Nous serons de retour plus tard.

— Prenez votre temps, dit Brian.

Il s'inclina vers le moteur, tournant le dos à Harper.

— Amusez-vous bien.

Harper aurait aimé en dire plus à son père, mais avec la manière dont Gemma agissait, elle ne voulut pas exagérer. Gemma était impatiente, mais quand elle était en plus en colère, elle pouvait être carrément impossible.

— Tu es tellement impolie, dit Harper dès qu'elle fut dans la voiture.

— *Je* suis impolie? demanda Gemma, incrédule. Je ne suis pas celui qui se désiste à aller voir maman.

— Chut!

Harper fit démarrer la voiture et ouvrit la radio, espérant couvrir Gemma, afin que Brian n'entende pas.

— Il reste ici pour travailler sur *ta* voiture.

— Non.

Gemma secoua la tête. Elle s'enfonça dans son siège, les bras fermement croisés sur la poitrine.

— Il peut travailler sur ma voiture n'importe quel autre jour. Il reste pour la même raison qu'il est resté tous les autres samedis.

— Tu ne sais pas comment c'est pour lui.

Alors qu'elles s'éloignaient de la maison, Harper regarda dans le rétroviseur. Brian se tenait dans l'allée, semblant anormalement perdu.

— Et il ne sait pas comment c'est pour nous, riposta Gemma. Le fait est que c'est difficile pour nous tous, mais que nous essayons.

— Chacun fait face à sa manière, dit Harper. On ne peut pas le forcer à lui rendre visite. Je ne sais même pas pourquoi ça te dérange tant aujourd'hui. Cela fait plus d'un an qu'il ne l'a pas vue.

— Je ne sais pas, admit Gemma. Parfois, ça m'énerve. Peut-être parce qu'aujourd'hui, il se sert de *moi* comme excuse pour ne pas venir voir maman.

— Tu veux dire parce qu'il répare ta voiture?

— Ouais.

— Elle sera tout de même heureuse de nous voir.

Harper jeta un coup d'œil vers Gemma et tenta de lui sourire, mais Gemma avait les yeux rivés sur la fenêtre.

— Cela importe peu, si quelqu'un d'autre ou non vient. Nous faisons du mieux que nous pouvons pour elle, et elle le sait.

Chaque samedi, lorsque la température le permettait, Harper et Gemma faisaient le trajet de vingt minutes les menant à la résidence de Briar Ridge. Il s'agissait de la résidence la plus près spécialisée en traumatisme cérébral, et c'est à cet endroit qu'habitait leur mère depuis les sept dernières années.

Un jour, neuf années plus tôt, Nathalie conduisait Harper à une soirée pizza lorsqu'un conducteur ivre les avait heurtées latéralement. Harper portait maintenant une grande cicatrice tout le long de la cuisse, mais sa mère avait été dans le coma pendant près de six mois.

Harper avait été convaincue qu'elle allait mourir, mais Gemma n'avait jamais perdu espoir. Quand Nathalie était enfin sortie du coma, elle se rappelait à peine comment parler ou se prodiguer les soins d'hygiène personnelle. Elle était demeurée à l'hôpital pendant une longue période, réapprenant tout. Avec le temps, sa mémoire était revenue un peu.

Mais elle n'avait jamais plus été vraiment la même. Ses facultés motrices étaient très déficientes, et sa capacité à se rappeler les trucs et à raisonner était radicalement réduite. Nathalie avait toujours été attentionnée et aimante, mais après l'accident, elle avait eu de la difficulté à compatir avec quiconque.

Après une brève, mais chaotique, période à la maison, Brian avait finalement dû installer Nathalie à la résidence.

De l'extérieur, la maison avait un air banal. Elle était jolie sans l'être trop, et même à l'intérieur, elle n'était pas si différente. Nathalie partageait la maison avec deux autres colocataires, et il y avait du personnel en tout temps.

Dès que Harper gara la voiture dans l'allée, Nathalie sortit par la porte avant et courut vers elles. C'était un bon signe. Parfois, lorsqu'elles venaient, elle demeurait assise dans sa chambre à pleurer silencieusement durant toute la visite.

— Mes filles sont ici !

Nathalie tapa dans ses mains, se contenant à peine alors qu'elles sortaient de la voiture.

— Je leur ai dit que vous veniez aujourd'hui !

Nathalie enlaça Harper si étroitement que cela lui fit mal. Quand Gemma eut fait le tour de la voiture, Nathalie la tira dans l'étreinte, les tenant inconfortablement serrées.

— Je suis si heureuse que mes filles soient là, murmura Nathalie. Cela fait si longtemps que je ne vous ai pas vues.

— Nous sommes heureuses de te voir aussi, dit Gemma après s'être dégagée de l'étreinte de Nathalie. Mais nous sommes venues la semaine dernière.

— Vraiment ?

Nathalie plissa les yeux et observa les filles, comme si elle ne les croyait pas réellement.

— Oui, nous te rendons visite chaque samedi, lui rappela Harper.

Les sourcils de Nathalie se froncèrent en signe de confusion, et Harper retint son souffle, se demandant si elle avait fait la bonne chose en corrigeant sa mère. Quand elle était confuse ou frustrée, le caractère de Nathalie avait tendance à l'irriter.

— Tu es très jolie aujourd'hui, dit Gemma, se pressant à changer de sujet.

— Ah oui ?

Nathalie baissa les yeux vers son t-shirt de Justin Bieber et sourit.

— J'aime Justin.

Tandis que Harper ressemblait davantage à leur père, Gemma avait reçu sa beauté de Nathalie. Elle était mince et belle, ressemblant plus à un mannequin qu'à une mère. Elle gardait ses cheveux bruns longs, couvrant les cicatrices marquant son crâne à la suite de l'accident. Quelques mèches étaient attachées en étroites tresses, et une mèche de sa frange était ficelée de perles rose vif.

— Vous êtes toutes les deux si belles !

Nathalie admira ses filles et toucha le bras nu de Gemma.

— Tu es si bronzée ! Comment fais-tu ?

— Je passe beaucoup de temps dans l'eau, expliqua Gemma.

— C'est vrai, c'est vrai.

Nathalie ferma les yeux et se frotta la tempe.

— Tu es une nageuse.

— C'est ça.

Gemma sourit et hocha la tête, fière que sa mère se souvienne de quelque chose qu'elle lui avait dit un millier de fois.

— Allez, entrez !

Nathalie effaça l'expression peinée de son visage et leur fit un geste vers la maison.

— Je leur ai dit que vous veniez aujourd'hui, alors ils m'ont laissée faire des biscuits ! Nous devrions les manger pendant qu'ils sont encore chauds.

Elle posa son bras autour des épaules de Gemma, entrant avec elle dans la maison. Le personnel les accueillit, ceux-ci en connaissant plus sur la vie de Gemma et de Harper que Nathalie elle-même.

Ce n'était pas que Nathalie n'essayait pas de connaître ses filles. Elle n'arrivait simplement pas à s'en souvenir.

Nathalie avait affirmé avoir préparé les biscuits, mais un emballage traînait près de l'assiette dans lesquels elle les avait flanqués. Elle faisait souvent cela, pour des raisons que Harper ne comprenait pas entièrement. Nathalie mentait sur de petites choses, affirmant des choses que Harper et Gemma savaient ne pas être vraies.

Au début, elles la confrontaient. Harper expliquait calmement comment elles savaient que ce n'était pas vrai, mais Nathalie devenait furieuse, quand elle était prise à mentir. Elle avait une fois lancé un verre vers Gemma. Il l'avait manquée, mais avait éclaté contre un mur, et un morceau avait coupé Gemma à la cheville.

Alors, aujourd'hui, elles sourirent et mangèrent les biscuits pendant que Nathalie expliquait comment elle les avait confectionnés. Elle prit l'assiette de biscuits et mena les filles à sa chambre.

— C'est tellement mieux ici, dit Nathalie en fermant la porte derrière elles. À l'abri des gens nous surveillant.

Nathalie s'assit sur son étroit lit jumeau, et Gemma s'installa près d'elle. Harper demeura debout, ne se sentant jamais vraiment à l'aise dans la chambre de sa mère.

Des affiches couvraient le mur, la plupart de Justin Bieber, le préféré du jour de Nathalie, mais il y avait aussi une affiche du dernier film de Harry Potter et une d'un chiot étreignant un canard. Des peluches d'animaux couvraient le lit, et les vêtements débordant du panier à linge comportaient plus de couleurs et de paillettes que la moyenne d'une garde-robe d'adulte.

— Est-ce que vous voulez écouter de la musique? demanda Nathalie.

Avant qu'elles aient le temps de répondre, elle sauta du lit et se rendit à sa chaîne stéréo.

— Je viens d'avoir de nouveaux CD. Qu'aimeriez-vous écouter? J'ai tout.

— Ce qui te tente fera l'affaire, répondit Gemma. Nous sommes venues ici pour te visiter.

— Choisissez quelque chose.

Nathalie afficha un sourire, mais celui-ci avait un air triste.

— Ils ne me laissent pas l'écouter trop fort, mais on peut quand même l'écouter doucement.

— Justin Bieber? suggéra Harper, non pas parce qu'elle en avait envie, mais parce qu'elle savait que Nathalie en possédait.

— Il est le meilleur, n'est-ce pas?

Nathalie alla même jusqu'à couiner en appuyant sur la touche de mise en marche et la musique sortit des haut-parleurs.

Elle bondit sur le lit près de Gemma, faisant sauter les biscuits de l'assiette. Gemma les ramassa et les replaça de la même manière dont leur mère l'avait fait, mais Nathalie ne remarqua rien.

— Alors, maman, comment ça va? demanda Harper.

— Comme d'habitude.

Nathalie haussa les épaules.

— J'aimerais habiter avec vous, les filles.

— Je sais, dit Harper. Mais tu sais que c'est mieux pour toi ici.

— Peut-être pourrais-tu venir nous visiter, offrit Gemma.

C'était une offre qu'elle faisait depuis des années, mais Nathalie n'était pas venue à la maison depuis très longtemps.

— Je ne veux pas aller en visite.

Elle fit la moue, étirant sa lèvre inférieure et tirant sur l'ourlet de son t-shirt.

— Je parie que vous vous amusez tout le temps. Personne ne vous dit jamais quoi faire.

— Harper me dit sans cesse quoi faire.

Gemma s'esclaffa.

— Et évidemment, il y a papa.

— Oh. C'est vrai, dit Nathalie. Je l'avais oublié.

Son front se plissa de concentration.

— Quel est son nom déjà?

— Brian.

Harper sourit, afin de dissimuler sa peine, et déglutit péniblement.

— Le nom de papa est Brian.

— Je croyais que c'était Justin.

Elle fit un signe de la main, écartant le sujet.

— Est-ce que vous aimeriez venir au concert avec moi, si je peux avoir des billets?

— Je ne pense pas, lâcha Harper. Nous avons beaucoup à faire.

La conversation se déroula ainsi pendant un moment. Nathalie questionna les filles sur leur vie, et elles lui dirent des choses qu'elles avaient déjà dites des centaines de fois. Quand elles partirent, Harper se sentit comme chaque fois, épuisée, mais soulagée.

Elle aimait sa mère, tout comme Gemma aimait sa mère, et elles étaient toutes les deux contentes de la voir. Mais Harper ne pouvait s'empêcher de se demander ce qu'elles en tiraient.

CHAPITRE 5

Astronomie

Les ordures peuvent avoir l'odeur d'un animal mort. Gemma fronça le nez et essaya de ne pas étouffer en lançant le sac dans la poubelle derrière sa maison. Elle n'avait aucune idée de ce que son père ou Harper avait jeté, mais c'était absolument infect.

En agitant une main devant son visage, elle recula. Gemma respira aussi profondément qu'elle put l'air frais du soir.

Elle jeta un coup d'œil vers la maison voisine. Dernièrement, elle se surprenait à y regarder de plus en plus souvent, comme si elle cherchait inconsciemment Alex. Cette fois, elle eut de la chance. Dans la lueur de la lumière de sa cour arrière, elle vit Alex étendu sur sa pelouse, scrutant le ciel.

— Que fais-tu? demanda Gemma, entrant dans la cour arrière d'Alex sans attendre d'y être invitée.

— Je regarde les constellations, répondit Alex, mais elle savait déjà la réponse avant de poser la question.

Depuis tout le temps qu'elle le connaissait, il avait passé plus de temps la tête levée vers les étoiles qu'ici, sur le sol.

Il était étendu sur le dos, les doigts croisés derrière la tête et une vieille couverture sous lui. Son t-shirt de Batman était un peu trop petit pour lui, vestige d'avant sa récente poussée de croissance. Les muscles de ses bras et de ses larges épaules tiraient sur le tissu. Le t-shirt s'était un peu relevé, alors elle put voir une partie de son ventre au-dessus de son jeans, mais Gemma détourna rapidement le regard et prétendit n'avoir rien remarqué.

— Ça te dérange si je me joins à toi ?

— Euh, non. Bien sûr que non.

Alex se déplaça rapidement, lui laissant de la place sur la couverture.

— Merci.

La couverture n'était pas très grande, donc lorsque Gemma s'assit, elle se trouva près de lui. En s'allongeant, sa tête heurta le coude d'Alex. Afin de remédier à cette situation, il plaça son bras entre eux. Maintenant, son bras se pressait contre le sien, et elle tenta de ne pas penser à quel point la peau d'Alex était chaude.

— Alors… que regardes-tu exactement ? le questionna Gemma.

— Je t'ai déjà montré les constellations, répondit Alex, ce qui était vrai et plusieurs fois.

Mais la plupart de ces fois avaient eu lieu lorsqu'elle était plus jeune et qu'elle ne s'attardait pas à ses mots comme elle le faisait maintenant.

— Je me demandais simplement s'il y avait quelque chose en particulier que tu observais.

— Non. Pas vraiment. J'aime juste les étoiles.

— Est-ce dans ce domaine que tu étudieras à l'université ?

— Les étoiles ? demanda-t-il. Un peu, je suppose. Enfin, ce n'est pas comme si j'allais être un astronaute ou quelque chose du genre.

— Pourquoi pas ?

Elle tourna la tête, afin de le voir.

— Je ne sais pas.

Il bougea, et sa main frôla celle de Gemma.

— Aller dans l'espace est un rêve merveilleux, ouais, mais je préfère demeurer sur le sol et faire une différence. Je veux étudier et suivre les conditions climatiques et l'atmosphère. Je pourrais sauver des vies, si les gens étaient au courant des tempêtes à l'avance.

— Tu préfères rester ici à observer le ciel plutôt qu'être en haut parce que tu peux aider les gens ?

Elle l'observa, étonnée de constater à quel point il avait vieilli, pas uniquement dans les lignes viriles de sa mâchoire ou dans la traînée de poils foncés qu'elle avait vue sur son ventre. Mais quelque chose avait changé à l'*intérieur* de lui. À un moment donné, il avait cessé d'être le garçon obsédé par les jeux vidéo et était devenu quelqu'un concerné par le monde autour de lui.

— Ouais.

Il haussa les épaules et se tourna, afin de lui faire face. Ils restèrent sur la couverture à se fixer pendant une minute, puis Alex sourit.

— Quoi ? Pourquoi me regardes-tu ainsi ?

— Je ne te regarde d'aucune manière, lâcha Gemma, mais elle détourna rapidement les yeux, craignant qu'il voie quelque chose dans son expression.

— Tu penses que c'est étrange, c'est ça ? l'interrogea Alex, l'observant toujours. Tu penses que je suis un rat de bibliothèque de vouloir étudier les schémas des conditions climatiques.

— Non, ce n'est pas à ça que je pense du tout.

Elle sourit de gêne en sachant ce à quoi elle pensait réellement.

— Enfin, tu *es* un rat de bibliothèque. Mais ce n'est pas à ça que je pensais.

— Je suis un rat de bibliothèque, acquiesça Alex, et Gemma éclata de rire.

Puis, apparemment sans réfléchir il dit :

— Tu es très jolie.

Dès l'instant suivant, il se détourna d'elle vivement.

— Je suis désolé. Je n'arrive pas à croire que je viens de dire ça. Je ne sais pas pourquoi j'ai dit ça, lança Alex d'un seul souffle. Je suis désolé.

Gemma resta pendant un moment, regardant les étoiles tandis qu'Alex se tortillait d'embarras près d'elle. Elle ne dit rien tout de suite, car elle n'était pas certaine de ce qu'elle devait dire ou penser de son aveu hasardeux.

— Est-ce que... tu viens de dire que j'étais jolie ? finit par demander Gemma d'un ton perplexe.

— Ouais...

Alex s'assit, comme s'il voulait mettre de la distance entre eux.

— Je ne sais pas pourquoi. Ça m'a échappé.

— Ça t'a échappé ? dit Gemma moqueusement en s'assoyant près de lui.

Il s'inclina, déposant les bras sur ses genoux, lui tournant le dos.

— Ouais.

Il soupira.

— Tu as ri, et j'ai trouvé que tu étais vraiment jolie. Pour une raison que j'ignore, j'ai... Je l'ai dit. C'est comme si j'avais oublié comment utiliser ma bouche ou quelque chose du genre.

— Attends.

Elle sourit, le genre de sourire qu'elle ne pouvait pas réprimer.

— Tu trouves que je suis jolie ?

— Eh bien, ouais.

Il soupira à nouveau et se frotta le bras.

— Évidemment que oui. Enfin, tu es *très* jolie. Tu sais ça.

Il leva les yeux vers le ciel et étouffa un juron.

— Je ne sais pas pourquoi je viens de te dire ça.

— Ça va.

Gemma s'approcha de lui, s'assoyant tout près, mais légèrement derrière lui. Ainsi, son épaule se pressa contre celle d'Alex.

— Je pense que tu es joli aussi.

— Tu penses que je suis joli ?

Alex sourit et se retourna pour la regarder, son visage directement devant le sien.

— Ouais, lui assura-t-elle en souriant.

— Je suis un garçon. Les garçons ne sont pas jolis.

— Tu l'es.

Son sourire s'adoucit, laissant la place à un regard légèrement nerveux et empli d'espoir.

Les yeux sombres d'Alex fouillèrent son visage, et il blêmit. Il parut véritablement terrorisé. Même si le moment lui semblait parfait, Gemma commença à croire qu'il n'en ferait rien.

Puis, il s'inclina, et ses lèvres se pressèrent doucement contre les siennes. Le baiser fut bref et doux, presque innocent, mais elle eut l'impression qu'il y avait des feux d'artifice en elle.

— Désolé, déclara Alex après l'avoir embrassée et détourné les yeux.

— Pourquoi t'excuses-tu ? l'interrogea Gemma.

— Je ne sais pas.

Il rit. Il secoua la tête et la regarda de nouveau, en train de lui sourire.

— Je ne suis pas désolé.

— Moi non plus.

Alex s'avança pour l'embrasser de nouveau, mais avant qu'il eût le temps, Brian cria de la maison derrière eux.

— Gemma !

Ce fut tout ce qu'il fallait pour gâcher l'ambiance. Alex s'éloigna de Gemma comme s'il venait de recevoir une décharge électrique.

Gemma se leva plus lentement que lui, lui offrant un sourire d'excuse.

— Désolée.

— Ouais, non, ça va.

Alex se frotta le derrière de la tête, refusant de même regarder en direction de Gemma ou de son père.

— On se voit plus tard? demanda Gemma.

— Ouais, ouais, bien sûr.

Il hocha rapidement la tête.

Gemma se pressa vers sa maison, où se trouvait son père tenant ouverte la porte arrière. Quand elle fut entrée, Brian demeura à l'extérieur un peu plus longuement, observant Alex en train d'essayer maladroitement de plier la couverture.

— Papa! lui cria Gemma.

Brian attendit une seconde avant d'entrer. Il ferma la porte derrière lui et la verrouilla, puis il éteignit la lumière extérieure. Quand il arriva dans la cuisine, Gemma faisait les cent pas en mordillant ses ongles.

— Tu n'as pas besoin de me surveiller, tu sais.

— Tu es sortie il y a quinze minutes pour déposer les ordures.

Brian s'appuya contre le comptoir.

— Je m'assurais simplement que tu n'avais pas été enlevée ou attaquée par des ratons laveurs enragés.

— Eh bien, non.

Gemma cessa de marcher et prit une profonde respiration.

— Veux-tu me dire ce qui se passait là dehors?

Les yeux de Gemma s'écarquillèrent.

— Non!

— Écoute, Gemma, je sais que tu as seize ans et que tu vas commencer à fréquenter les garçons.

Il se balança d'un pied à l'autre.

— Et Alex n'est pas exactement un mauvais jeune. Mais il est plus âgé, et tu es trop jeune pour certaines choses...

— Papa, on ne s'est qu'embrassés. D'accord?

Le visage de Gemma se contracta de gêne à discuter ce sujet avec son père.

— Alors, tu... sors avec lui maintenant? demanda Brian prudemment.

— Je ne sais pas.

Elle haussa les épaules.

— On ne s'est qu'embrassés.

— Et c'est tout ce que vous devriez faire, dit Brian. Il part dans quelques mois, et tu es trop jeune pour vraiment t'engager à quoi que ce soit. En plus, tu dois te concentrer sur ta natation.

— Papa, s'il te plaît, commença Gemma. Laisse-moi gérer tout ça moi-même. D'accord?

— D'accord, fit-il avec réticence. Mais s'il te touche, je vais le tuer. Et s'il te fait du mal, je vais le tuer.

— Je sais.

— Est-ce qu'il le sait? demanda Brian en faisant un geste vers la maison voisine d'Alex. Parce que je peux y aller et lui dire moi-même.

— Non, papa!

Gemma leva les mains.

— J'ai la situation en main. Maintenant, si tu n'y vois pas d'inconvénient, je vais au lit, afin de me lever tôt demain matin pour aller nager.

— Demain, c'est dimanche. La piscine est fermée.

— Je vais aller à la baie. Je n'y suis pas allée ce soir et je veux être dans l'eau.

Brian hocha la tête, laissant se terminer ainsi la conversation et filer Gemma vers sa chambre. La lumière brillait sous la porte de la chambre de Harper, indiquant qu'elle était encore debout, probablement à lire un livre. Gemma se faufila silencieusement dans sa chambre, afin de ne pas alerter sa sœur.

De la fenêtre de sa chambre, Harper aurait pu voir Gemma et Alex s'embrasser ou elle aurait pu entendre Gemma et son père en discuter. Et la dernière chose que Gemma souhaita était de recommencer avec Harper, particulièrement alors qu'elle ne savait pas ce qu'elle ressentait elle-même.

Gemma s'allongea sur son lit. Des étoiles de plastique étaient collées au plafond, et seulement quelques-unes diffusaient une faible lueur. Elle les regarda et sourit, car elles lui rappelèrent Alex.

Harper avait installé les étoiles alors que Gemma avait huit ans et qu'elle subissait de terribles terreurs nocturnes. Alex avait aidé, représentant les constellations avec autant de précisions qu'il avait pu.

Il était tellement étrange de penser à lui maintenant. Gemma était habituée de le voir traîner dans les environs comme l'ami intello de sa sœur. Mais maintenant, quand elle pensait à lui, son cœur battait plus rapidement et un sentiment chaud montait de son ventre.

Ses lèvres picotaient encore de son baiser, et elle se demanda quand elle aurait la chance d'encore l'embrasser. Elle demeura éveillée longtemps, jouant leur moment sous les étoiles encore et encore. Quand elle s'endormit enfin, elle le fit avec un sourire sur les lèvres.

L'alarme de son réveil près de son lit la réveilla en sursaut. Le soleil commençait à se lever, brillant d'un orange vif à travers ses rideaux. Gemma fut tentée de fermer le réveil, mais elle avait déjà manqué une journée complète de natation, alors elle devait vraiment se racheter.

Lorsque Gemma fut levée et prête, toute la ville de Capri était baignée de chauds rayons de soleil. Harper et son père dormaient encore, alors elle leur laissa une note sur le frigo leur rappelant qu'elle était à la baie d'Anthemusa.

Elle mit le volume de son iPod à fond sur une chanson de Lady Gaga et sauta sur son vélo. Il était encore tôt, alors le reste de la ville était encore endormi. Gemma aimait mieux cela ainsi, lorsque les rues ne débordaient pas de touristes.

Le trajet à la baie lui parut moins long que normalement. Pédaler sembla plus facile. Gemma avait l'impression de flotter sur un nuage. Un simple baiser d'Alex avait rendu le monde plus léger.

Puisqu'elle était venue à vélo, elle ne pouvait pas nager où se trouvait la forêt de cyprès, comme elle le faisait habituellement. Son vélo n'arriverait pas à monter le sentier, et il n'y avait pas d'endroit où l'attacher. Elle alla plutôt aux docks près de l'endroit où son père travaillait.

Techniquement, les gens n'étaient pas censés nager là, car avec tous ces bateaux, c'était dangereux, mais elle n'avait pas l'intention de vraiment y nager. Après avoir verrouillé son vélo, elle voulait plonger, puis nager vers un endroit plus sécuritaire. Personne de toute façon n'était levé aussi tôt pour la surprendre.

Gemma laissa son vélo près d'un poteau sur le quai. Après s'être dévêtue pour se retrouver en maillot de bain, elle enfouit son short de jeans, son débardeur et ses tongs dans son sac à dos. Elle passa sa chaîne de vélo à travers les courroies de son sac et l'attacha avec son vélo, verrouillant le tout fermement.

Elle courut jusqu'au bout du quai et plongea. L'air du matin était encore frais, et l'eau était un peu froide, mais Gemma ne s'en soucia pas. Comment la température ou l'eau étaient lui importaient peu. Gemma ne se sentait jamais plus chez elle que lorsqu'elle était dans l'eau.

Elle passa le plus de temps qu'elle put à nager, mais dès la fin de la matinée, la baie avait commencé à être bondée. Cela s'annonçait pour être une magnifique chaude journée, alors la plage était bourrée. L'eau près du quai s'était emplie de bateaux se dirigeant vers l'océan, et Gemma sut qu'elle devait entrer, si elle ne voulait pas être heurtée par une hélice.

Il manquait quelques barreaux à l'échelle au bout du quai, elle dut donc se démener pour se tirer. Elle était sur le point de se hisser par-dessus le quai quand quelqu'un tendit une main dans son visage. Les ongles étaient longs et manucurés, couleur sang, et la peau sentait la noix de coco.

Avec de l'eau salée ruisselant sur son visage, Gemma leva les yeux pour voir Penn devant elle, la main tendue vers Gemma.

— Besoin d'un coup de main ? lui demanda Penn, souriant d'une manière qui rappela à Gemma un animal affamé.

CHAPITRE 6

Coincée

Penn était la plus près de Gemma, mais les deux autres filles se trouvaient juste derrière elle. Gemma n'avait jamais été aussi près de Penn auparavant, et sa beauté était encore plus intimidante. Penn était parfaite. Elle ressemblait à un mannequin retouché sur la page couverture de *Maxim*.

— Avais-tu besoin d'aide ? demanda plus clairement Penn, comme si elle pensait que Gemma était sourde, puisqu'elle n'avait rien fait à l'exception de la regarder bouche bée.

— Non, ça va.

Gemma secoua la tête.

— Comme tu veux.

Penn haussa les épaules et recula, afin que Gemma puisse monter.

Gemma aurait aimé être plus gracieuse, puisqu'elle avait refusé l'aide, mais comme il manquait le dernier barreau de l'échelle, tout ce qu'elle réussit à faire fut une chute sur le quai. Gemma était parfaitement consciente de probablement ressembler à un poisson en train de s'agiter. Ainsi, elle se mit sur ses pieds aussi rapidement qu'elle put.

— Nous t'avons souvent vue te baigner là-bas, dit Penn.

Gemma l'avait entendue parler une fois et elle fut tout de même surprise de la voix de Penn. C'était ce babillage séduisant qui rendait habituellement Gemma folle, mais elle avait quelque chose de soyeux, rendant les mots de Penn étrangement beaux et attirants.

En fait, le simple fait d'entendre Penn parler atténuait certains des sentiments négatifs que Gemma éprouvait concernant les trois filles. Elles l'effrayaient encore, mais sa peur était amoindrie.

— Je suis désolée.

Penn lui sourit, révélant des dents blanches paraissant anormalement acérées.

— Je me nomme Penn, et voici mes amies, Lexi et Thea.

— Allô.

Lexi agita ses doigts en direction de Gemma. Sa chevelure blonde étincelait comme de l'or sous les rayons du soleil, et ses yeux avaient la même teinte turquoise que l'océan.

— Hé, dit Thea.

Même si elle sourit, elle parut ennuyée de même parler à Gemma. Elle scruta l'océan et glissa la main dans ses boucles rousses.

— Et tu es Gemma, c'est ça? questionna Penn, puisque Gemma ne dit rien.

— Ouais, c'est ça.

Gemma hocha la tête.

— Nous t'avons vue dans les environs et nous aimons ton style, poursuivit Penn.

— Merci ? demanda Gemma, incertaine de ce qu'elle devait penser de cette déclaration.

Elle s'enveloppa de ses bras, se sentant nue devant les trois filles. Gemma savait qu'elle était jolie et parfois, lorsqu'elle était pomponnée, elle se trouvait carrément canon. Mais se tenant près de Penn, Lexi et Thea, elle se sentit maladroite et peu attrayante.

De l'eau ruisselait de son corps sur les planches de bois sous ses pieds, et la seule chose à laquelle elle put penser était de se rendre à ses vêtements et de s'en vêtir.

— Nous aimons aller nager dans l'océan la nuit, lança Penn. C'est quelque chose de vraiment exaltant.

— C'est *incroyable*, intervint Lexi, d'une manière un peu trop enthousiaste.

Penn lui lança un regard, et celle-ci baissa les yeux.

— Eh… ouais.

Même si Gemma était d'accord avec elles, elle craignit de l'admettre. Elle sentit que Penn était en train d'organiser une sorte de piège qu'elle ne comprenait pas.

— Nous aimerions beaucoup que tu te joignes à nous pour une baignade, dit Penn en souriant encore plus largement.

— Je … je ne crois pas. Désolée.

Gemma n'arriva pas à trouver une véritable excuse à leur donner, mais il n'était pas question qu'elle accepte une invitation pour faire quoi que ce soit avec elles.

— Et pourquoi pas une baignade en après-midi, alors ? demanda Penn. Nous pensions justement à aller plonger. N'est-ce pas ?

— J'ai mon bikini sous ma robe, dit Lexi en faisant un geste vers la robe soleil moulante qu'elle portait.

— Eh bien, je viens de sortir, répliqua Gemma. Et je vais m'habiller.

Elle pointa en direction de son vélo, puis, voyant sa chance de s'échapper, s'en approcha. Gemma avait espéré qu'elles abandonneraient après qu'elle eut décliné leur offre, mais c'était apparemment un vœu pieux. Penn la suivit sur le quai.

— Je sais que tu aimes nager et j'aimerais vraiment que tu te joignes à nous, dit Penn. Si aujourd'hui ne fonctionne pas, alors dis-moi quand tu peux.

— Je ne sais pas.

Gemma s'empêtra avec le verrou de son vélo. Penn se tint derrière elle, jetant son ombre sur Gemma agenouillée près de son vélo.

— J'ai pas mal d'entraînement.

— Tu ne peux pas t'entraîner tout le temps, répondit Penn. Il n'y a pas que le travail dans la vie ; il faut aussi s'amuser.

— Je m'amuse, insista Gemma.

Réussissant enfin à défaire son sac, elle le saisit et se mit debout. Mais son désir de se vêtir s'était envolé. Tout ce qu'elle voulait était de lancer son sac sur son épaule, monter sur son vélo et s'éloigner de Penn et son sourire affamé.

— Tu dois vraiment venir nager avec nous.

La voix de Penn était soyeuse, mais c'était claire-ment un ordre. Ses yeux foncés s'accrochèrent à ceux de Gemma, la brûlant avec une intensité qui lui coupa le souffle.

Un bruit d'éclaboussure derrière elles brisa momentanément la concentration de Penn, mais la distraction fut suffisamment longue pour que Gemma reprenne son souffle et détourne le regard.

Daniel se tenait sur le quai un peu plus loin, de l'eau dégoutant sur sa poitrine nue et son long maillot. Gemma le connaissait pour l'avoir déjà vu lorsqu'elle visitait son père sur les docks, mais n'avait trouvé aucune raison de ne pas l'apprécier comme Harper le faisait.

— Est-ce que quelque chose ne va pas ? demanda Daniel, essuyant l'eau de son visage.

Sans attendre une réponse, il s'avança où Penn, Lexi et Thea encerclaient Gemma.

— Tout va bien, répondit joyeusement Lexi souriant à Daniel. Tu peux continuer à vaquer à tes occupations.

— Je ne crois pas.

Daniel continua d'avancer, ignorant Lexi. Quand il fut suffisamment près, il repoussa Lexi d'un coup d'épaule et baissa les yeux vers Gemma.

— Est-ce que ça va ?

— Nous avons dit qu'elle allait bien, dit Penn sur un ton glacial.

— Ce n'est pas à toi que j'ai demandé.

Daniel lui lança un regard avant de se retourner vers Gemma et de radoucir ses yeux. Gemma était trempée, serrant son sac sur sa poitrine.

— Allez viens, dit-il. Pourquoi ne viendrais-tu pas sur mon bateau pour te sécher ?

— Retourne à tes occupations, répéta Lexi, mais elle sembla plus confuse qu'en colère.

C'était comme si elle ne comprenait pas qu'il puisse l'ignorer.

Daniel fit signe à Gemma de le suivre. Alors qu'elle se pressa vers lui, elle ne put refouler le sentiment que Penn voulait arracher la tête de Daniel, de manière très littérale. Dès qu'ils furent éloignés des filles, Daniel plaça un bras autour des épaules de Gemma, pas d'une manière romantique, mais plutôt comme s'il voulait la protéger.

Alors qu'ils se dirigeaient vers le bateau, Gemma sentit les yeux de Penn lui brûler le dos. Lexi l'appela, disant qu'elles la reverraient, et quelque chose dans sa voix ressemblait à une chanson.

Gemma se retourna presque pour les rejoindre après avoir entendu la voix de Lexi, mais les bras de Daniel l'en empêchèrent.

Quand ils furent arrivés au bateau, Daniel aida Gemma à y monter. Comme Penn, Lexi et Thea se trouvaient encore sur le quai à les observer, il suggéra de descendre dans la cabine. Normalement, Gemma ne montait pas sur des bateaux de garçon plus âgé et qu'elle connaissait à peine, mais étant donné les circonstances, elle sentit qu'il était le choix le plus sécuritaire.

Son bateau était plutôt petit, alors l'espace de vie était assez exigu : un lit jumeau devant une petite table encadrée de deux bancs rembourrés, une cuisinette avec un minifrigo et un minuscule évier, une salle de bain et un coin rangement de l'autre côté, et c'était tout.

Le lit était défait, et des vêtements y étaient éparpillés. De la vaisselle sale se trouvait dans l'évier, quelques canettes de soda et des bouteilles de bière se trouvaient sur le comptoir et la table. Une pile de livres et de magazines attendaient près du lit.

— Assis-toi.

Daniel fit un geste vers le lit, puisque les bancs près de la table étaient en grande partie couverts de vêtements et de livres.

— Es-tu certain ? demanda Gemma. Je suis mouillée.

— Non, ça ira. C'est un bateau. Tout est tout le temps mouillé.

Il prit quelques serviettes et lui en lança une.

— Et voilà.

— Merci.

Elle fit courir la serviette dans ses cheveux et s'assit sur le lit.

— Et je ne parle pas seulement de la serviette. Merci de... eh bien, de m'avoir secourue, je suppose.

— Pas de problème.

Daniel haussa les épaules et s'appuya contre sa table de cuisine. Il s'épongea la poitrine avec une serviette, puis passa une main dans ses cheveux courts, les ébouriffant et envoyant partout de l'eau salée.

— Tu avais l'air si terrifiée.

— Je n'étais pas *terrifiée*, répliqua Gemma sur la défensive.

— Je ne t'en blâmerais pas, si c'était le cas.

Il s'inclina davantage, regardant à travers l'une des fenêtres de la cabine derrière lui.

— Ces filles me donnent la chair de poule.

— C'est ce que je disais ! cria Gemma, excitée d'entendre quelqu'un être d'accord avec elle. Ma sœur m'a dit que j'étais méchante.

— Harper ?

Daniel tourna les yeux vers Gemma.

— Elle aime ces filles ?

— Je ne pense pas exactement qu'elle les *aime*.

Gemma secoua la tête.

— Elle croit que je devrais être respectueuse envers tout le monde.

— Eh bien, c'est une bonne philosophie.

Il se pencha et ouvrit le minifrigo.

— Tu veux un soda ?

— Bien sûr.

Daniel prit deux canettes de soda au raisin, en tendit une à Gemma et garda l'autre pour lui. Il s'assit sur la table, croisant les jambes sous lui. Gemma s'enveloppa de la serviette et ouvrit la canette de soda.

Elle parcourut des yeux la cabine, examinant le maigre ameublement.

— Depuis combien de temps habites-tu ici ?

— Trop longtemps, répondit-il après avoir avalé une longue gorgée de son soda.

— Je crois que j'aimerais bien vivre sur un bateau un jour. Mais sur une péniche.

— Je recommande assurément de vivre sur quelque chose de plus vaste, si tu peux.

Daniel fit un mouvement de la main dans l'étroit espace.

— Et cela peut être un peu difficile d'habiter ici, quand l'océan devient agité. Mais ça fait si longtemps que je suis ici que je doute pouvoir dormir sur la terre. J'ai besoin de l'eau pour me bercer pour m'endormir.

— Ça doit être agréable.

Elle sourit rêveusement en s'imaginant dormir sur la baie.

— As-tu toujours aimé l'océan?

— Euh... je ne sais pas.

Daniel plissa le front, comme s'il n'y avait jamais réfléchi.

— Je suppose que je l'ai toujours aimé.

— Comment as-tu fini par vivre sur un bateau, alors?

— Je ne suis pas très romantique, l'avertit-il. Mon grand-père est décédé et m'a laissé ce bateau. J'ai été expulsé de mon appartement et j'avais besoin d'un endroit où habiter. Et voilà!

— Gemma!

Quelqu'un cria à l'extérieur du bateau, et Daniel et Gemma échangèrent un regard confus.

— Gemma!

— Est-ce ta sœur? questionna Daniel.

— Je crois que oui.

Gemma déposa sa canette de soda et se dirigea vers le pont, afin de voir ce qu'avait Harper à hurler.

Harper se tenait sur le quai près du vélo de Gemma et tenait dans sa main la chaîne de vélo. Ses cheveux noirs étaient coiffés en queue de cheval qui se balançait tandis que Harper scrutait les environs frénétiquement.

— Gemma! hurla encore Harper, le tremblement dans sa voix trahissant sa peur.

Gemma avança vers la balustrade et regarda sa sœur.

— Harper?

— Gemma!

Harper se tourna vers elle, une vague de soulagement balayant son visage jusqu'à ce qu'elle vit Daniel derrière elle.

— Gemma ! Que fais-tu ?

— Je me sèche, dit Gemma. Pourquoi t'énerves-tu autant ?

— Je suis venue voir si tu rentrais pour dîner et j'ai trouvé la chaîne de ton vélo déverrouillée, comme si quelque chose t'était arrivé pendant que tu la verrouillais, et je n'arrivais pas à te trouver. Maintenant, je te retrouve sur *son* bateau !

Harper avança d'un pas lourd vers le bateau de Daniel, serrant la chaîne dans son poing.

— Que fais-tu ?

— Je me sèche, répéta Gemma, commençant à être contrariée par la scène que faisait sa sœur.

— Pourquoi ? demanda Harper en pointant vers Daniel. C'est une calamité !

— Merci, lança Daniel ironiquement, et Harper le regarda, furieuse.

— Écoute, je vais prendre mon vélo, nous irons à la maison et tu pourras péter un plomb là-bas, dit Gemma.

— Je ne pète pas un plomb ! cria Harper, puis elle s'arrêta et prit une profonde respiration. Mais tu as raison. Nous parlerons de cela à la maison.

— Hourra.

Gemma soupira. Elle ôta la serviette de ses épaules et la tendit à Daniel.

— Merci.

— Pas de problème. Et désolé si je t'ai causé des ennuis.

— Idem, répondit Gemma, lui offrant un petit sourire d'excuse.

Gemma lança son sac à dos sur le quai, puis sauta par-dessus la rambarde. Elle prit sa chaîne de la main d'Harper, attrapa son sac et se dirigea vers son vélo, afin de s'habiller avant de rentrer à la maison.

— Tu es un pervers dégoûtant, grogna Harper en direction de Daniel en pointant un doigt vers lui. Gemma n'a que seize ans, et même si tu as un quelconque complexe de Peter Pan, tu es quand même un homme de vingt ans. Tu es trop âgé pour traîner avec elle.

— Oh, s'il te plaît.

Daniel roula les yeux.

— Ce n'est qu'une gamine. Je ne la draguais pas.

— Ce n'est *pas* ce que j'ai cru voir d'ici.

Harper croisa les bras.

— Je devrais te dénoncer pour habiter sur ce stupide bateau et pour ton comportement odieux avec des filles mineures.

— Fais ce que tu as à faire, mais je ne suis pas un salaud.

Il s'appuya contre la rambarde et baissa les yeux vers Harper.

— Ces filles embêtaient ta sœur, et je me suis interposé, pour l'enlever de leurs griffes.

— Quelles filles? demanda Harper.

— Ces filles.

Daniel fit un geste vague de la main.

— Je crois que la chef se nomme Penn ou quelque chose du genre.

— Les filles vraiment jolies?

Harper se crispa.

Elle n'avait pas vraiment cru que Daniel puisse faire quelque chose à Gemma, mais à la mention du nom de Penn, son estomac se contracta.

— Je suppose.

Daniel haussa les épaules.

— Elles embêtaient Gemma?

Elle lança un regard en direction de Gemma, laquelle enfilait son débardeur et paraissait indemne.

— Comment?

— Je ne sais pas exactement.

Il secoua la tête.

— Mais elles l'encerclaient, et Gemma semblait affolée. Je ne leur fais pas confiance et je ne les voulais pas près d'elle. Je l'ai invitée sur mon bateau pour se cacher jusqu'à ce qu'elles partent, et tu es arrivée dix minutes plus tard. C'est tout ce qui s'est passé.

— Oh.

Harper se sentit mal maintenant de lui avoir crié dessus, mais ne voulut rien montrer.

— Eh bien. Merci d'avoir veillé sur ma sœur. Mais tu ne devrais pas la faire monter sur ton bateau.

— Je n'avais pas l'intention d'en faire une habitude.

— Bien.

Harper se balança sur ses pieds, essayant toujours d'avoir l'air indignée.

— Je crois qu'elle sort avec quelqu'un, de toute façon.

— Harper, je te l'ai déjà dit. Je ne drague pas ta sœur.

Daniel sourit d'un air suffisant.

— Mais si je ne te connaissais pas mieux, je dirais que tu es jalouse.

— Oh, s'il te plaît.

Harper plissa le nez.

— Ne sois pas grossier.

Daniel éclata de rire devant ses protestations. Pour une raison qu'elle ignorait, Harper se mit à rougir.

Gemma passa à toute allure sur son vélo, criant un au revoir à Daniel. Sa sœur partit, Harper n'eut plus de raison d'attendre sur le quai, mais elle y resta pendant un moment, réfléchissant à quelque chose à reprocher à Daniel. Mais comme elle ne trouva rien, elle tourna les talons et s'éloigna, parfaitement consciente qu'il la regarda s'en aller.

CHAPITRE 7

Pique-nique

Capri avait été fondée par Thomas Thermopolis dans le sud-est du Maryland le 14 juin 1802, alors chaque année, à cette date, la ville tenait une célébration en son honneur. La majorité des boutiques de la ville fermaient à cette occasion, comme elles le feraient pour toutes autres fêtes officielles. C'était devenu un grand pique-nique avec quelques manèges et des kiosques, mais tout le monde y participaient, tant les habitants de la ville que les touristes.

Alex avait invité Gemma à l'accompagner, et elle ne savait pas exactement ce que cela signifiait. Et comme il n'avait invité qu'*elle* et pas Harper, elle était encline à penser que cela voulait dire quelque chose, mais elle était trop craintive pour demander.

Le trajet en voiture fut étrange, presque comique. Chacun ne dit presque rien, mis à part quelques bredouillements d'Alex sur le fait qu'il espéra qu'ils auraient du plaisir.

Lorsque la voiture fut garée, il en fit rapidement le tour, afin d'ouvrir la portière à Gemma, et ce n'est qu'à ce moment qu'elle commença à vraiment se détendre. Il ne lui avait jamais ouvert la portière avant. Quelque chose avait assurément changé.

Le pique-nique de la journée du fondateur prenait place au parc au centre de la ville. Quelques manèges étaient installés, comme le Tilt-A-Whirl et le Zipper. Une allée traversait le centre, bordée par les jeux habituels des fêtes foraines. Des tables de pique-nique et des couvertures étaient éparpillées sur le reste de l'emplacement, séparées par quelques kiosques de nourriture et de boissons.

— Veux-tu jouer à un jeu? demanda Alex à Gemma en marchant dans l'allée.

Il fit un geste vers le bassin dressé près d'eux.

— Je pourrais te gagner un poisson rouge.

— Je ne crois pas que ça serait juste pour le poisson rouge, répondit Gemma. J'ai eu environ une douzaine de ces poissons, et ils sont tous morts les jours suivants que je les ai eus.

— Oh, ouais.

Alex sourit en coin.

— Je me rappelle que tu les faisais enterrer par ton père dans la cour arrière.

— C'était mes animaux de compagnie, et ils méritaient des obsèques convenables.

— Je suis mieux de faire attention.

Alex se recula d'elle prudemment, s'éloignant un peu.

— Tu es une tueuse en série de poissons rouges. Je ne sais pas de quoi tu es capable.

— Arrête !

Gemma rit.

— Je n'ai pas fait exprès de les tuer ! J'étais petite. Je crois que je les ai trop nourris. Mais par amour.

— C'est encore plus terrifiant, la taquina-t-il. As-tu l'intention de me tuer à coup de gentillesse ?

— Peut-être.

Elle le regarda en plissant les yeux, essayant d'avoir l'air menaçant, le faisant éclater de rire.

Alex revint marcher près d'elle de nouveau. Sa main frôla celle de Gemma, et elle saisit l'occasion de glisser ses doigts au travers des siens. Il ne dit rien, mais serra légèrement sa main. De chauds picotements se mirent à tourbillonner en elle, et Gemma essaya de ne pas sourire trop largement à la suite de ce simple contact.

— Donc, les poissons rouges sont écartés, dit Alex. Et les ours en peluche ? Est-ce que des animaux en peluche seraient en sécurité avec toi ?

— Probablement, puis Gemma déglutit. Mais tu n'as pas besoin de me gagner quoi que ce soit.

— Tu as envie de te promener pendant un moment ? lui demanda Alex en baissant les yeux vers elle.

— Ouais.

Elle hocha la tête, et il sourit.

— D'accord. Mais si tu veux quelque chose, tu n'as qu'à le dire, et je m'y mets. Je vais te gagner tout ce que ton cœur désire.

Gemma ne voulait pas qu'il lui gagne quoi que ce soit, car cela signifierait qu'il devait s'arrêter pour jouer à un jeu et ainsi abandonner sa main. Elle était heureuse de se promener toute la journée avec lui. Le simple fait d'être avec lui la ravissait d'une manière qu'elle n'aurait pas cru possible.

Ils marchèrent encore sur l'allée et rencontrèrent Bernie McAllister. Il se tenait devant un jeu où il fallait faire éclater des ballons avec une fléchette pour gagner un prix. Malgré la chaleur, il portait un pull et plissait les yeux sous ses sourcils gris en direction des ballons.

— M. McAllister.

Gemma sourit et s'arrêta, quand ils arrivèrent près de lui.

— Qu'est-ce qui vous amène sur le continent ?

— Oh, tu sais, répondit-il, sa voix chantonnant d'un faible accent britannique.

Il pointa vers les ballons avec sa fléchette.

— Je viens au pique-nique de la journée du fondateur depuis cinquante-quatre ans et je gagne de la camelote à ces jeux. Je n'allais pas manquer cette fête.

— Je vois.

Gemma rit.

— Et toi, Mlle Fisher ? lui demanda Bernie en regardant Alex, puis Gemma de nouveau. Est-ce que ton père sait que tu es avec un garçon ?

— Ouais, il le sait, lui assura Gemma en serrant la main d'Alex.

— C'est préférable.

Bernie leur lança un regard sévère jusqu'à ce qu'Alex baisse les yeux.

— Je me rappelle encore quand tu avais cette taille — il tint sa main à la hauteur de son genou — et que tu pensais que les garçons étaient dégoûtants.

Il s'arrêta pour la jauger et lui sourire.

— Vous grandissez tellement rapidement.

— Désolée. Je n'ai pas fait exprès.

— C'est ainsi.

Il fit un signe de la main, écartant son excuse.

— Comment va ton père ? Est-il ici ?

— Non, il est à la maison, aujourd'hui.

Le sourire de Gemma s'estompa. Son père ne venait plus à ce genre d'événement, pas depuis l'accident de voiture de sa mère.

— Mais il va bien, rajouta-t-elle.

— Bien. Ton père est un homme bon, un solide travailleur.

Bernie hocha la tête.

— Cela fait trop longtemps que je l'ai vu.

— Je vais lui dire que vous avez dit ça, lança Gemma. Peut-être ira-t-il sur l'île pour vous visiter.

— J'aimerais bien ça.

Il soutint le regard de Gemma, lorsqu'il lui sourit, ses propres yeux obstrués par des cataractes et un peu de tristesse. Puis, il secoua la tête et se retourna vers son jeu.

— En tout cas, je vais vous laisser, les jeunes, retourner à vos amusements.

— D'accord, bonne chance à votre jeu, répondit Gemma tandis qu'elle et Alex commencèrent à s'éloigner. J'ai été heureuse de vous rencontrer.

Quand ils furent suffisamment loin, Alex lui demanda,

— C'était le Bernie de l'île de Bernie, n'est-ce pas ?

— Effectivement.

Bernie vivait sur une petite île à quelques kilomètres de la baie d'Anthemusa. Les seules choses sur cette île étaient la cabane en rondin et le hangar à bateaux que

Bernie avait construits il y avait plus de cinquante ans pour lui et sa femme. Sa femme était décédée peu de temps après, mais Bernie avait tout de même continué d'y habiter.

Comme il était la seule personne habitant sur l'île, les gens de Capri y faisaient référence comme l'île de Bernie. Ce n'était pas son nom officiel, mais c'était ainsi que tout le monde la connaissait.

Après l'accident de voiture de sa mère, son père avait vécu des moments difficiles. Il amenait Gemma et Harper sur l'île de Bernie, et celui-ci les surveillait pendant que leur père partait pour s'occuper de certaines choses.

Bernie avait toujours été gentil avec elles et pas d'une manière étrange de vieux monsieur. Il était drôle et laissait les filles courir librement sur l'île. C'était ainsi que Gemma avait vraiment développé son amour pour l'eau. Elle avait passé de longs après-midi d'été à la baie à nager autour de l'île.

En fait, si cela n'avait pas été de Bernie et de son île, elle ne serait peut-être pas devenue la nageuse qu'elle était aujourd'hui.

— Qu'est-ce qui se passe entre Alex et ta sœur ? demanda Marcy, et Harper leva la tête pour voir Gemma et Alex se tenant la main et se promenant dans l'allée.

— Je ne sais pas.

Harper haussa les épaules.

Elle et Marcy jouaient à lancer des balles à grains près d'une table à pique-nique jusqu'à ce que Marcy soit distraite.

— Tu ne sais pas? lâcha Marcy en se tournant vers Harper.

— Non, Gemma est très vague sur les détails.

Harper lança sa balle sur le but avec l'intention de poursuivre le jeu même si Marcy était obsédée par quelque chose d'autre.

— Je sais qu'ils se sont embrassés l'autre jour, car papa les a vus, mais quand j'ai questionné Gemma à ce sujet, elle n'a rien voulu me dire. Je crois qu'ils sortent peut-être ensemble.

— Ta sœur sort avec ton meilleur ami et tu ne sais pas ce qui se passe? questionna Marcy.

— Gemma ne veut jamais me parler de ses petits copains.

Harper soupira.

— Gemma en a eu deux en tout auparavant, mais elle était toujours secrète concernant ses béguins, dit-elle. Et je n'ai pas réellement questionné Alex. Je me sens un peu curieuse d'en parler, conclut Harper.

— Parce que tu ressens quelque chose pour lui, dit Marcy.

— Pour la millionième fois, je n'aime pas Alex de cette manière.

Harper roula les yeux.

— C'est à ton tour, en passant.

— Ne change pas de sujet.

— Ce n'est pas ce que je fais.

Harper s'assit sur la table de pique-nique derrière elle, puisque, de toute évidence, Marcy n'avait pas l'intention de jouer jusqu'à ce qu'elles aient discuté.

— Je n'ai jamais rien eu d'autre que des sentiments platoniques pour Alex. Il est un intello, étrange et seulement un ami.

— Les garçons et les filles ne peuvent pas être amis, insista Marcy. Tu dois vraiment regarder *Quand Harry rencontre Sally*.

— Les frères et les sœurs peuvent être juste des amis, et Alex est comme un frère pour moi, expliqua Harper. Et c'est l'unique raison pour laquelle je trouve cela étrange. Parce qu'un garçon que je considère comme mon frère sort avec ma véritable sœur.

— C'est dégoûtant.

— Merci. Peut-on reprendre la partie, maintenant ? demanda Harper.

— Non, ce jeu est ennuyeux, et je meurs de faim.

Marcy tenait une balle dans sa main et la lança mollement vers le côté.

— Allons chercher du fromage en grains.

— C'est toi qui voulais jouer à ce jeu, souligna Harper en se levant de la table de pique-nique.

— Je sais. Mais je n'avais pas compris à quel point il était ennuyeux.

Marcy traversa le parc, repoussant les gens s'ils se trouvaient sur son chemin. Harper la suivit plus lentement, regardant par-dessus son épaule en espérant apercevoir Gemma et Alex ensemble.

Initialement, Gemma devait se rendre au pique-nique en compagnie de Marcy et de Harper, mais ce matin,

Alex lui avait téléphoné pour l'inviter à l'accompagner. C'est à ce moment que Harper avait tenté de parler de lui à Gemma, mais elle avait refusé de lui donner des détails.

Harper était si occupée à les chercher qu'elle ne fit pas attention où elle se dirigeait et heurta de plein fouet un homme, faisant tomber son cornet de crème glacée de ses mains et le répandant partout sur son t-shirt.

— Oh, mon Dieu ! Je suis désolée, lança précipitamment Harper, tentant d'essuyer la glace au chocolat du t-shirt.

— Tu me détestes vraiment, c'est ça ? demanda Daniel, et c'est à cet instant que Harper se rendit compte avec consternation que c'était lui qu'elle venait de couvrir de glace. Enfin, détruire le cornet de crème glacée de quelqu'un. C'est cruel.

Les joues de Harper rougirent.

— Je ne t'ai pas vu. Honnêtement.

Elle frotta son t-shirt encore plus frénétiquement, comme si elle pouvait l'empêcher de tacher, si elle frictionnait suffisamment fort.

— Oh, maintenant, je vois ton plan, et c'est encore plus sournois que je pensais, dit Daniel avec un sourire satisfait. Tu cherchais une excuse pour me tripoter.

— Non !

Harper cessa immédiatement de le toucher et fit un pas derrière.

— Bien. Parce que tu dois m'inviter à manger d'abord.

— Je voulais seulement...

Elle fit un geste vers son t-shirt et soupira.

— Je suis désolée.

— Je suis couvert de chocolat. Pourquoi ne t'excuses-tu pas pendant que nous allons chercher des serviettes de table ? suggéra Daniel.

Harper le suivit vers un kiosque, où il prit des serviettes. Elle en prit une pile et alla vers une fontaine à eau, Daniel sur les talons.

— Je suis désolée, répéta Harper.

Elle mouilla les serviettes à la fontaine tandis qu'il essuyait son t-shirt.

— Je ne voulais pas vraiment dire que tu devais continuer à t'excuser. Je sais que c'était un accident.

— Je sais, mais...

Elle secoua la tête.

— Je ne t'ai même pas remercié convenablement d'avoir aidé ma sœur, puis je t'attaque avec ta propre crème glacée.

— C'est vrai. Tu es une menace et tu dois être arrêtée.

— Je sais que tu t'en moques, mais je me sens mal.

— Non, je suis très sérieux. Je devrais te dénoncer pour ton comportement odieux, dit Daniel avec un visage grave, lui répétant la même chose qu'elle lui avait dite la journée précédente.

— Maintenant, tu me fais sentir encore pire.

Harper baissa les yeux vers ses chaussures et fit une boule avec les serviettes humides.

— C'est mon plan, lança-t-il. J'aime culpabiliser les jolies filles pour qu'elles acceptent de sortir avec moi.

— Habile.

Harper le regarda en plissant les yeux, incertaine s'il plaisantait ou non.

— C'est ce que les dames disent.

Il lui sourit, et ses yeux noisette émirent une lueur.

— J'en suis persuadée, dit-elle sceptique.

— Tu me dois une crème glacée, tu sais.

— Oh, c'est vrai, bien sûr.

Elle enfouit la main dans sa poche à la recherche d'argent.

— Combien était-ce ? Je peux te donner l'argent.

— Non, non.

Il fit un geste de la main, l'arrêtant lorsqu'elle sortit quelques billets froissés.

— Je ne veux pas ton argent. Je veux que tu prennes une crème glacée *avec* moi.

— Je, euh…

Harper fouille pour une raison de refuser.

— Je comprends.

Ses yeux luisirent de quelque chose ayant pu être du chagrin, mais il les baissa avant qu'elle en soit certaine. Son sourire disparut, par contre, et il enfonça ses mains dans ses poches.

— Non, non, ce n'est pas que je ne veux pas, dit rapidement Harper, surprise de constater qu'elle le pensait.

Comme il était resté gracieux devant ses insultes et le fait qu'il ait aidé sa sœur, elle commençait à estimer Daniel. Et c'est exactement pour cette raison qu'elle ne put accepter son offre.

Malgré son charme, il vivait sur un bateau. D'après l'ombre sur son menton, il ne s'était pas rasé depuis des jours. Il était immature et probablement paresseux, et elle partait pour l'université dans quelques mois. Elle n'avait pas besoin de traîner avec un fainéant sur un bateau juste parce qu'il était drôle et mignon au style grunge.

— Mon amie m'attend quelque part, poursuivit Harper en guise d'explication et en faisant un geste vague vers la foule.

Marcy se trouvait probablement quelque part à manger du fromage en grains.

— Je la suivais, quand je t'ai heurté. Elle ne sait même pas où je me trouve. Alors… je devrais aller la rejoindre.

— Je comprends.

Daniel hocha la tête, et son sourire revint.

— Je vais prendre une note de crédit, alors.

— Une note de crédit ?

Elle leva un sourcil.

— Pour une crème glacée ?

— Ou pour n'importe quel repas de valeur égale.

Il plissa les yeux, réfléchissant à ce que cela pourrait être.

— Peut-être un lait frappé. Ou un grand café. Mais pas un repas complet avec frites et salade.

Il claqua les doigts, comme s'il venait de penser à quelque chose.

— Une soupe ! Une soupe ferait aussi.

— Alors, je te dois une offre de repas équivalant à une crème glacée ? demanda Harper.

— Oui. Et le remboursement peut avoir lieu à ta convenance, répondit Daniel. Demain ou le lendemain, ou même la semaine prochaine. Quand cela te conviendra.

— D'accord. On dirait qu'on a… un marché.

— Bien, dit-il alors qu'elle commença à s'éloigner de lui. Je vais te le rappeler. Tu le sais, n'est-ce pas ?

— Oui, je le sais, répondit-elle, et une partie d'elle espérait vraiment qu'il le ferait.

Elle se fit un chemin à travers le pique-nique, et il ne lui fallut pas longtemps pour retrouver Marcy. Elle était assise à une table avec Gemma et Alex, ce qui aurait été parfait si l'ami d'Alex, Luke Benfield, ne s'était pas joint à eux.

Harper ralentit en voyant Luke, et pas simplement parce que les choses étaient étranges entre eux. Chaque fois que Luke et Alex se rencontraient, ils avaient tendance à se mettre en mode informatique, ne parlant qu'en termes techniques, ce que Harper ne comprenait pas.

— Alors, quand vas-tu rendre la situation de Gemma légitime et lui gagner un prix? demanda Marcy à Alex quand Harper arriva à la table.

— Euh...

Les joues d'Alex se mirent à rougir à cette question, et il frotta nerveusement ses mains ensemble.

— Je lui ai dit de ne *pas* me gagner de prix, s'interposa Gemma, le sauvant de l'embarras. Je suis une fille moderne. Je peux gagner mes propres prix.

— Tu as probablement de meilleures chances, puisque c'est toi, l'athlète, lâcha Marcy en engloutissant un morceau de fromage. J'ai l'impression qu'Alex lance comme une fille.

Luke ricana à ce commentaire, comme s'il y avait une chance qu'il lance mieux qu'Alex. Il fit tourner l'énorme bague de la *Lanterne verte* qu'il portait et rit si fort qu'il grogna même un peu.

— Comme si tu pouvais parler, Marcy, déclara Harper en s'assoyant près d'elle et devant Luke. J'ai vu la manière avec laquelle tu lances une balle à grains. Alex pourrait sûrement te donner une raclée.

Gemma lui fit un sourire reconnaissant pour se porter au secours d'Alex. Harper remarqua qu'elle avait placé sa main sur la jambe d'Alex et lui donna une étreinte réconfortante.

— Où étais-tu, en passant?

Marcy regarda Harper, insensible à son commentaire.

— Tu as simplement disparu.

— J'ai rencontré quelqu'un que je connais.

Harper éluda la question et porta son attention vers Gemma et Alex.

— Comment se passe votre pique-nique?

— Bien, répondit Luke. À l'exception que j'aurais dû me couvrir de plus de crème solaire.

Sa peau pâle semblait réfléchir la lumière, et les boucles rousses sur sa tête frisottaient.

— Je ne suis pas habitué à tant de soleil.

— Habites-tu dans un donjon, Luke? le questionna Marcy. Je demande cela parce que tu es maigre et pâle, et on dirait que tes parents te gardent peut-être enchaîné dans une cave.

— Non, lança Luke d'un air renfrogné, puis pointa le drapeau canadien sur son t-shirt. Je pensais que les Canadiens étaient des gens gentils.

— Je ne suis pas Canadienne, le corrigea Marcy. Je porte ce t-shirt simplement pour exprimer mon antipatriotisme.

— Tu es vraiment une fille charmante, tu sais, Marcy? déclara Alex.

Marcy haussa les épaules.

— Je fais mon possible.

Comme le parc était empli de presque tous les habitants de la ville, il bourdonnait de bruits de bavardages et de musique. Mais plutôt brusquement, l'espace autour des tables de pique-nique sembla devenir silencieux, comme si tout le monde parlait sur un ton feutré ou en chuchotant.

Harper observa les alentours, afin de voir ce qui se passait, et vit instantanément la raison du silence. La foule s'était scindée, laissant la place à Penn, Lexi et Thea, celles-ci se dirigeant droit vers Harper et Gemma.

Penn portait une robe si décolletée que sa poitrine en sortait presque. Quand elle s'arrêta au bout de la table de pique-nique, elle plaça ses mains sur ses hanches et leur sourit.

— Comment allez-vous ? demanda-t-elle en toisant la table.

— Super, s'empressa de répondre Luke, inconscient de la tension les enveloppant. Je, euh, je passe un super moment. Vous êtes super. Enfin, je veux dire, vous semblez passer un moment super.

— Eh bien, merci.

Penn le regarda, léchant ses lèvres avidement en lui souriant.

— Tu n'es pas mal, toi non plus, ajouta Lexi.

Elle tendit la main et tira sur l'une de ses boucles, l'étirant comme un ressort, afin qu'elle bondisse. Luke baissa les yeux et gloussa d'une manière évoquant une écolière.

— Vous voulez quelque chose ? demanda Gemma.

Harper remarqua que lorsque les yeux foncés de Penn se posèrent sur Gemma, sa sœur leva le menton, comme si elle la défiait d'une quelconque façon. Puis, Harper vit quelque chose qui lui glaça le sang : les yeux de Penn changèrent, passant de presque noir à une étrange couleur dorée, rappelant à Harper un oiseau.

Ses yeux bizarres d'oiseau demeurèrent fixés sur Gemma, mais l'expression de celle-ci ne changea pas, comme si elle n'avait pas remarqué l'effrayant changement dans les yeux de Penn.

Et aussi soudainement, les yeux de Penn retournèrent à leur couleur sans âme. Harper cligna des yeux et jeta un coup d'œil autour, mais personne ne semblait avoir vu le changement. Ils fixèrent tous Penn comme hypnotisés, et Harper se demanda si cela n'avait été que son imagination.

— Non.

Penn leva une épaule, réussissant un haussement séducteur.

— Je voulais seulement m'arrêter vous saluer. Nous ne connaissons pas encore beaucoup de gens ici, en ville, et nous cherchons toujours à nous faire de nouveaux amis.

Mais Thea ne semblait pas avoir envie de se faire de nouveaux amis. Elle se tenait à l'écart, un peu derrière Penn et Lexi. Elle enroulait ses longs cheveux roux autour de son doigt et ne regardait personne à la table.

— Tu as déjà des amies, lança Harper à Penn en faisant un signe de tête vers Lexi et Thea.

— Mais on peut toujours en avoir plus, pas vrai ? demanda Penn, et Lexi fit un clin d'œil à Luke, le faisant à nouveau glousser. Et nous pourrions assurément avoir besoin d'une amie comme Gemma.

Harper s'apprêta à demander à Penn ce qu'elle voulait exactement dire par là, se demandant ce que diable elle pouvait bien vouloir à sa petite sœur, mais Marcy la coupa.

— Attendez, commença Marcy, la bouche pleine de fromage. N'y avait-il pas une quatrième fille?

Elle déglutit sa nourriture et les regarda fixement.

— Qu'en avez-vous fait? L'avez-vous mangée? Puis vous l'avez régurgitée, car, de toute évidence, vous êtes boulimiques.

Penn lui décocha un regard si féroce que Marcy se recroquevilla littéralement. Elle baissa les yeux et attira son fromage en grains plus près d'elle, comme si elle croyait que Penn pouvait le lui voler.

— Alors, avez-vous essayé les manèges? questionna Harper, en une tentative d'empêcher Penn de massacrer Marcy.

D'après son regard, Harper se dit qu'il était préférable de garder la conversation à un niveau banal, plutôt que de confronter Penn au sujet de son intérêt envers Gemma.

L'expression glaciale de Penn fondit instantanément, et son sourire mielleux revint. Harper constata que les dents de Penn étaient inhabituellement aiguisées. En fait, si Harper n'avait pas été plus avisée, elle aurait dit que ses incisives s'étaient allongées et étaient devenues plus pointues que quelques secondes plus tôt.

— Non, nous venons d'arriver, expliqua Penn de son babillage soyeux. Nous n'avons pas encore eu la chance de voir quoi que ce soit.

Alors qu'elle parlait, une partie du malaise que Harper avait ressenti en voyant son sourire s'évanouit. Marcy sembla même se détendre un peu et réussit à lever les yeux vers Penn à nouveau.

— J'aimerais *vraiment* gagner un ourson en peluche, lança Lexi d'une voix chantante.

Alex et Luke la regardèrent, et la bouche de Luke s'ouvrit, comme s'il était ébahi.

Harper avait déposé ses bras devant elle sur la table et s'avança. Elle ne put l'expliquer, mais elle fut suspendue à chacun de ses mots, comme si Lexi était la personne la plus fascinante qu'elle n'avait jamais entendue. Même les gens autour d'eux s'approchèrent, s'attroupant, afin d'être plus près de Lexi.

— Qu'en penses-tu?

Lexi inclina la tête et baissa les yeux vers Luke.

— Pourrais-tu me gagner un ourson en peluche?

— Ouais!

Luke cria d'excitation et se mit sur pieds si rapidement qu'il tomba presque du banc.

— Enfin, oui. J'aimerais te gagner un ourson.

— Oui!

Lexi sourit et passa un bras autour de celui de Luke.

Les gens leur laissèrent le passage de nouveau alors que Lexi et Luke marchèrent à travers la foule vers l'allée. Thea les suivit, mais Penn demeura derrière, souriant vers la table. Alex fixa Lexi, l'observant jusqu'à ce qu'elle ait disparu dans la foule, et Gemma l'aurait remarqué, si elle n'avait pas été occupée à faire la même chose.

— Eh bien, je vais vous laisser profiter du reste de votre après-midi, annonça Penn.

C'était comme si Penn parlait à tout le monde autour de la table, mais elle ne regarda que Gemma.

— À bientôt, termina-t-elle.

— Amuse-toi bien, bredouilla Alex, prononçant ses mots de manière un peu hébétée.

Penn rit, puis tourna les talons et s'éloigna.

— C'était étrange, dit Harper, quand Penn fut partie.

Elle secoua la tête, effaçant ce brouillard qu'elle ne comprenait pas. Elle se sentait presque comme si elle avait rêvé, comme si Penn n'avait même pas été réellement là.

— Je ne crois pas qu'elles l'ont tuée.

Marcy plissa les yeux et hocha la tête pour elle-même.

— Mais il y a quelque chose chez ces filles qui fait que je ne leur fais pas confiance.

CHAPITRE 8

Crique

Dès que le soleil fut couché, Gemma sauta sur son vélo et se rendit à la baie. Elle n'avait pas été en mesure de s'entraîner à la piscine avec Levi depuis vendredi, et cela la rendait particulièrement impatiente d'être dans l'eau. Depuis les derniers jours, elle avait évité de sortir tard, à la demande de Harper, alors Gemma trouvait qu'elle avait gagné une baignade en soirée.

Même si elle avait eu une merveilleuse journée au pique-nique avec Alex, elle avait très hâte de nager. En fait, la journée avait été plus que merveilleuse. Elle avait été… magique, à sa manière.

Ils avaient passé une partie de l'après-midi avec Harper et Marcy, et cela s'était bien déroulé, ce qui était étonnant, car Gemma n'était pas certaine de la façon dont Harper réagirait au fait qu'elle fréquente Alex. Apparemment, Harper était d'accord.

Pour finir, Alex et Gemma s'en étaient retournés de leur côté, et cela avait été mieux. Il avait fait de petits gestes qui avaient fait palpiter son cœur. Il avait trébuché sur ses mots, quand il avait tenté de l'impressionner, et lui avait souri d'une manière qu'elle n'avait jamais vue avant.

Elle croyait le connaître depuis suffisamment long-temps pour reconnaître chacun de ses sourires, mais pas celui-ci. Ce dernier était petit, presque en coin, mais il s'étendait jusqu'à ses yeux.

Quand Alex l'avait reconduite chez elle, à 20 h, il l'avait raccompagnée jusqu'à la porte. Elle savait que Harper et son père étaient à l'intérieur, et il le savait aussi, donc elle avait cru qu'il n'allait pas l'embrasser. Mais il l'avait fait, ni trop longuement ni trop profon-dément, mais d'une manière tendre. Son baiser était presque respectueux et prudent.

Gemma avait embrassé seulement deux autres gar-çons avant Alex, et l'une de ces fois avait été en première année lors d'un défi. Son seul *véritable* baiser avait été avec son petit copain de trois semaines, et il l'avait embrassée avec tant de férocité qu'elle avait cru qu'elle aurait des ecchymoses au visage.

Les baisers d'Alex étaient à l'opposé. Ils étaient doux et parfaits, et faisaient papilloter son cœur chaque fois qu'elle y pensait.

Elle ne savait pas pourquoi elle n'avait pas remarqué plus tôt à quel point Alex était incroyable. Si elle avait pu le constater avant, il y aurait eu des mois et des mois qu'ils auraient été ensemble, des mois qu'elle aurait pu utiliser pour voler ses merveilleux baisers.

Arrivée à la baie, elle laissa son vélo sur le quai, comme toujours, car c'était le meilleur endroit pour le laisser. Quand elle passa près du bateau de Daniel, *La mouette crasseuse*, elle entendit Led Zeppelin jouer à plein volume.

Si cela avait été silencieux, peut-être se serait-elle arrêtée pour le remercier encore de l'avoir aidée la veille, mais elle ne voulut pas le déranger.

Cela l'avait chagrinée que Harper crie sur Daniel, et Gemma ne comprenait toujours pas ce que sa sœur avait contre lui. Bien sûr, Daniel avait l'air d'un fainéant. Ce n'était pas parce que sa vie n'était pas bien organisée que cela signifiait qu'il n'était pas un gars très gentil.

Chaque fois que Gemma apportait le repas à son père, Daniel la saluait toujours, et il l'avait même aidée une fois à remettre la chaîne qui avait glissé de son vélo.

Au bout du quai, Gemma attacha son vélo et se mit en maillot. Elle sauta dans l'eau et nagea jusqu'à la baie.

Plus de gens se trouvaient sur la plage et sur leur bateau qu'habituellement à cette heure du soir, les derniers fêtards de la célébration de la journée. Elle dut nager plus loin, plus près de la crique, à l'embouchure de l'océan, afin de s'éloigner d'eux.

D'une certaine manière, c'était mieux ainsi. Elle avait besoin de nager sur une longue distance, afin de compenser les jours où elle ne s'était pas entraînée.

Lorsqu'elle fut suffisamment loin pour ne plus entendre les gens sur la plage, elle se tourna sur le dos et se laissa flotter sur l'eau, laissant les douces vagues la bercer. Gemma scruta le ciel nocturne, s'émerveillant de sa beauté. Elle comprenait tout à fait pourquoi Alex aimait tant les étoiles.

Harper n'aimait pas nager autant que Gemma, mais Gemma doutait que quiconque aime cela autant qu'elle. Les fois où Harper était venue nager avec elle, elle avait été effrayée quand Gemma s'était laissé flotter ainsi.

Harper était convaincue que la marée s'emparerait de Gemma et qu'elle serait perdue à jamais dans l'océan.

Gemma n'avait jamais cru que cela arriverait, mais si c'était le cas, l'idée ne l'effrayait pas. En fait, être emportée par l'océan était plutôt un de ses rêves qu'une crainte.

— Gemma.

Son nom flotta dans l'air, comme une chanson.

En premier, elle crut entendre des choses, peut-être la stéréo de quelqu'un sur la plage mélangée avec le fracas des vagues. Puis, elle l'entendit de nouveau, mais plus fort, cette fois.

— Gemma.

Quelqu'un chantait son nom.

Nageant sur place, elle regarda autour à la recherche de la source de cette voix, mais c'était assez facile à voir. Gemma avait laissé le courant l'emmener et elle n'avait pas remarqué à quel point elle s'était approchée de la crique. Elle se trouvait à environ six mètres d'elle, rougeoyant d'un feu brûlant en son centre.

Même si elle n'avait pas prêté attention en nageant, elle était certaine que le feu n'était pas allumé quelques instants plus tôt. Et Penn, Lexi et Thea n'étaient assurément pas là.

Gemma les avait suffisamment vues dernièrement et si elle avait le moindrement soupçonné qu'elles seraient là, jamais Gemma ne serait allée aussi loin et aurait risqué de tomber sur elles.

Thea était accroupie près du feu, son ombre s'élevant derrière elle. Penn tournoyait, dansant en un lent cercle gracieux sur une musique qu'elle seule entendait.

Et Lexi se tenait sur le rivage, si près que l'eau éclaboussait ses pieds.

Lexi était celle appelant son nom, mais elle ne faisait pas que le chanter. Elle chantait d'une manière que Gemma n'avait jamais entendu personne chanter. C'était magnifique et magique. C'était comme les baisers d'Alex, mais en mieux.

— Gemma, chanta à nouveau Lexi, approche, voyageuse épuisée. Je te dirigerai à travers les vagues. Ne t'inquiète pas, pauvre voyageuse, car ma voix te guidera.

Gemma demeura pétrifiée dans l'eau, complètement hypnotisée par la chanson de Lexi. C'était comme si Lexi lui avait jeté un sort, et tout malaise que Gemma avait ressenti concernant ces filles s'était envolé. Tout ce qu'elle pouvait sentir était la beauté et la chaleur des paroles, cristallines et pures la parcourant.

— Gemma, appela Penn.

Sa voix sensuelle n'était pas aussi douce que celle de Lexi, mais avait quelque chose d'aussi attirant. Elle cessa de danser et se tint près de Lexi.

— Pourquoi ne te joins-tu pas à nous ? Nous avons tant de plaisir, ici. Tu adorerais.

— D'accord, s'entendit Gemma dire.

Quelque part au fond de son esprit, une alarme retentit, mais elle fut dissipée quand Lexi recommença à chanter. Lorsque Gemma nagea vers les trois filles, sa peur fut entièrement dissoute. Se joindre à elles ne donnait même pas l'impression d'être un choix. Son corps avança vers elles, apparemment de soi-même.

Quand elle atteignit le rivage, Lexi tendit une main pour l'aider à monter sur la terre, vers la crique. La seule manière d'atteindre la crique était par la baie. Elle n'avait aucun passage ou ouverture par la terre, et pourtant, les trois filles étaient parfaitement sèches.

— Voilà.

Penn dansait avec un châle fait en une sorte de matière dorée diaphane autour des épaules et elle l'enveloppa autour des épaules de Gemma.

— Afin de te garder au chaud, dit-elle.

— Je n'ai pas froid, répondit Gemma, ce qui était la vérité.

La nuit était chaude, et le feu à l'intérieur de la crique la rendait encore plus chaude.

— Mais on se sent mieux en le portant, n'est-ce pas ? demanda Lexi, sa voix tel un doux ronronnement dans l'oreille de Gemma.

Lexi passa son bras autour d'elle, et quelque chose dans ce contact fit dresser les poils de la nuque de Gemma. Instinctivement, Gemma se libéra d'elle, mais Lexi se remit à chanter, et Gemma fondit sous son bras.

— Viens nous rejoindre.

Penn garda les yeux sur Gemma et recula vers le feu.

— Est-ce que vous donnez une fête ? questionna Gemma.

Gemma ne bougea pas, alors Lexi lui prit la main et l'attira près du feu. Elle la guida près d'une large pierre, où Thea se tenait, et la poussa doucement, afin que Gemma s'assoie. Thea l'observa, les flammes se reflétant dans ses yeux, comme si elles provenaient directement d'eux.

— Nous faisons une célébration.

Lexi éclata de rire et s'agenouilla aux côtés de Gemma.

— Que célébrez-vous? demanda Gemma, regardant Penn.

Elle se tenait de l'autre côté du feu, devant Gemma, et elle lui sourit.

— Un festin, répondit Penn, et Lexi et Thea rirent d'une manière qui rappela à Gemma le cri d'une corneille.

— Un festin?

Gemma regarda dans la crique et ne vit aucune nourriture.

— De quoi? demanda-t-elle.

— Ne t'inquiète pas de cela, lui ordonna Lexi.

— Tu auras amplement le temps de manger plus tard, lança Thea avec un sourire sournois.

C'était la première fois que Gemma entendait Thea parler, et elle remarqua que sa voix avait quelque chose de bizarre. Elle était râpeuse, comme le chuchotement rauque de Kathleen Turner. Elle n'était pas désagréable, mais elle était étrange.

Cette voix avait un ton opposé à celles de Lexi et Penn. Celles de Lexi et Penn ressemblaient à du miel, et celle de Thea était comme des dents irrégulières. Elle était âpre et un peu effrayante.

— Je n'ai pas faim, dit Gemma, ce qui fit éclater de nouveau les filles de rire.

— Tu es vraiment une fille magnifique, commenta Lexi, quand elle eut cessé de rire.

Elle s'inclina plus près d'elle, posant une main sur la jambe de Gemma en la fixant.

— Tu sais cela, n'est-ce pas?

— Je suppose.

Gemma serra plus étroitement le châle autour d'elle, soulagée de l'avoir pour la couvrir. Elle ne sut pas comment prendre le compliment de Lexi, la flattant et la dérangeant tout à la fois.

— Tu es un gros poisson dans un petit étang, n'est-ce pas?

Penn marcha lentement de l'autre côté du feu, les yeux sur Gemma.

— Que veux-tu dire? questionna Gemma.

— Tu es belle, intelligente, ambitieuse, intrépide, expliqua Penn. Ici, ce n'est qu'une station balnéaire. Une petite ville qui s'assècherait, si ce n'était des touristes bruyants qui la mettent sans dessous dessus chaque été.

— C'est bien en saison morte.

La défense de Gemma pour Capri lui sembla pitoyable, même à ses propres oreilles.

— J'en doute.

Penn eut un sourire satisfait.

— Mais si c'est le cas, tu es davantage que ce que cette baie ne sera jamais. Je t'ai vue dans cette eau. Tu nages avec force, grâce et une détermination déchaînée.

— Merci, dit Gemma. Je me suis beaucoup entraînée. Je veux aller aux Jeux olympiques.

— Les Jeux olympiques ne sont rien si on compare à ce que tu peux faire.

Penn pouffa.

— Tu as une aptitude naturelle presque impossible à trouver. Et crois-moi, je le sais. Nous avons cherché.

Cela frappa Gemma de manière étrange et alarmante. Pour la calmer, Lexi recommença à chanter. Cette fois, ce fut un peu plus qu'un fredonnement, mais cela fut suffisant pour que Gemma reste assise sur la pierre. Mais ses inquiétudes demeurèrent, même si elle ne s'enfuit pas.

— Pourquoi m'avez-vous invitée ici ? demanda Gemma. Et pourquoi vouliez-vous tant que je nage avec vous hier ?

— Je viens de te le dire, dit Penn. Tu es quelque chose de rare et spécial.

— Mais...

Gemma plissa le front, sachant qu'il y avait quelque chose d'étrange, même si elle n'arrivait pas à mettre le doigt dessus.

— Vous êtes bien plus belles que moi. Vous êtes plus que tout ce que vous avez dit que je suis. Pourquoi avez-vous besoin de moi ?

— Ne sois pas idiote.

Penn fit un geste de la main.

— Et ne te préoccupe de rien de tout cela.

— Ne te préoccupe de rien, ajouta Lexi.

Dès qu'elle l'eut dit, Gemma sentit ses préoccupations s'évanouir, comme si elle ne les avait jamais ressenties.

— Nous voulions que tu viennes ici et t'amuses.

Penn sourit à Gemma.

— Nous voulions apprendre à nous connaître.

— Que voulez-vous savoir ? demanda Gemma.

— Tout !

Penn ouvrit ses bras en un geste ample.

— Dis-nous tout !

— Tout ?

Gemma regarda Lexi avec hésitation.

— Ouais, comme ce que tu fais avec cet abruti avec qui tu traînes, commença Thea derrière elle, et Gemma se tourna vivement pour la regarder. Il est bien en dessous de toi.

— Abruti ?

Gemma se hérissa, quand elle réalisa que Thea parlait d'Alex.

— Alex est un garçon vraiment fantastique. Il est gentil, drôle et attentionné avec moi.

— Quand tu as notre allure, tous les garçons sont attentionnés, riposta Thea avec un regard morne. S'en rendre compte ne signifie rien. Les garçons sont superficiels, et c'est tout.

— Tu ne connais pas Alex.

Gemma secoua la tête.

— C'est la personne la plus authentique que je connais.

— Pourquoi ne pas parler des garçons un autre jour ? intervint Penn. Il y a trop de discorde pour ce soir. Lexi, pourquoi n'allèges-tu pas l'atmosphère ?

— Oh, oui.

Lexi fouilla dans le devant de sa robe et sortit une petite flasque dorée.

— Prenons un verre.

— Désolée, je ne bois pas.

— Penn m'a dit que tu n'avais peur de rien, dit Thea en la provoquant. Et là, tu as peur d'un petit verre ?

— Je n'ai pas peur, claqua Gemma. Mais je serais expulsée de l'équipe de natation, si je suis prise à boire. J'ai travaillé trop dur pour tout gâcher.

— Tu ne seras pas prise, l'assura Penn.

— Allez-y, et buvez, répondit Gemma. C'est plus pour vous.

— *Gemma*, dit Lexi, la voix chantante à nouveau.

Elle lui tendit la flasque, mais Gemma hésita à la prendre.

— *Bois.*

Et Gemma n'eut pas le choix. Elle ne put même pas penser à une autre option. Son corps bougea automatiquement, prit le flasque des mains de Lexi, dévissa le bouchon et l'amena à ses lèvres. Cela se produisit de la même manière qu'elle respirait : des gestes faits sans y penser ou sans raison ou contrôle.

Le liquide était épais, et avait un goût amer et salé sur sa langue. Il brûla en descendant dans sa gorge, presque autant que la fois où elle avait mangé trop de wasabi. Lorsqu'elle déglutit, elle eut la nausée. C'était trop lourd et chaud pour avaler, mais elle s'y força.

— C'est horrible !

Gemma toussa et s'essuya la bouche.

— Qu'est-ce que c'était ?

— Mon cocktail spécial, lança Penn avec un sourire.

Gemma repoussa la flasque, ne voulant plus cette chose près d'elle. Thea la prit de ses mains, bougeant rapidement, comme si Gemma avait pu vouloir l'arrêter. Elle jeta la tête en arrière et l'avala en quelques longues gorgées. Le simple fait de regarder Thea boire ainsi lui donna vraiment envie de vomir, cette fois.

Penn cria. Elle courut vers Thea et la gifla au visage, faisant voler la flasque. Du liquide bordeaux foncé éclaboussa les murs de la crique, mais la perte ne sembla pas déranger Penn.

— Ce n'est pas pour toi ! Tu le sais !

— J'en ai *besoin* ! grogna Thea.

Elle s'essuya la bouche, puis lécha sa main, s'assurant d'avoir chaque goutte. Pendant une seconde, Gemma craignit qu'elle rampe et lèche le liquide sur le sol.

— Qu'est-ce que c'était? demanda Gemma avec de la difficulté à articuler.

La crique vacilla soudainement, et Gemma s'appuya contre Lexi, afin de ne pas tomber. Tout se mit à vaciller autour d'elle. Elle entendit Penn parler, mais c'était comme si sa voix provenait de sous l'eau.

— Ce n'est pas...

Gemma se débattit pour parler.

— Qu'avez-vous fait?

— Tu iras bien, dit Lexi.

Elle se leva et essaya de passer son bras autour de Gemma, peut-être pour la rassurer, mais Gemma la repoussa.

Elle se leva et faillit tomber dans le feu, mais Penn la rattrapa. Gemma tentant de la repousser, mais elle n'avait plus la force. Toute son énergie avait quitté son corps, et elle n'arriva plus à garder les yeux ouverts. Le monde devint noir autour d'elle.

— Tu me remercieras plus tard, pour cela, dit Penn dans son oreille, et ce fut la dernière chose que Gemma entendit.

CHAPITRE 9

Perdue

— Où est ta sœur?

Brian ouvrit brutalement la porte de la chambre de Harper, faisant frapper la poignée dans le plâtre.

— Quoi?

Harper se frotta les yeux et se tourna dans son lit, afin de regarder son père.

— De quoi parles-tu? Quelle heure est-il?

— Je viens de me lever pour aller au travail, et Gemma n'est pas ici.

— As-tu vérifié dans sa chambre? demanda Harper, se réveillant lentement.

— Non, Harper, je me suis dit que je vérifierais ta chambre d'abord, claqua Brian.

— Désolée, papa, je viens de me réveiller.

Elle s'assit et lança ses pieds par-dessus le bord de son lit.

— Elle est allée nager hier soir. Elle a probablement perdu la notion du temps.

— Jusqu'à 5 h ce matin ? demanda Brian, l'inquiétude manifeste dans sa voix.

Mais Harper savait qu'il avait déjà traversé cela avant.

Quand sa mère et elle avaient eu l'accident de voiture… elles étaient parties pour quelques heures durant la soirée, et Brian n'avait eu de leur nouvelle que le lendemain matin, quand l'hôpital avait appelé pour dire que sa femme était dans un coma.

— Elle va bien, dit Harper, espérant apaiser les craintes de son père. Je suis certaine qu'elle a été distraite. Tu connais Gemma.

— Oui, je la connais, et c'est pour cette raison que je suis inquiet.

— Ne le sois pas. Gemma va bien.

Elle passa sa main dans ses cheveux ébouriffés par la nuit et essaya de calmer Brian.

— Je suis certaine qu'elle est avec Alex ou dort sur la plage, ou quelque chose de la sorte.

— Tu crois que me dire qu'elle est dehors avec Alex va m'aider ? questionna Brian, mais il sembla se calmer un peu. Être dehors avec un garçon était une éventualité beaucoup plus favorable que celle d'être blessée ou morte.

— Elle va bien, répéta Harper. Prépare-toi pour le travail. Je vais aller la chercher.

Brian secoua la tête.

— Harper, je ne peux pas aller travailler quand ma fille a disparu.

— Elle n'a pas disparu, insista Harper. Elle est seulement restée dehors un peu trop tard. Ce n'est pas une grosse affaire.

— Je vais faire un tour de voiture et la chercher, dit Brian en commençant à quitter la chambre.

— Papa, tu ne peux pas t'absenter de ton travail. Tu t'es déjà suffisamment absenté, quand tu t'es ouvert le bras, en février. Tu ne peux pas perdre ton emploi.

— Mais...

Brian laissa ses mots en suspens, sachant qu'elle avait raison.

— Je suis certaine que Gemma va bien, dit Harper. Elle sera probablement à la maison d'ici quelques secondes. Va travailler. Laisse-moi la chance de la chercher. Si je ne la trouve pas dans les deux prochaines heures, j'irai te voir. D'accord?

Il demeura indécis dans l'embrasure de la porte de la chambre de Harper, blême et les traits creux. Brian voulait de toute évidence aller à la recherche de sa fille, mais il savait que Harper avait probablement raison. Il ne pouvait prendre le risque de perdre son emploi et ne plus pouvoir soutenir sa famille simplement parce que Gemma était sortie trop tard.

— D'accord.

Il plissa les lèvres.

— Essaie de la trouver. Mais si tu n'y arrives pas d'ici 7 h, tu viens me voir. D'accord?

— Oui, bien sûr.

Harper hocha la tête.

— Je t'appelle dès que je l'ai trouvée.

Dès qu'il eut quitté sa chambre, Harper laissa sa propre panique la gagner. Elle ne voulait pas que Brian s'inquiète inutilement, mais cela ne signifiait pas qu'elle n'avait pas peur elle-même. Ce n'était pas comme

Gemma de ne pas respecter son couvre-feu. Gemma aimait repousser les règles, mais elle les brisait rarement.

Harper alla à sa fenêtre et tira le rideau, afin de regarder la maison d'Alex. Sa voiture était dans l'allée, alors cela signifiait qu'il n'était pas sorti avec Gemma. Harper prit son portable sur sa table de nuit et composa tout de même son numéro.

— Allô ?

Alex répondit ensommeillé après la cinquième sonnerie.

— Est-ce que Gemma est avec toi ? lâcha Harper en arpentant sa chambre.

— Pardon ? demanda Alex, puis sa voix devint tout à coup plus claire. Harper ? Que se passe-t-il ?

— Rien.

Elle prit une profonde respiration et adoucit l'urgence dans ses mots. Elle n'avait pas besoin de l'effrayer, lui aussi.

— Je voulais juste savoir si Gemma était avec toi.

— Non, répéta Alex.

Par la fenêtre de sa chambre, Harper vit la lumière dans celle d'Alex, dans la maison voisine.

— Je ne l'ai pas vue ni ne lui ai parlé depuis que je l'ai déposée à votre maison hier soir. Est-ce qu'elle va bien ?

Harper tint le combiné loin de sa bouche et jura entre ses dents. Alex n'aurait jamais sorti Gemma toute la nuit, et elle aurait dû savoir cela.

Si Gemma avait été avec lui, il aurait insisté pour qu'elle entre à la maison à l'heure, pas seulement parce que c'était la bonne chose à faire, mais parce qu'il craignait d'attirer la foudre de Harper ou de Brian.

— Ouais, non, enfin, je suis certaine qu'elle va bien, répondit Harper rapidement. Mais je dois y aller, d'accord, Alex ?

— Quoi ? Non, je ne suis pas d'accord. Où est Gemma ?

— Je ne sais pas. C'est pour cela que je dois y aller. Je vais à sa recherche. Enfin, je sais qu'elle va bien, mais je dois la trouver.

— Je vais avec toi, offrit Alex. J'enfile un pantalon et je te retrouve dehors.

— Non, ne viens pas.

Elle secoua la tête, même si elle savait qu'il ne le vit pas.

— Reste ici, au cas où elle reviendrait. Tu pourras surveiller la maison.

— Es-tu certaine ?

— Ouais, je suis certaine.

Harper soupira.

— Observe si elle arrive. Si elle te joint, appelle-moi, d'accord ?

— Oui, je peux faire ça. Et dis-lui de m'appeler dès que tu la trouves.

— On fait comme ça.

Harper raccrocha sans attendre qu'il dise autre chose. Elle sut où elle devait chercher, et cela noua son estomac. Gemma était allée à la baie hier soir, seule, et elle n'était pas revenue.

Toujours en pyjama, Harper glissa dans ses sandales et descendit l'escalier en courant. Elle avança rapidement dans l'espoir qu'elle n'aurait pas le temps de penser à toutes les choses horribles qui auraient pu arriver à Gemma : noyade, enlèvement, meurtre. Merde, même une attaque de requin était possible.

— L'as-tu trouvée ? cria Brian de la salle de bain.

Il avait entendu Harper dévaler les marches.

— Pas encore ! cria en retour Harper

Elle prit ses clés de voiture sur l'étagère près de la porte.

— Je sors maintenant. Je t'appelle plus tard !

Elle jogga jusqu'à sa voiture.

Alors qu'elle filait dans la ville, Harper fouilla autant qu'elle put. Gemma avait pu se blesser en allant ou en revenant de la baie. Mais Harper savait que ce n'était pas ce qui s'était produit. L'énorme trou dans son estomac lui disait que c'était quelque chose d'autre, quelque chose de pire.

Comme Gemma était partie en vélo la veille, Harper se rendit au quai où elle le garait habituellement. Elle traversa en courant les planches usées en bois, priant pour que le vélo ne soit pas là. S'il n'était pas là, cela signifierait que Gemma était partie, qu'elle était allée ailleurs.

Dès qu'elle vit le vélo, verrouillé avec le sac à dos de Gemma, son cœur bascula. Gemma était encore dans cette eau, comme depuis les huit ou neuf dernières heures.

À moins que...

Harper tourna les talons et trouva *La mouette crasseuse* amarrée au même endroit que toujours, à quelques mètres de l'endroit où Gemma avait verrouillé son vélo.

— Daniel !

Harper cria en courant vers son bateau.

— Daniel !

Elle tendit la main vers la balustrade et essaya de monter.

— Daniel !

— Harper ? demanda-t-il.

Il ouvrit la porte de la cabine et sortit, boutonnant son jeans qu'il venait d'enfiler.

Harper essaya de se hisser sur la balustrade, mais le bateau était trop éloigné du quai. Son pied glissa du bord, et l'une de ses sandales tomba et éclaboussa l'eau. Elle aurait suivi, si Daniel n'était pas arrivé et lui avait pris le bras.

Il entoura son bras robuste autour de ses épaules et la souleva, la faisant passer par-dessus la balustrade. Pour ce faire, il dut la presser contre sa poitrine nue. Harper était glacée, à cause de sa panique et de l'air matinal, et la peau de Daniel lui parut chaude contre la sienne.

— Que fais-tu ici? la questionna Daniel en la déposant.

— Est-ce que Gemma est ici? demanda Harper, mais par l'expression confuse qu'elle vit sur son visage, elle connaissait déjà la réponse.

— Non.

Il secoua la tête, et son front se plissa d'inquiétude.

— Pourquoi serait-elle ici?

— Elle n'est pas entrée hier soir. Et...

Harper pointa en direction du vélo enchaîné au quai.

— Son vélo est encore ici, et elle a une pratique de natation dans deux heures. Gemma ne rate *jamais* sa pratique.

Un frisson parcourut son corps, et son estomac se tordit.

— Quelque chose ne va pas.

— Je vais t'aider à la chercher, dit Daniel. Laisse-moi prendre un t-shirt et des chaussures.

— Non.

Elle secoua la tête.

— Je n'ai pas le temps d'attendre.

— Tu es de toute évidence folle d'inquiétude.

Il la montra de la main alors qu'elle se tenait en tremblant sur son bateau.

— Tu as besoin de quelqu'un avec les idées plus claires. Je viens avec toi.

Harper pensa discuter, mais elle hocha simplement la tête. La panique était sur le point de s'emparer d'elle, et il était difficile de ne pas sombrer en sanglots. Elle avait besoin de quelqu'un de moins agité pour l'aider.

Daniel descendit sur le pont inférieur et revint une minute plus tard, une minute qui parut des heures pour Harper. Des heures qu'elle passa à scruter la mer obscure les entourant, se demandant si le corps de Gemma flottait quelque part.

— D'accord, dit-il en passant un t-shirt par-dessus sa tête. Allons-y.

Il sauta d'abord sur le quai, puis prit la main de Harper pour l'aider à descendre de son bateau. Quand il repêcha sa tong de l'eau, elle protesta, mais Daniel insista sur le fait que cela la ralentirait si elle devait clopiner sans elle.

— Où veux-tu regarder ? demanda Daniel alors qu'ils parcoururent le quai en direction de la terre.

— Je crois que nous devons examiner le rivage.

Elle déglutit avec peine, réalisant ce qu'elle suggérait.

— Elle a pu y être rejetée…

— Est-ce qu'il a un endroit qu'elle préfère ? demanda Daniel. Peut-être quelque part où elle aurait pu se reposer si elle était trop fatiguée pour retourner à la maison ?

— Je ne sais pas.

Harper secoua la tête et haussa les épaules.

— J'ai pensé qu'elle aurait pu aller à ton bateau, car elle te fait confiance. Mais… Je ne sais pas. Je n'ai aucune idée de ce qu'elle a pu faire dehors toute la nuit dans l'eau. En fait, j'ai quelques idées.

Elle renifla et frotta son front.

— Les seules choses auxquelles je pense ne sont pas jolies, par contre. Elle n'a aucune bonne raison d'être ici. Gemma serait restée seulement si quelque chose de grave lui était arrivé ou si quelqu'un lui avait fait mal.

— Hé.

Daniel lui toucha le bras, ce qui fit lever les yeux de Harper vers lui.

— Nous allons la retrouver, d'accord? Pense seulement à des endroits où elle serait allée si tout allait bien. Que fait Gemma ici? Où va-t-elle?

— Je ne sais pas! répéta Harper, exaspérée et terrifiée.

Elle détourna les yeux de lui et les posa sur la baie, essayant de réfléchir.

— Elle aime venir ici nager le soir. Elle aime aller au-delà de cette pierre, là-bas.

Elle pointa l'énorme pierre dans l'eau de l'autre côté de la baie. Harper et Gemma avaient fait quelques courses vers cette pierre, et chaque fois, Gemma en sortait gagnante.

— Elle préfère l'autre côté de la baie? questionna Daniel.

— En quelque sorte, admit Harper. Les touristes et les bateaux n'y vont pas à cause de toutes les pierres, et elle aime à quel point c'est désert.

— Donc, si elle avait besoin d'une pause, ce serait là-bas.

— Oui !

Elle hocha la tête excitée, réalisant ce que cela voulait dire.

— Quand elle vient en voiture, elle se gare là bas, près des cyprès.

Il était plus rapide d'y aller en voiture que de marcher, alors Harper courut vers sa voiture, Daniel la suivat de près. Afin de contourner la baie, Harper conduisit aussi vite qu'elle put, ce qui signifia ignorer quelques panneaux d'arrêt et passer à travers la pelouse.

Quand elle arriva à la plage, elle fut reconnaissante que Daniel ait récupéré sa sandale. Le rivage était couvert de pierres coupantes, et il aurait été quasi impossible de se frayer un chemin pieds nus, ou du moins pour elle. Harper sut que les pierres n'auraient pas intimidé Gemma.

Elle réussit à se rendre jusqu'au bord du rivage, dépassé les arbres, afin d'avoir une meilleure vue du littoral jusqu'à la crique. Daniel arriva derrière elle et pointa vers une forme foncée indistincte au loin.

— Qu'est-ce que c'est ? demanda-t-il, mais Harper n'attendit pas pour répondre.

Elle avança si rapidement qu'elle glissa sur les pierres à quelques reprises et tomba une fois, s'ouvrant le genou. Daniel la suivit aussi rapidement qu'il put, mais avança d'un pas plus prudent.

Quand elle fut suffisamment proche pour en être certaine, Harper commença à appeler le nom de Gemma. Elle put voir que c'était sa sœur, étendue sur le dos et emmêlée dans quelque chose ressemblant à un filet de pêche doré. Mais Gemma ne répondit pas.

CHAPITRE 10

Gueule de bois

— Gemma !

Harper hurla et s'effondra aux côtés de sa sœur, ignorant les pierres blessant sa peau.

— Gemma, réveille-toi !

— Est-elle vivante ? demanda Daniel derrière Harper, les yeux baissés vers Gemma.

Cela n'annonçait rien de bon. La peau de Gemma était dépouillée de toute couleur, la rendant presque bleue. Des ecchymoses et des égratignures couvraient ses bras, et du sang avait séché sur sa tempe. Ses lèvres étaient gercées et sèches, et des algues étaient emmêlées dans ses cheveux.

Puis, même si Harper ne crut pas vraiment qu'elle le ferait, Gemma grogna et tourna la tête sur le côté.

— Gemma.

Harper repoussa les cheveux du front de Gemma, et les yeux de celle-ci s'ouvrirent en frémissant.

— Harper ? demanda Gemma la voix enrouée.

— Oh, merci, mon Dieu !

Harper laissa échapper une profonde respiration, et des larmes de soulagement emplirent ses yeux.

— Que t'est-il arrivé ?

— Je ne sais pas.

Grimaçant en voulant bouger, Gemma tenta de se mettre debout, mais les pierres étaient trop inégales. Quand elle commença à osciller, Daniel plaça ses bras sous ses jambes et la souleva. Gemma essaya de s'accrocher à lui, mais ses bras étaient trop enserrés dans le filet l'enveloppant.

— Ramenons-la à la voiture, suggéra Harper, et Daniel hocha la tête.

Après avoir constaté que Gemma était vivante et installée, Harper voulut sangloter et crier après sa sœur. Mais elle semblait encore si faible et ébranlée qu'elle ne voulût pas l'interroger.

Harper avait garé la voiture aussi près que possible, ce qui signifiait qu'elle s'était garée sur la pelouse raboteuse de la plage bordant le rivage. Daniel déposa Gemma sur ses pieds, quand ils atteignirent la voiture, et elle réussit à se tenir debout toute seule. Le filet était plutôt bien entortillé autour d'elle, et Harper et Daniel intervinrent pour l'aider à le retirer.

— Qu'est-ce que c'est ? questionna Harper. T'es-tu prise dans un filet de pêcheur ? Est-ce que c'est ça qui t'est arrivé ?

— Ce n'est pas un filet.

Daniel secoua la tête. Quand ils en eurent libéré Gemma, il le fit glisser dans ses mains, admirant sa texture étrange.

— Du moins, pas un filet d'un genre que je connais.

— Non, ce n'est pas un filet.

Gemma plaça sa main sur la voiture, afin de se stabiliser, et s'y appuya.

— C'est un châle ou quelque chose du genre.

— Un châle? fit Harper. Où as-tu eu un châle?

Gemma grimaça et hésita avant d'admettre à contrecœur.

— Penn.

— *Penn*?

Harper cria presque.

— Que diable faisais-tu avec Penn?

— Tu devrais vraiment rester loin de ces filles, dit gravement Daniel. Elles sont... elles ont quelque chose qui cloche.

— Crois-moi, je sais, bredouilla Gemma.

— Alors, que faisais-tu avec elles? demanda Harper. Qu'as-tu fait hier soir?

— Pouvons-nous parler de ça plus tard, s'il te plaît? supplia Gemma. J'ai la tête qui tambourine. J'ai mal partout sur le corps. Et j'ai tellement soif, c'est incroyable.

— As-tu besoin d'aller à l'hôpital? l'interrogea Harper.

Gemma secoua la tête.

— Non, j'ai seulement besoin d'aller à la maison.

— Si tu vas bien, alors tu vas me dire ce qui se passe.

Harper croisa les bras sur sa poitrine.

— Je nageais hier soir, et...

Gemma laissa ses paroles en suspens et fixa le soleil qui se levait sur la baie, comme si elle essayait de se souvenir exactement de ce qui s'était produit la veille.

— Je suis allée à la crique, et Penn, Lexi et Thea étaient... en train d'y faire la fête.

— Elles faisaient la *fête*? demanda Harper, maintenant totalement sidérée. Tu as fait la fête avec ces filles
hier soir?

— Ouais, répondit Gemma incertaine. Enfin, oui. Je
crois.

— Tu *crois*?

Harper secoua la tête.

— Ouais, elles m'ont invitée à me joindre à elles, et
j'ai pris un seul verre. Mais il devait être très fort. Ce
n'était qu'un verre, je le jure.

— Tu as bu?

Harper écarquilla les yeux.

— Gemma! Tu pourrais être expulsée de l'équipe de
natation pour cela. Et tu as une pratique dans une heure,
à laquelle tu ne peux de toute évidence pas participer
aujourd'hui. À quoi pensais-tu?

— Je ne pensais pas! cria Gemma. Honnêtement, je
ne sais pas à quoi je pensais! Je n'ai aucune idée de la
manière dont tout cela s'est produit hier soir. Je me rappelle avoir pris un verre, puis je me suis réveillée sur les
pierres. Je ne sais pas ce qui s'est passé et je suis désolée.

— Monte dans la voiture, lâcha Harper entre ses
dents, trop en colère pour même crier.

— Je suis vraiment désolée, répéta Gemma.

— Monte dans la voiture! cria Harper, et Daniel
tressaillit.

— Merci pour… l'aide, marmonna Gemma à Daniel
en fixant ses pieds.

— Pas de problème, dit-il.

Elle tenta d'ouvrir la portière de la voiture et tomba
presque alors il s'avança pour lui ouvrir.

— Repose-toi, et bois beaucoup de liquide. Les gueules de bois sont terribles, mais tu vas survivre.

Gemma lui sourit faiblement et monta dans la voiture. Quand elle fut en sécurité à l'intérieur, il ferma la portière et tourna son attention vers Harper. Ses bras étaient croisés sur sa poitrine, et elle lança un regard noir de colère et d'incrédulité vers sa sœur, mais quand Daniel la regarda, elle sourit honteusement.

— Je suis vraiment désolée de t'avoir traîné pour m'aider à ramasser ma sœur ivre. Enfin, merci. J'apprécie, mais je suis désolée de t'avoir dérangé.

— Non, tu ne m'as pas dérangé.

Daniel sourit.

— Je me disais justement combien c'était ennuyeux de dormir jusqu'*après* que le soleil se soit levé.

— Désolée, répéta Harper. Je devrais te laisser aller te recoucher.

— D'accord.

Daniel hocha la tête et fit un pas pour s'éloigner de la voiture.

— Mais vas-y doucement avec elle, d'accord ? Ce n'est qu'une gamine. Ils font des erreurs, parfois.

— Pas *moi*.

Harper passa devant la voiture et se rendit du côté du conducteur.

— Vraiment ?

Il s'arrêta et souleva un sourcil en la regardant.

— Tu n'as jamais fait d'erreur ?

— Pas comme ça.

Elle fit un geste en direction de la voiture, où Gemma avait le front appuyé contre la fenêtre.

— Je ne suis jamais restée dehors toute la nuit ni ne me suis saoulée. Je me suis peut-être réveillée en retard une fois pour l'école.

— Oh, wow.

Daniel sourit en coin et sembla véritablement surpris.

— C'est en fait un peu triste. Enfin, tant mieux pour toi, si tu ne bois pas. Mais une vie sans *aucune* erreur ? Ça ne semble pas amusant du tout.

— Je me suis amusée.

Harper fut irritée, mais Gemma grogna dans la voiture, ce qui interrompit son débat avec Daniel.

— Mais je dois vraiment retourner à la maison.

— Oui, bien sûr.

Il lui fit une petite salutation de la main et recula.

— Je ne te retiens pas de ton devoir.

— Merci.

Harper lui sourit.

Dès qu'elle fut dans la voiture, son sourire et tout sentiment de joie s'évaporèrent. Son soulagement d'avoir retrouvé sa sœur en vie s'était transformé en une énorme colère.

— Je ne comprends pas comment tu as pu faire ça, commença Harper en mettant la voiture en marche et s'éloignant de la baie. Papa a failli ne pas aller travailler pour te chercher. Il aurait pu perdre son emploi.

— Je suis désolée.

Gemma ferma les yeux et frotta son front, comme si elle souhaita que Harper allât simplement cesser de parler.

— Être désolée ne suffit pas, Gemma ! cria Harper. Tu aurais pu mourir ! Comprends-tu ça ? Tu as presque *failli* mourir. Je ne sais même pas ce qui s'est passé ou comment il se fait que tu sois encore en vie. Comment as-tu pu faire ça? Comment as-tu pu te mettre dans cette situation?

— Je ne sais pas!

Gemma leva la tête.

— Combien de fois dois-je te dire que je ne sais pas?

— Autant de fois qu'il faudra pour que ça ait un sens! répliqua Harper. Ça ne te ressemble pas. Tu détestes ces filles et tu détestes boire. Pourquoi traînais-tu avec elles? Pourquoi te compromettre pour des filles que tu n'aimes même pas?

— Harper! claqua Gemma. Je ne me souviens pas de la nuit dernière. Je n'ai aucune réponse, peu importe le nombre de fois ou la manière dont tu me le demandes. Je t'ai déjà tout dit ce que je sais!

— Tu sais que tu es punie, n'est-ce pas? demanda Harper. Tu n'iras plus *jamais* à cette baie le soir. Tu seras chanceuse, si papa te laisse y aller durant la journée.

— Je sais.

Gemma soupira et posa une nouvelle fois sa tête contre la fenêtre.

— Et je ne sais pas quand tu seras en mesure de voir Alex de nouveau, continua Harper. Il était fou d'inquiétude, lui aussi.

— Il l'était?

Gemma tourna la tête vers Harper et s'égaya un peu.

— Comment a-t-il su que j'avais disparu?

— J'ai pensé que tu aurais pu être avec lui, alors je lui ai téléphoné pour lui demander s'il savait où tu étais. Tu es censé l'appeler, quand nous serons de retour.

— Hmm.

Gemma ferma les yeux.

— Peut-être devrais-tu l'appeler. Je n'ai pas trop envie de parler, pour le moment.

Harper regarda sa sœur, s'adoucissant sous l'inquiétude. Si Gemma n'avait même pas envie de parler à Alex, alors il y avait vraiment quelque chose qui clochait.

— Es-tu certaine que ça va ? Je peux t'emmener immédiatement à l'hôpital.

— Non, j'ai seulement une gueule de bois et des ecchymoses. Je vais m'en sortir.

— Peut-être devrais-tu passer des radiographies, suggéra Harper. Ces ecchymoses sont peut-être plus graves qu'elles ont l'air. Et je ne sais même pas comment tu les as eues.

— Je vais bien, insista Gemma. S'il te plaît, emmène-moi à la maison. Je veux juste dormir.

Harper n'était toujours pas enchantée, mais Gemma avait probablement raison. Comme Harper avait eu la chance de libérer un peu de sa colère, elle décida de laisser aller. Si Gemma était malade, elle n'avait pas besoin des cris de Harper. Donc, pour le moment, Harper allait simplement en prendre soin.

Quand elles arrivèrent à la maison, Gemma se rendit à la cuisine prendre un verre d'eau froide du robinet. Elle but verre après verre, les ingurgitant si rapidement que l'eau se répandit sur son menton.

— Es-tu certaine que ça va ? s'enquit Harper indécise en observant sa sœur.

— Ouais.

Gemma hocha la tête et s'essuya la bouche du revers de la main.

— J'ai seulement très soif. Mais je vais mieux maintenant.

Elle déposa le verre dans l'évier et se força à sourire à Harper.

— Assis-toi, alors. Tu as besoin d'un bon nettoyage.

Gemma tira une chaise de sous la table de la cuisine et s'y installa. Harper alla dans la salle de bain et y prit un gant de toilette humide, de l'antiseptique et des pansements adhésifs. Quand elle revint, elle s'agenouilla sur le plancher devant Gemma et inspecta ses coupures et ses éraflures.

Aucune ne semblait très profonde, ce qui était un bon signe. Quand Harper nettoya une entaille sur sa cuisse, Gemma tressaillit. Harper s'excusa du regard et tamponna plus doucement.

— Tu ne te rappelles pas comment tu as eu tout ceci?

Harper leva les yeux vers Gemma, fouillant dans son expression un indice sur ce que c'était passé.

— Non.

— Donc, tu ne sais pas si c'est les filles qui t'ont fait ça? demanda Harper, et Gemma secoua la tête. Penn a pu te battre, alors? Et même si ce n'est pas le cas, elles t'ont laissée pour morte dans la baie, et tu ne sais même pas pourquoi.

Le simple fait d'y songer mit Harper dans une telle colère qu'elle ne se rendit pas compte à quel point elle frottait les coupures de Gemma.

— Harper!

Gemma grimaça et recula sa jambe.

— Désolée.

Harper cessa de nettoyer la coupure. Quand elle y posa un pansement, elle le fit avec plus de délicatesse.

— Peut-être devrions-nous appeler les policiers au sujet de ces filles.

— Pour leur dire quoi? J'ai accidentellement trop bu et je ne me souviens plus de ce qui s'est passé? lâcha Gemma avec lassitude.

— Eh bien…

Harper haussa les épaules.

— Je ne sais pas. J'ai l'impression que je devrais faire quelque chose.

— Tu en fais suffisamment, tenta Gemma de la rassurer. Et pour le moment, j'ai seulement besoin de dormir.

— Tu ne veux pas te doucher avant? lui demanda Harper alors que Gemma se leva.

— Après mon réveil.

Gemma s'agrippa à la table pour se soutenir et se mit lentement sur ses pieds. Sa chevelure était poisseuse de sel et de saleté. Lorsque Gemma passa près d'elle, Harper en extirpa une algue enchevêtrée.

Gemma parvint à se hisser dans l'escalier, mais Harper la suivit de près, au cas où elle glisserait. Gemma enleva rapidement son maillot et enfila une culotte et un t-shirt propres, puis s'effondra dans son lit.

Quand Gemma fut bordée, saine et sauve, Harper alla dans sa chambre pour passer quelques appels. Elle garda les deux portes des chambres ouvertes, afin de garder un œil sur Gemma, et parla doucement au téléphone, afin de ne pas la déranger.

En premier, elle dut téléphoner à son père et lui dire que Gemma allait bien. Il sembla aussi excité que Harper l'avait été, puis tout aussi en colère qu'elle lorsqu'il découvrit *pourquoi* Gemma était sortie toute la nuit. Brian se fâchait si rarement contre elles, et il était facile d'oublier à quel point il pouvait être terrifiant, quand il était en colère.

Les autres coups de téléphone furent plus rapides. Elle dit à Alex que Gemma allait bien, puis appela l'entraîneur à l'école pour l'aviser que Gemma ne pourrait pas s'y rendre aujourd'hui. Ensuite, Harper décida d'appeler son travail pour dire qu'elle s'absenterait. Même s'il ne s'agissait probablement que d'une gueule de bois, Harper ne se sentait pas prête à laisser Gemma seule.

Quand les appels furent faits, Harper s'assit sur le plancher dans le couloir, juste devant la chambre de Gemma. De là, elle put voir sa sœur dormir. Gemma lui faisait dos, mais la mince couverture la couvrant s'élevait et descendait à chacune de ses respirations.

Même si Gemma n'avait pas été souffrante, Harper ne savait pas si elle serait allée au travail. Devant la possibilité qu'elle aurait pu perdre Gemma, il lui aurait été difficile d'être loin d'elle.

Parfois, Harper était si absorbée à s'occuper de tout, de son père, de la maison, et de s'assurer que Gemma était bien et en sécurité qu'elle oubliait qu'elle adorait sa sœur. La vérité était que Harper serait perdue sans elle.

CHAPITRE 11

Affamée

Gemma se réveilla tard dans l'après-midi, après que sa fièvre fut enfin tombée et que ses pensées furent un peu plus claires. Ses rêves avaient été bizarres et atrocement réalistes, mais dès l'instant où elle se réveilla, elle les oublia tous. Tout ce qu'elle savait, c'était qu'ils la laissèrent avec un sentiment dégoûtant et terrifiant.

Harper l'adorait, ce qui faisait sentir Gemma encore plus mal. Harper et son père s'étaient fait tellement de souci, et Gemma n'avait jamais voulu rien faire pour trahir leur confiance. Être sortie toute la nuit allait lui valoir d'être punie pour l'été et l'interdiction d'aller à la baie Anthemusa, et elle avait de plus effrayé les deux personnes qu'elle aimait le plus.

Le pire de tout était qu'elle ne savait même pas *pourquoi* elle avait fait ça.

Elle ne se souvenait de rien après avoir bu dans la flasque. Tout était noir jusqu'au matin, quand Harper l'avait découverte sur le rivage. Mais même avant cela, avant qu'elle boive quoi que ce soit, ses souvenirs étaient étranges et flous.

Gemma se souvenait d'être allée à la crique. Dans sa tête, elle pouvait voir ce qu'elle avait fait, mais c'était comme de regarder le spectacle de quelqu'un d'autre. Tous les gestes et les actions avaient été faits par son corps, mais ce n'était pas elle.

Se rendre à la crique et traîner avec Penn n'avaient pas été ses décisions. Gemma ne boirait jamais, encore moins parce que des filles comme Lexi lui mettaient de la pression. Elle se rappelait l'avoir fait, mais ce n'était pas elle. *Elle* n'aurait jamais fait cela.

Mais elle l'avait fait. Sinon, comment s'était-elle retrouvée rejetée sur la plage avec une gueule de bois?

Mais s'être enivrée n'expliquait pas toute la soirée. Les choses étaient confuses avant qu'elle boive de la flasque, et Gemma n'avait jamais entendu parler d'un alcool aussi épais que cela. Il avait la consistance du miel, mais pas du tout le goût.

Peut-être n'était-ce pas de l'alcool, mais c'était assurément quelque chose. Il avait pu être mélangé à de la drogue ou un poison, ou peut-être une potion. Gemma n'aurait pas été du tout surprise d'apprendre que Penn était une sorcière.

Quoi qu'il en soit, elles lui avaient refilé quelque chose. Gemma ne saurait probablement jamais quoi exactement, mais cela importait peu. Elles lui avaient donné quelque chose, et elle n'avait aucune idée pourquoi.

Et encore pire, elle ne savait pas ce qu'elles lui avaient fait après. Toutes ces coupures provenaient probablement du fait d'avoir été ballottée par l'océan. Après avoir perdu connaissance, elles l'avaient simplement jetée dans la baie.

Vraiment ? Si elle avait été inconsciente quand elle était entrée dans l'eau, ne se serait-elle pas noyée ? Ou attirée par la mer ? Comment avait-elle abouti sur le rivage avec seulement quelques coupures et ecchymoses ? Pourquoi n'était-elle pas morte ?

— Merde.

Harper soupira et pénétra dans la chambre de Gemma, la tirant de ses pensées.

— Marcy vient de me téléphoner. Il y a eu des embêtements à la bibliothèque, et je dois aller l'aider.

Gemma s'assit dans son lit. Son corps allait déjà beaucoup mieux que ce matin. Toutes ses douleurs étaient parties, et même la rougeur et l'enflure avaient diminué autour des coupures et des ecchymoses. Mis à part le fait d'être poisseuse et sale, elle ne se sentait pas trop mal.

— Est-ce que ça ira, si je te laisse pour environ une heure ? demanda Harper.

— Ouais.

Gemma hocha la tête.

— Je vais bien. Je vais probablement prendre une douche. Va faire ce que tu as à faire. Je ne veux pas te déranger davantage que je l'aie déjà fait.

— D'accord.

Harper se mordilla la lèvre et sembla hésitante à partir.

— J'amène mon portable, et tu m'appelles, si tu as besoin de moi. Je suis sérieuse, d'accord ?

— D'accord.

Gemma hocha de nouveau la tête.

— Mais ça va aller.

Quand Harper fut partie, Gemma sentit une vague de soulagement. Avoir Harper en train de la surveiller ainsi ne faisait qu'aggraver sa culpabilité, mais encore plus, Gemma voulait avoir la chance de s'éclaircir les idées et d'essayer de démêler les choses elle-même. Il était difficile de réfléchir quand Harper ne cessait de venir la voir et l'interrogeait sur ce qui s'était passé.

Gemma savait que Harper avait de bonnes intentions, et c'était en fait sa faute, si Harper sentait le besoin d'être aussi intensément impliquée. Mais parfois, elle avait simplement besoin d'espace pour respirer.

C'est après l'accident de voiture de Harper et de leur mère que les choses avaient commencé à mal aller. Même si c'était Harper qui avait été blessée, elle était devenue soudainement très protectrice envers Gemma.

Et cela n'avait pas dérangé Gemma, du moins pas au début. Elle en avait eu besoin. Quand sa mère était dans le coma, Gemma s'était sentie totalement perdue. Rétrospectivement, elle avait été un peu une fille à sa maman, et si Harper n'était pas intervenue, elle ne sait pas comment elle s'en serait sortie.

Mais pour finir, elle avait appris à le surmonter à sa manière. C'est à ce moment qu'elle s'était vraiment mise à la natation. Elle avait toujours aimé l'eau, mais après cela, elle n'en avait jamais assez. C'était le seul endroit où elle se sentait libre. Parfois, quand Harper était de mauvaise humeur, c'était le seul endroit où Gemma pouvait vraiment respirer.

Maintenant, à cause de son erreur stupide avec Penn, non seulement Harper serait encore plus intense, mais

Gemma ne pourrait plus se rendre à la baie pour un peu de liberté. Au moins, elle avait encore ses pratiques de natation, et de longs bains.

Gemma envisagea de prendre un bain maintenant, mais sa peau lui parut trop sale. Il n'aurait fallu que quelques secondes pour qu'elle se retrouve à tremper dans une baignoire emplie de boue. Une douche serait préférable.

Pendant qu'elle attendait que l'eau se réchauffe, elle alluma le lecteur CD de la salle de bain. L'album de Springsteen de son père se mit à hurler, et Gemma fouilla dans la pile de CD sur le comptoir à la recherche de sa musique. Dans la salle de bain, c'était en grande partie la musique de Harper, des groupes comme Arcade Fire et Ra Ra Riot.

Mais pour une raison quelconque, les CD de Gemma ne lui dirent rien. Elle n'eut envie de rien. Tout lui parut… *mal*. Éteignant la stéréo, Gemma décida de se passer de musique.

Avant de pénétrer sous la douche, elle se mit en sous-vêtements. Devant le miroir, elle se tourna de tous les côtés, afin de voir toutes les blessures sur sa peau.

Une large ecchymose s'étendait du creux de ses reins jusqu'à ses omoplates. Elle était violet foncé et entourée de vert. Gemma la toucha avec hésitation. C'était douloureux, aucun doute, mais pas autant qu'elle l'eut pensé.

Quoi qu'il en soit, une douche chaude allait lui faire du bien, alors elle finit de s'inspecter et y sauta. Dès que l'eau chaude coula sur elle, elle se sentit encore mieux, presque revigorée.

Gemma ne put s'en empêcher et commença à chanter en lavant ses cheveux. Au début, elle chanta la plus récente chanson de Katy Perry, puis un air différent lui vint en tête. Il s'agissait d'une chanson qu'elle ne savait même pas connaître.

Avec du revitalisant dans les cheveux, elle s'arrêta pour y réfléchir. Elle n'arrivait pas à bien la saisir, mais elle était sur le bout de sa langue.

— Viens maintenant…

Gemma fronça les sourcils en essayant de trouver les paroles.

— Je vais te montrer la voie… dans mon océan…

Elle secoua la tête.

— Non, ce n'est pas ça.

En soupirant, elle décida de la chanter, espérant que cela lui reviendrait ce faisant, et presque par magie, c'est ce qui arriva. Les paroles étaient sur ses lèvres, et elle les chanta à voix haute.

— Approche, voyageuse épuisée, je te dirigerai à travers les vagues. Ne t'inquiète pas, pauvre voyageuse, car ma voix te guidera.

Puis, cette étrange sensation la parcourut. Elle lui rappela la manière qu'elle se sentait quand elle avait des papillons dans le ventre, comme lorsque Alex l'embrassait, mais c'était sur sa peau. La sensation descendit le long de sa jambe, de sa cuisse jusqu'au bout de ses orteils. Elle passa sa main sur sa jambe, suivant le chemin de cette étrange sensation, et sentit sa peau se plisser sous ses doigts.

Elle cria et baissa les yeux. Elle s'attendit presque à voir quelque chose collé à sa jambe, comme une algue ou peut-être une sangsue, mais elle ne vit rien, seulement sa peau, ayant l'air aussi ordinaire que d'habitude.

En fait, elle était un peu trop normale. Les ecchymoses sur sa peau s'étaient atténuées, et les coupures étaient presque guéries. Gemma tendit le cou, essayant de voir son dos, mais n'y parvint pas.

Ses cheveux étaient rincés, et elle s'était déjà frottée avec un gant de toilette, alors elle décida de terminer sa douche. Elle avait planifié de se frotter plus vigoureusement, mais quelque chose de bizarre se passait, et elle préféra y réfléchir vêtue de ses vêtements.

Lorsqu'elle accrocha son gant de toilette sur le robinet pour qu'il sèche, comme elle le faisait toujours après la douche, elle remarqua que quelque chose y était collé. Elle le prit du gant et le tint à la lumière, afin de l'inspecter.

C'était une sorte de grosse écaille irisée, trop grosse pour provenir d'un des poissons habituels de la baie. Elle devait venir de quelque chose d'énorme, faisant au moins la taille de Gemma. Mais elle était d'une couleur qu'elle n'avait jamais vue sur un poisson. Même s'il était vrai que les poissons tropicaux pouvaient être de n'importe quelle couleur éclatante, la baie était trop au nord pour avoir ces jolis poissons.

— Gemma? lança Alex, interrompant son examen de la mystérieuse écaille, puis il se mit à frapper à la porte de la salle de bain.

— Alex? fit Gemma surprise en saisissant une serviette et s'y enroulant, même si Alex était dissimulé de l'autre côté de la porte. Que fais-tu ici?

— J'ai seulement...

Il laissa ses mots en suspens, sa voix complètement étouffée par la porte.

— Pardon ? demanda Gemma.

— J'ai besoin de te voir.

— Quoi ? Pourquoi ? Est-ce que quelque chose est arrivé ?

— Non, j'ai...

Alex soupira bruyamment.

— Harper m'a dit que tu avais disparu, et je voulais m'assurer que tu allais bien. Je te donnais du temps pour te reposer, mais je viens de t'entendre chanter, alors j'ai su que tu étais réveillée.

Gemma jeta un coup d'œil gêné vers la fenêtre ouverte de la salle de bain. Le store était baissé, mais la fenêtre était ouverte ; Alex avait aisément pu l'entendre.

Après être passée par-dessus sa honte initiale, elle plissa le front et se tourna vers la porte close.

— Alors, tu es simplement entré dans ma maison ?

Ce n'était pas le genre d'Alex de faire cela. Il était toujours poli, presque à l'excès.

— Non, j'ai d'abord frappé, mais tu n'as pas répondu, puis tu as ensuite cessé de chanter, expliqua Alex. Je t'ai entendu crier et j'ai cru qu'il y avait peut-être un problème.

— Oh.

Elle sourit, réalisant qu'il s'inquiétait de son bien-être.

— Je viens de sortir de la douche. Laisse-moi m'habiller, et je vais sortir et te parler.

Heureusement, Gemma avait amené ses vêtements dans la salle de bain. Elle s'habilla en hâte. La visite-surprise d'Alex lui fit presque oublier son ecchymose dans le dos, mais elle s'en souvint après s'être habillée.

Gemma fit dos au miroir et souleva son t-shirt. Lorsqu'elle regarda par-dessus son épaule, elle resta bouche bée. L'énorme ecchymose était presque partie. Il ne restait qu'une tache au centre de son dos, et même la couleur s'était estompée, passant d'un aubergine profond à un gris pâle.

— Ce n'est pas possible.

Gemma resta ébahie devant son reflet.

— As-tu dit quelque chose? appela Alex du couloir.

— Euh… non.

Elle laissa tomber son t-shirt, comme s'il était capable de voir au travers la porte.

— Je me parlais à moi-même. Je sors dans une seconde.

Elle passa précipitamment les doigts dans ses cheveux, afin de les peigner. Même ses cheveux ne semblaient pas être aussi emmêlés que d'habitude. Toute l'eau salée et chlorée était pénible pour ses cheveux, mais ils paraissaient plus soyeux qu'ils ne l'avaient été depuis des années.

Mais elle n'eut pas le temps d'y réfléchir. Alex l'attendait, et elle voulait se dépêcher et le voir pendant qu'elle le pouvait encore. Quand elle rentrerait du travail, Harper allait le chasser, et Gemma n'avait aucune idée quand elle aurait à nouveau une minute seule avec lui.

— C'est en fait une très bonne idée que tu sois passé, dit Gemma en ouvrant la porte de la salle de bain.

Elle croyait qu'il serait dans le couloir à l'attendre, mais il n'était pas là.

— Pourquoi? demanda Alex, sa voix venant de sa chambre.

— Parce que je vais probablement être punie à partir de maintenant et jusqu'à la fin des temps.

Elle se rendit dans sa chambre, essayant de ne pas laisser paraître à quel point cela la mit nerveuse qu'il se trouve dans sa chambre. Ce n'était pas une mauvaise nervosité, mais c'était la première fois qu'un garçon qu'elle fréquentait y entrait. Ce n'était pas la première fois qu'Alex allait dans sa chambre, mais cette fois, c'était différent. Elle n'avait pas voulu l'embrasser avant.

Elle parcourut rapidement sa chambre des yeux, afin de s'assurer que rien d'embarrassant ne traînait. Son maillot de bain sale était en boule sur le plancher, et son lit était défait, mais il n'y avait rien de trop grave. Peut-être l'affiche de Michael Phelps sur le mur, mais Alex ne pouvait pas vraiment lui en vouloir pour cela.

Alex se tenait près de son lit, admirant la photographie sur sa table de chevet de Harper, sa mère et elle. Dès qu'elle pénétra dans la pièce, il se tourna vers elle, et ses yeux s'écarquillèrent. Sa bouche s'ouvrit, mais aucun mot n'en sortit. Il essaya de poser la photographie sur la table de chevet, mais il ne fit pas attention, et elle tomba sur le sol.

— Désolé.

Il s'empêtra en voulant la ramasser, et Gemma se mit à rire.

— Ça va.

— Non, je suis désolé.

Il la regarda de nouveau, lui fit un sourire penaud.

— Je suis tellement maladroit. Tu me rends…

— Quoi ?

Elle s'avança vers le lit, et les yeux du garçon demeurèrent sur elle.

— Je ne sais pas.

Il rit et plissa le front en signe de confusion.

— C'est comme… Je n'arrive pas à penser, parfois, quand tu es là.

— Tu n'arrives pas à penser ? lui demanda Gemma de manière dubitative en s'assoyant sur le lit. Tu es la personne la plus intelligente que je connaisse. Comment peux-tu cesser de penser ?

— Je ne sais pas.

Il s'assit près d'elle, en la fixant toujours, mais quelque chose avait changé dans son regard, passant de flatteur à troublant. Il y avait quelque chose de trop intense dans ses yeux, et Gemma repoussa ses cheveux derrière son oreille et regarda ailleurs.

— Je suis désolée de ne pas t'avoir appelé aujourd'hui, dit-elle.

— Ça va, dit-il rapidement, puis il secoua la tête, comme si ce n'était pas ce qu'il voulut dire. Je n'étais pas…

Il détourna les yeux, mais seulement pour un bref instant, puis ils revinrent se fixer sur elle.

— Où étais-tu ?

— Tu ne me croirais pas, si je te le disais.

Elle secoua la tête.

— Je croirais tout ce que tu dirais, répondit Alex, et la sincérité dans sa voix fit reposer les yeux de Gemma sur lui.

— Que t'arrive-t-il ?

— Que veux-tu dire ?

— Je veux dire…

Elle fit un geste vers lui.

— Ceci. La manière dont tu me regardes. La manière dont tu me parles.

— Je ne te parle pas de la manière que je l'ai toujours faite ?

Alex s'éloigna d'elle un peu, véritablement déconcerté par son observation.

— Non. Tu es…

Elle haussa les épaules, incapable de trouver les bons mots pour expliquer.

— Tu n'es pas toi.

— Je suis désolé.

Son visage se crispa alors qu'il tenta de comprendre ce qu'elle voulut dire.

— Je suppose… J'étais effrayé, ce matin. Harper ne voulait pas me dire ce qui se passait, et je craignais que quelque chose te soit arrivé.

— Je suis sincèrement désolée, dit Gemma, décidant que ce devait être cela qui se passait.

Il s'était inquiété pour elle, alors il compensait à l'excès avec des regards excessifs, comme Harper le faisait parfois.

— Je ne voulais pas t'inquiéter. Ni personne.

— Mais maintenant, tu seras punie ? questionna Alex. Elle soupira.

— Ouais, assurément.

— Je ne pourrai pas te voir ? demanda-t-il, semblant aussi abattu qu'elle. Je ne sais pas si je vais pouvoir endurer ça.

— Avec un peu de chance, ce ne sera que pour quelques semaines. Peut-être moins, si je me comporte bien.

Elle lui fit un petit sourire.

— Et peut-être que parfois, tu pourras passer quand Harper et mon père sont au travail, comme maintenant.

— Combien de temps avons-nous avant que Harper revienne du travail?

Gemma jeta un coup d'œil vers son réveil et réalisa tristement que Harper était déjà partie depuis plus d'une heure.

— Pas longtemps.

— Alors, nous devons profiter le plus possible de ce moment, pendant que nous pouvons, dit Alex résolument.

— Que veux-tu dire?

— Je veux dire ceci.

Il s'inclina vers elle, pressant ses lèvres contre les siennes.

Au début, il l'embrassa de la même manière douce qu'il l'avait toujours fait, gentiment, modérément, prudemment. Mais quelque chose changea. Une avidité s'empara de lui, et il emmêla ses doigts dans ses cheveux, la pressant contre lui.

Quand les choses changèrent, quand Alex se mit à l'embrasser avec une insistance presque contraignante, Gemma s'alarma. Elle le repoussa presque, afin de lui faire suggérer qu'ils ralentissent, mais c'était comme s'il avait réveillé quelque chose en elle, une faim qu'elle ne savait même pas avoir.

Elle le poussa sur le lit, continuant de l'embrasser. Ses mains se promenèrent sur le corps de Gemma, au début par-dessus ses vêtements, puis glissant en dessous de son t-shirt, là où l'ecchymose aurait dû être. Partout où il la toucha, la même sensation de plissement qu'elle avait sentie sous la douche la parcourut.

Leurs baisers devinrent plus frénétiques, comme si Alex pensait mourir, s'il ne l'avait pas. Gemma se sentit affamée de lui de la manière la plus primitive. Elle le voulait, en avait besoin, ne pouvait attendre de le dévorer. Cela surgit d'elle comme le feu, et dans quelques parties sombres de son esprit, elle réalisa que ce qu'elle voulait faire avec lui n'avait rien à voir avec la passion.

— Aïe !

Alex tressaillit et cessa de l'embrasser.

— Quoi ? demanda Gemma.

Elle se trouvait sur lui, tous les deux cherchant leur souffle. Les yeux d'Alex étaient plus clairs maintenant, moins embrumés par la passion. Sa main était agrippée à sa taille, l'attirant vers lui, mais il la lâcha et toucha sa lèvre. Il montra le bout de son doigt avec une goutte de sang.

— Tu m'as… mordu ? dit Alex incertain.

— Je t'ai mordu ?

Elle s'assit, toujours à califourchon sur Alex.

Alors qu'elle passait sa langue sur ses dents, elles lui parurent soudainement plus acérées. Ses incisives étaient si pointues qu'elle se transperça presque la langue.

— Ça va.

Alex frictionna ses jambes, tentant de la réconforter.

— C'était un accident, je vais bien.

Son estomac grogna, gargouillant distinctement. Gemma plaça sa main dessus, comme si cela le ferait taire.

— Je suis *affamée*, dit-elle, ayant l'air troublée par son aveu.

Il éclata de rire.

— J'ai entendu.

Elle secoua la tête, ne sachant pas comment l'expliquer. L'embrasser l'avait rendue incroyablement affamée. Et même si elle ne se souvenait pas de l'avoir fait, elle n'était pas convaincue que de l'avoir mordu était un accident.

— Harper devrait être à la maison bientôt, lâcha Gemma en cherchant une excuse pour mettre un terme à leur rencontre.

Elle descendit d'Alex et s'assit sur le lit.

— Ouais, bien sûr.

Il s'assit rapidement et secoua la tête, comme s'il en chassait quelque chose.

Aucun d'eux ne dit quoi que ce soit pendant une minute. Ils gardèrent les yeux baissés vers le plancher, troublés par leurs récentes actions.

— Écoute, je suis... je suis désolé, dit Alex.

— De quoi ?

— Je n'avais pas l'intention de passer, et... et...

Il se mit à bredouiller.

— Et se peloter comme ça, je suppose. Enfin, c'était bien. Mais...

Il soupira.

— Je ne voulais pas te presser ou te mettre la pression, et... Ce n'est pas moi. Je ne suis pas ce garçon.

— Je sais.

Gemma hocha la tête. Elle lui sourit, espérant que son sourire n'était pas aussi affligé qu'elle le ressentait.

— Je ne suis pas cette fille non plus. Mais tu ne m'as assurément pas mis la pression pour rien.

— D'accord. Bien.

Il se leva et toucha encore sa lèvre, cherchant du sang, puis la regarda de nouveau.

— Je crois que, euh, je vais te voir quand je peux.

— Ouais.

Elle hocha la tête.

— Je suis réellement heureux que tu ailles bien.

— Je sais. Merci.

Il s'arrêta, réfléchissant pensant une seconde, puis s'inclina et l'embrassa sur la joue. Ce fut un peu trop long pour un baiser sur la joue, mais il fut tout de même terminé trop rapidement. Puis, Alex n'était plus là.

De tous les baisers qu'ils avaient partagés cet après-midi-là, celui avant qu'il parte fut le préféré de Gemma. Il était peut-être le plus chaste, mais il était aussi celui qui lui parut le plus sincère.

CHAPITRE 12

Chez Pearl

La bibliothèque était déserte aujourd'hui en raison de la météo parfaite. Le soleil brillait vivement dans le ciel, et il faisait chaud, sans l'être trop. C'était le genre de journée pour laquelle Gemma aurait tout fait pour se retrouver à la baie, et même Harper aurait été heureuse de se joindre à elle.

Mais Gemma ne pouvait aller quelque part. Comme prédit, leur père l'avait punie, lorsqu'il était rentré de travailler le soir précédent. Il avait crié de telle sorte que Harper avait failli prendre la défense de sa sœur, mais elle ne l'avait pas fait. Elle s'était cachée dans l'escalier et l'avait écouté fulminer sur le fait qu'il avait toujours laissé Gemma libre et lui avait fait confiance, mais que ces jours étaient terminés.

Pour terminer, Gemma s'était mise à pleurer. Alors, Brian s'était excusé, mais Gemma était montée à sa chambre. Elle y avait passé toute la soirée. Harper avait tenté de lui parler à quelques reprises, mais Gemma l'avait repoussée.

Harper avait espéré lui parler ce matin, mais Gemma était déjà partie pour sa pratique de natation au moment où elle se leva. Mais bonne nouvelle, Brian s'était souvenu d'apporter son repas au travail.

Même si cela commençait à paraître moins positif maintenant que Harper était assise à la réception de la bibliothèque sans rien à faire, elle parcourait distraitement le livre *Pour toujours*, de Judy Blume.

Elle l'avait déjà lu, mais cela faisait quelques années, et elle voulait se rafraîchir la mémoire. Il faisait partie du programme de lecture estival pour les jeunes adolescents, et lundi, Harper allait rencontrer la dizaine de jeunes du club de lecture pour discuter de ce qu'ils avaient lu cette semaine.

— Savais-tu que le directeur du lycée a sorti la biographie d'Oprah Winfrey depuis les six dernières semaines ? demanda Marcy, qui fouillait à l'ordinateur près de Harper.

— Non, je ne savais pas ça, répondit Harper.

Comme c'était tranquille, Marcy cherchait dans l'ordinateur les gens ayant des livres en retard, afin de leur téléphoner pour le leur rappeler. Marcy s'était offerte pour le faire. Même si elle détestait communiquer avec les gens, elle adorait les appeler pour leur dire qu'ils avaient fait quelque chose de mal.

— Cela semble étrange, non ?

Marcy regarda Harper derrière ses lunettes à monture d'écaille noires. Elle n'avait pas besoin de verres correcteurs, mais elle pensait que cela lui donnait un air universitaire, alors elle les portait à l'occasion.

— Je ne sais pas. J'ai entendu dire que c'était un très bon livre.

— Comme je dis toujours, on peut savoir beaucoup d'une personne par les livres qu'elle emprunte.

— Tu aimes simplement épier les gens, la corrigea Harper.

— Tu dis ça comme si c'était une mauvaise chose. Il est toujours bon de savoir ce que tes voisins manigancent. Interroge la Pologne à ce sujet après la Seconde Guerre mondiale.

— Il n'y a jamais de bonne raison pour envahir quelqu'un...

— Aïe, Harper, ce n'est pas le garçon que tu connais ? l'interrompit Marcy en pointant vers l'écran d'ordinateur.

— Beaucoup de gens que je connais empruntent des livres, dit Harper sans lever les yeux du livre de Judy Blume. Ce n'est pas si surprenant.

— Non, non, j'en ai eu marre de ça, alors je regardais le site Web du journal de Capri, afin d'y laisser des commentaires furieux anonymes sur l'éditorial. Mais j'ai plutôt trouvé ceci.

Marcy tourna l'écran vers Harper.

Harper leva les yeux, afin de lire la manchette « Jeune homme de la région disparu ». En dessous se trouvait une photo de Luke Benfield, que Harper reconnut comme celle de son album de finissants de dernière année. Il avait tenté de lisser ses boucles rousses, mais elles se dressaient sur les côtés.

— Il est porté disparu ? demanda Harper en approchant sa chaise de celle de Marcy.

En lettres plus petites, le sous-titre disait «Le quatrième garçon à disparaître en deux mois». L'article poursuivait en indiquant quelques faits basiques sur Luke : qu'il faisait partit du tableau d'honneur et irait à Stanford à l'automne.

Le reste de l'article relatait le peu qu'on savait sur ce qui s'était produit. Luke était allé au pique-nique lundi, puis était entré pour le dîner. Il semblait normal, et après avoir mangé, il était parti, disant à ses parents qu'il allait rencontrer un ami, et il n'était jamais revenu.

Ses parents n'avaient aucune idée de l'endroit où il pouvait être. Les policiers venaient de commencer leur enquête, mais ils ne semblaient pas en savoir davantage que sur les autres garçons disparus. Comme Luke avait dix-huit ans, les policiers auraient habituellement attendu plus longuement pour commencer les recherches, mais à la suite de la récente vague de disparitions, les policiers prenaient cette dernière au sérieux.

Le journaliste traçait des parallèles entre la disparition de Luke et celle des trois autres garçons. Ils étaient tous des adolescents. Ils étaient partis rencontrer des amis. Aucun n'était revenu à la maison.

L'article poursuivait en parlant de deux adolescentes disparues de villes littorales environnantes. Tous les garçons étaient de Capri, mais les filles venaient de deux différentes villes à plus de trente minutes de distance.

— Crois-tu qu'ils vont nous interroger? demanda Marcy.

— Pourquoi? Nous n'avons rien à voir avec ça.

— Parce que nous l'avons vu ce jour-là.

Marcy pointa vers l'écran, comme pour étayer.

— Il a disparu le jour du pique-nique.

Harper réfléchit.

— Je ne sais pas. Peut-être que oui, mais le journal dit que les policiers viennent de commencer leur enquête. Ils vont probablement parler à Alex, mais je ne sais pas s'ils vont parler à toutes les personnes qui se sont rendues au pique-nique.

— Ça donne la chair de poule, non ? fit Marcy. Nous l'avons vu il n'y a pas longtemps, et maintenant, il est mort.

— Il n'est pas mort. Il a *disparu*, la corrigea Harper. Il peut encore être en vie.

— J'en doute. Ils disent qu'il s'agit d'un tueur en série.

— Qui ça, « ils » ? questionna Harper en s'enfonça dans son siège. Le journal n'a rien dit à ce sujet.

— Je sais.

Marcy haussa les épaules.

— « Ils » tout le monde. Les gens en ville.

— Eh bien, les gens en ville ne savent pas tout.

Harper replaça sa chaise à sa place au bureau, loin de Marcy et de l'horrible nouvelle sur Luke.

— Je suis certaine qu'il reviendra sain et sauf.

Marcy pouffa.

— J'en doute fortement. Personne n'a retrouvé aucun de ces garçons. Je te le dis, il y a un tueur en série en liberté qui a jeté son dévolu...

— Marcy ! claqua Harper, mettant un terme au fil de sa pensée. Luke est l'ami d'Alex. Il a des parents et une vie. Espérons pour leur intérêt qu'il va bien. Et restons-en là.

— D'accord.

Marcy retourna l'écran de l'ordinateur vers elle et éloigna un peu sa chaise de Harper.

— Je ne savais qu'il s'agissait d'un sujet aussi délicat.

— Ce n'est pas délicat.

Harper émit une profonde respiration et radoucit sa voix.

— Je crois seulement qu'il faut être respectueux en temps de tragédie.

— Désolée.

Marcy demeura silencieuse pendant un moment.

— Je devrais reprendre ma recherche d'amendes, de toute façon. J'ai de nombreux appels à passer.

Harper tenta de retourner à sa lecture, mais elle ne s'y était pas vraiment intéressée auparavant. Son esprit vagabonda vers Luke et sa photographie de dernière année, où il avait tant mis d'effort. Elle n'avait jamais rien ressenti pour Luke, rien de plus que de l'amitié, mais il était gentil. Ils avaient partagé des moments bizarres et tendus, et s'étaient même embrassés une fois. Maintenant, il n'allait peut-être jamais revenir.

Même si elle ne voulait pas l'admettre, Harper savait que Marcy avait probablement raison. Luke ne reviendrait pas vivant.

— J'ai besoin d'une pause, dit soudainement Harper en se levant.

— Pardon ?

Marcy leva les yeux de derrière ses lunettes ridicules.

— Je pense que je vais aller de l'autre côté de la rue et prendre un Coca-cola ou quelque chose comme ça. Mais j'ai besoin de…

Harper secoua la tête. Elle ne savait pas ce dont elle avait besoin exactement, mais elle voulait cesser de penser à Luke.

— Donc, tu vas me laisser ici toute seule ? demanda Marcy, semblant effrayée à l'idée de devoir faire face à des clients.

Harper jeta un regard circulaire dans la bibliothèque vide.

— Je crois que tu peux te débrouiller. En outre, ajouta Harper en poussant sa chaise, j'ai abandonné ma sœur malade hier pour t'aider. Tu peux me remplacer pour une trentaine de minutes.

— *Trente* minutes ? appela Marcy derrière Harper, qui franchit la porte.

Le simple fait de sortir au soleil aida à soulager son malaise. C'était une trop belle journée pour imaginer que quoi que ce soit de négatif pouvait arriver. Elle essaya de se défaire de son inconfort en traversant la rue vers le casse-croûte Chez Pearl.

Le casse-croûte était délabré et défraîchi, alors il réussissait à garder à distance de nombreux touristes traînant près de la plage. Il n'avait pas un thème marin démesuré comme la plupart des endroits près de la baie, mis à part de la fresque au-dessus du bar. Il s'agissait d'une énorme peinture d'une sirène assise dans un coquillage tenant une grosse perle.

Quelques banquettes étaient alignées près de la grande fenêtre, et des tabourets recouverts de vinyle rouge craquelé couraient le long du comptoir. Il y avait quelques morceaux de tarte exposés dans un présentoir vitré, mais deux sortes étaient servies : au citron et aux myrtilles. Les tuiles sur le plancher étaient censées être rouges et blanches, mais le blanc était davantage beige maintenant.

Habituellement, seuls les résidents locaux y allaient. C'est pourquoi il était si étrange d'y voir Penn et ses amies. Elles le fréquentaient si souvent qu'elles étaient presque devenues des fidèles et elles n'étaient même pas de Capri.

À la pensée de Penn, immédiatement Harper examina le casse-croûte. La dernière chose dont elle avait besoin était de les rencontrer.

Heureusement, Penn, Thea et Lexi n'étaient pas en vue. Par contre, Daniel était assis seul à une petite table à manger avec une soupe, quand Harper entra. Il sourit, quand il la vit, alors elle alla le voir.

— Je ne savais pas que tu mangeais ici.

— Je dois venir ici pour la célèbre chaudrée de palourdes de Pearl.

Daniel sourit, puis fit un geste vers le siège vide devant lui.

— Tu as envie de te joindre à moi?

Elle se mordilla la lèvre, débattant si elle devait ou non, alors il ajouta :

— Tu me dois une note de crédit, à la suite de l'incident du cornet de crème glacée.

— C'est vrai, admit-elle, et, presque à contrecœur, elle s'assit en face de lui.

— J'ai même une soupe, alors nous sommes dans la bonne voie pour un repas de valeur égale.

— Tu as raison.

— Alors, qu'est-ce qui t'amène ici? lui demanda Daniel.

— Déjeuner, répondit Harper, et il éclata de rire devant l'évidence. En fait, je travaille de l'autre côté de la rue, à la bibliothèque. Je suis en pause.

— Tu viens souvent ici, alors?

Il avait terminé sa soupe, alors il poussa le bol sur le côté et s'avança, déposant ses coudes sur la table.

— Non, pas vraiment.

Elle secoua la tête.

— Ma collègue Marcy déteste rester seule à la bibliothèque, alors habituellement, je mange mon lunch là-bas.

— À l'exception des jours où ton père oublie son lunch.

— Ouais, à cette exception.

— Est-ce qu'il oublie son lunch aussi souvent?

Il lui lança un regard curieux, ses yeux noisette dansants.

Harper lui retourna son regard curieux.

— Ouais. Pourquoi?

— Réellement?

Daniel ne fit rien pour dissimuler sa déception.

— Parce que je commençais à me dire que tu cherchais des excuses pour me voir.

— Pas tout à fait.

Elle baissa les yeux et rit.

Daniel sourit, mais il parut prêt à protester contre le rejet de son affirmation, quand Pearl arriva pour prendre la commande de Harper. C'était une femme costaude utilisant des teintures maison en une tentative de couvrir ses cheveux gris, mais cela ne lui donnait qu'une chevelure bleue.

— Comment était la chaudrée? demanda Pearl en prenant le bol de Daniel.

— Fantastique, comme toujours, Pearl.

— Alors, tu devrais venir plus souvent en manger, répondit Pearl, puis pointa vers son corps svelte. Tu dépéris à vue d'œil. Que manges-tu sur ce bateau?

— Rien d'aussi bon que ta nourriture, admit Daniel.

— Eh bien, voilà ce que je te propose. La climatisation chez ma fille est encore en panne. Son bon à rien de mari ne peut pas la réparer, et elle a deux petits bébés dans ce minuscule appartement, dit Pearl. Ils ne peuvent pas supporter la chaleur comme toi ou moi. Si tu passes vérifier sa climatisation, je te donne une grosse chaudière de ma chaudrée.

— Marché conclu.

Il sourit.

— Dis à ta fille que je vais passer vers 18 h.

— Merci. Tu es amour, Daniel.

Pearl lui fit un clin d'œil, puis se tourna vers Harper.

— Que puis-je t'apporter?

— Seulement un Cherry Coke, répondit Harper.

— Un Cherry Coke pour ici.

— Tu peux commander plus qu'un Coke, si tu veux, dit Daniel à Harper, quand Pearl se fut éloignée pour aller chercher la boisson. Je ne faisais que plaisanter en disant que tu devais payer pour quelque chose d'égale valeur.

— Je sais. Je n'ai simplement pas très faim.

En fait, son estomac était encore chaviré d'avoir pensé à Luke. Il s'était un peu calmé, depuis qu'elle était arrivée, mais son appétit n'était pas revenu.

— Es-tu certaine? lui redemanda Daniel. Tu n'es pas une de ces filles qui ne veut pas manger devant un garçon qu'elle essaie d'impressionner?

Harper rit à sa supposition.

— Premièrement, je n'essaie pas de t'impressionner. Et deuxièmement, je ne suis certainement pas l'une de ces filles. Je n'ai simplement pas faim.

— Et voilà, fit Pearl en déposant le verre sur la table. Est-ce que je peux vous amener autre chose?

— Non, ça va, merci.

Harper lui sourit.

— D'accord. Avisez-moi, si vous avez besoin de quelque chose.

Pearl toucha doucement le bras de Daniel avant de s'éloigner et lui offrit un autre sourire reconnaissant.

— Qu'est-ce que c'est que ça?

Harper le questionna à voix basse et s'inclina par-dessus la table, afin que Pearl ne l'entende pas.

— Tu te fais payer en chaudrée?

— Parfois.

Daniel haussa les épaules.

— Je suis un genre d'homme à tout faire. Je fais différents boulots. La fille de Pearl n'a pas beaucoup d'argent, et je l'aide quand je peux.

Harper l'évalua pendant un instant, essayant de le déchiffrer avant de déclarer:

— C'est très gentil de ta part.

— Pourquoi sembles-tu si surprise?

Daniel éclata de rire.

— Je suis un gentil garçon.

— Non, je sais ça. Ce n'est pas ce que je voulais dire.

— Je sais, fit Daniel en l'observant boire sa boisson. Donc, tu ne sors habituellement pas pour le lunch et tu viens dans un casse-croûte même si tu n'as pas faim. Qu'est-ce qui t'amène aujourd'hui?

— J'avais simplement besoin d'une pause.

Elle ne le regarda pas directement, se concentra plutôt sur les branches noires épaisses de son tatouage, lequel se faufilait sous la manche de son t-shirt et vers son bras.

— Un de mes amis a disparu.

— Qu'est-ce qui cloche avec toi? la taquina Daniel. Tout d'abord, ta sœur disparaît, maintenant, ton ami.

Harper lui lança un regard sombre.

— Désolé. Que s'est-il passé?

— Je ne sais pas.

Elle secoua la tête.

— Il est plus l'ami d'un ami, mais nous sommes sortis ensemble à quelques reprises. Et il a disparu lundi.

— Oh, est-ce le garçon du journal? demanda Daniel.

— Ouais.

Harper hocha la tête.

— Je venais de le lire avant de venir ici et j'avais juste besoin de... ne plus y penser.

— Je suis désolé d'en avoir parlé, alors.

— Non, ça va. Tu ne savais pas.

— Comment va ta sœur, en passant? questionna Daniel en changeant de sujet.

— Bien, je crois, répondit Harper, puis lui fit un sourire contrit. Je ne t'ai même pas remercié convenablement de m'avoir aidée à la retrouver hier.

— Tu m'as suffisamment remercié.

Il balaya de la main ses excuses.

— Je suis simplement heureux qu'elle aille bien. Gemma semble être une bonne gamine.

— Elle l'était, acquiesça Harper. Mais je ne sais plus ce qui se passe avec elle.

— Je suis certain qu'elle ira bien. Tu l'as bien élevée.

— Tu parles comme si j'étais sa mère.

Harper rit quelque peu, mal à l'aise. Daniel la regarda et haussa les épaules.

— Tu trouves que j'agis comme si j'étais sa mère ?

— Je ne trouve pas que tu agis comme si tu avais dix-huit ans, clarifia-t-il.

Elle se hérissa, comme s'il l'avait accusée de quelque chose de terrible.

— J'ai de nombreux soucis.

Il hocha la tête.

— Je le vois bien.

Harper se massa la nuque et se détourna de lui. À travers la fenêtre du casse-croûte, elle put voir la bibliothèque l'autre côté de la rue et se demanda comment Marcy tenait le coup.

— Je devrais probablement y retourner, dit Harper en fouillant dans sa poche pour son argent.

— Non, non.

Daniel fit un geste de la main.

— Je m'en occupe. Ne t'en fais pas.

— Mais je croyais que c'était ma note de crédit pour la crème glacée.

— Je plaisantais. Je vais payer.

— Es-tu certain ? demanda Harper.

— Ouais, fit-il en riant à son expression affligée. Si cela t'embête tant, je te laisserais payer une autre fois.

— Et si nous ne mangeons jamais plus ensemble ? le questionna Harper en le regardant d'un air sceptique.

— Alors, nous ne mangeons jamais plus ensemble.

Il haussa les épaules.

— Mais je crois que nous le ferons.

— D'accord, fit-elle, car elle ne trouva rien d'autre à dire. Merci pour le Coca-cola.

— Pas de problème, dit Daniel en la regardant se lever.

— Alors, à la prochaine, je suppose.

Il hocha la tête et lui fit un signe de la main. Alors qu'elle franchit la porte, elle entendit Pearl lui demander s'il voulait un morceau de tarte. Harper retourna l'autre côté de la rue à la bibliothèque, et il fut très difficile pour elle de ne pas lui jeter un coup d'œil par-dessus son épaule.

CHAPITRE 13

Désobéissance

Une partie de sa punition était d'aider Harper à faire le ménage. En fait, ça ne lui était pas imposé comme faisant partie de sa punition, mais cela aidait à alléger la culpabilité de Gemma pour avoir tant effrayé Harper et son père.

Basée sur la manière dont Harper s'en plaignait, Gemma pensait que nettoyer la salle de bain était la corvée qu'elle aimait le moins. Alors, c'était celle que Gemma s'offrit de faire. Mais après avoir passé cinq minutes à récurer la toilette, elle commença vraiment à le regretter.

Quand elle entreprit de nettoyer la baignoire, elle remarqua que la toilette n'était même pas la pire. Le conduit de la baignoire était dégoûtant. Harper avait toujours prétendu que c'était en grande partie les cheveux de Gemma qui le bouchait, mais Gemma ne l'avait pas vraiment crue, jusqu'à maintenant.

Heureusement, elle portait d'épais gants jaunes, sinon elle aurait été absolument incapable de le supporter.

Alors qu'elle retirait une longue corde humide de cheveux qui ressemblait un peu trop à un rat noyé, Gemma remarqua quelque chose scintillant à la lumière.

Prudemment, elle l'enleva des mèches enchevêtrées. Quand elle vit de quoi il s'agissait, elle laissa tomber l'amas de cheveux humides. C'était une autre de ces écailles irisées qu'elle avait trouvées dans son gant de toilette. Elle avait presque oublié cette dernière, ou, du moins, avait-elle essayé.

Gemma s'assit dans le bain, s'appuyant contre le bord, et examina la grosse écaille dans sa paume gantée.

Il y avait indéniablement quelque chose d'étrange qui se passait avec elle. Depuis qu'elle avait bu de cette flasque, quelque chose clochait.

Ce n'était pas de mauvaises choses. En fait, Gemma n'arrivait pas à penser à quoi que ce soit de mauvais à propos des changements.

Évidemment, elle avait mordu Alex la veille, mais il n'avait pas vraiment été blessé. Et même si les caresses avaient été différentes, elles n'avaient pas été mauvaises. L'embrasser de cette manière avait été plaisant.

Son corps guérissait d'une façon follement rapide. Toutes ses ecchymoses et ses coupures avaient disparu en vingt-quatre heures.

À la pratique de natation aujourd'hui, elle avait fait son meilleur temps. Levi avait été totalement époustouflé par sa vitesse. La chose la plus étrange était qu'elle s'était en fait retenue. Elle craignait que si elle allait aussi vite qu'elle pouvait, il croirait qu'elle avait pris quelque chose.

Quand elle était dans la piscine, la même chose s'était à nouveau produite avec sa peau : la sensation étrange ressemblant à des papillons allant de ses cuisses à ses orteils. Mais c'était une sensation agréable, donc elle ne s'en plaignit pas.

Alors, si tout était positif, de quoi s'inquiétait-elle ?

Sauf que... ce n'était pas tout positif. Même si elle souhaitait oublier avoir mordu la lèvre d'Alex, elle n'y arrivait pas. Elle ne lui avait pas parlé depuis, mais il avait probablement mis cela sur le compte de la passion du moment, une chose un peu particulière. Mais ce n'était pas le cas.

Lorsqu'elle l'embrassa, elle s'était sentie si *affamée*. Cela ne ressemblait en rien à une faim qu'elle aurait déjà éprouvée. C'était en partie du désir, comme si elle avait voulu l'embrasser et être physiquement avec lui. Mais une autre partie était une véritable famine, et c'est pour cette raison qu'elle l'avait mordu.

C'est ce qui la terrifiait, la faim en elle.

Gemma sortit de la baignoire et jeta l'écaille dans la toilette. Quelque chose clochait sérieusement avec elle, et elle devait l'arrêter.

— Harper ? demanda Gemma en passant la tête dans la chambre de sa sœur.

— Ouais ?

Harper était allongée sur son lit avec son livre électronique.

— Est-ce que je peux te parler ?

— Oui, bien sûr.

Harper déposa son livre et se redressa.

— Wow. As-tu fait quelque chose dans la salle de bain ?

— Euh... pourquoi ?

Gemma se figea dans le couloir.

— Que veux-tu dire ?

— Tu es... *belle*, dit Harper, à défaut d'un meilleur mot.

Gemma baissa les yeux, s'examina, mais elle savait ce que Harper voulait dire. Elle l'avait déjà remarqué, aujourd'hui. Même si elle n'avait jamais été sujette à l'acné, sa peau était plus douce et elle semblait presque étinceler. Elle était au-delà de son habituelle beauté, quelque chose de presque surnaturel.

— J'ai utilisé une crème hydratante différente.

Gemma haussa les épaules, essayant de plaisanter.

— Vraiment ? demanda Harper.

— Non, en fait, Gemma soupira et se frotta le front, c'est pour cette raison que je suis venue te parler.

— Tu es venue me parler de crème hydratante ?

Harper leva un sourcil.

— Non, pas de crème hydratante.

Gemma s'avança et s'assit sur le lit près de sa sœur. Elle ne savait pas pourquoi elle trouvait cela si difficile de parler à Harper de ce qui lui arrivait, mis à part qu'elle savait qu'elle aurait l'air d'une folle.

— Que se passe-t-il ? questionna Harper.

— Je ne sais pas comment l'expliquer, finit par dire Gemma. Mais... il y a quelque chose qui ne va pas avec moi.

— C'est à propos de l'autre soir, c'est ça ? demanda Harper. Quand tu es sortie avec Penn et les filles ?

— Ouais, un peu.

Gemma plissa le front.

— C'est parfaitement normal de s'extérioriser, commença Harper en essayant de garder son ton réconfortant.

Enfin, non, ce n'est pas correct. Tu ne devrais pas boire, mais ce n'est pas exceptionnel. Et je sais que je peux être sévère avec toi parfois, mais...

— Non, Harper, je ne m'extériorise pas.

Gemma soupira de frustration.

— Il y a vraiment quelque chose qui ne va *pas* avec moi. Comme en ce qui concerne mes cellules.

Harper s'approcha et examina Gemma.

— Es-tu malade ? Tu n'as pas l'air malade.

— Je vais bien. Mieux que bien, en fait.

— Alors, je ne comprends pas.

— Je sais.

Gemma secoua la tête et baissa les yeux vers ses cuisses.

— Mais quelque chose ne va pas.

Un fort cognement retentit de la porte avant, plus un coup exigeant qu'un véritablement cognement. Harper lança un regard vers la porte de sa chambre, hésitant à abandonner sa conversation avec Gemma. Mais Brian travaillait tard, et le cognement devint insistant.

— Je suis désolée, dit Harper à sa sœur et se leva. Je reviens immédiatement. Je vais chasser qui que ce soit, et nous pourrons parler.

— D'accord.

Gemma hocha la tête.

Dès que Harper fut parti, dévalant l'escalier et criant à la personne à la porte de se calmer, Gemma s'effondra sur le lit. Elle scruta le plafond en essayant de trouver une manière d'expliquer à sa sœur qu'elle pensait être en train de se transformer en une sorte de monstre.

— Que faites-vous ici ? s'exclama Harper depuis le rez-de-chaussée, et Gemma se mit à écouter attentivement.

— Nous sommes ici pour parler à ta sœur, fut la réponse dans un babillage sensuel caractéristique.

Penn se trouvait à la porte avant.

Gemma se redressa, son cœur battant de manière erratique dans sa poitrine. Une part d'elle était effrayée, comme Penn l'effrayait chaque fois. Mais une part d'elle était étrangement excitée. Le son de la voix de Penn l'attira, ce qu'elle ne faisait pas avant, presque comme si elle l'appelait.

— Vous ne pouvez pas la voir, lâcha Harper.

— Nous voulons juste lui parler, fit Penn gentiment.

— Seulement pour une minute, intervint Lexi de sa façon chantante habituelle.

— Non, fit Harper, mais sa voix avait moins de conviction que l'instant précédent. Vous n'êtes pas ses amies et vous ne pouvez plus lui parler.

Gemma se leva du lit et descendit rapidement l'escalier, mais s'arrêta à mi-chemin. De son point de vue, elle pouvait les voir à la porte. Il n'y avait que Penn et Lexi dehors, et Harper leur bloquait fermement le passage.

En voyant Penn et Lexi à ce moment, Gemma prit conscience qu'elle commençait à leur ressembler. Elle n'était pas *exactement* comme elles, puisque Penn et Lexi étaient distinctement différentes. Mais il y avait une certaine spécificité en elles, une splendeur surnaturelle. Leur peau bronzée parfaite semblait luire, comme si elles étaient illuminées par leur propre beauté.

— Allô, Gemma, fit Penn.

Ses yeux foncés se posèrent sur Gemma d'une manière aguichante, qu'elle ne pouvait pas nier.

— Gemma, retourne à l'étage.

Harper jeta un coup d'œil à sa sœur.

— Je les chasse.

— Ne fais pas ça, lança rapidement Gemma, mais ses mots étaient si faibles qu'elle fut surprise que quelqu'un les ait entendus.

— Gemma, tu es punie, lui rappela Harper. Même si tu voulais les voir, tu ne peux pas. Mais tu ne veux pas les voir.

— Cesse de lui dire ce qu'elle veut, dit Penn avec juste une trace de venin dans sa voix. Tu n'as aucune idée de ce qu'elle veut.

— En ce moment, je me fiche de ce qu'elle veut. Sortez de ma maison.

— Harper, arrête, dit Gemma en descendant l'escalier. J'ai besoin de leur parler.

— Non ! cria Harper ayant l'air tout à fait atterrée par l'idée. Tu ne leur parles pas.

— J'ai *besoin* de leur parler, insista Gemma.

Elle déglutit péniblement et regarda à nouveau Penn et Lexi.

Elles lui avaient fait quelque chose. Aussi certainement qu'elle se trouvait là, elle savait qu'elles étaient responsables de ce qui lui arrivait. Ce qui signifiait qu'elles savaient comme le réparer ou du moins comment le gérer. Gemma devait leur parler, afin de le découvrir.

Harper tenta de fermer la porte, mais le bras de Penn s'étira dans un éclair et repoussa la porte. Penn sourit à Harper, ce sourire menaçant révélant trop de dents.

— Je suis désolée, dit gravement Gemma, mais je dois y aller.

Elle se faufila par la brèche que lui avait faite Penn et sortit.

— Gemma! hurla Harper. Tu ne peux pas y aller! Je te l'interdis!

— Interdis autant que tu voudras, mais j'y vais, déclara Gemma, et Lexi enroula son bras autour d'elle en une sorte de camaraderie.

Penn se plaça entre Harper et Gemma, et celle-ci vit à l'expression de sa sœur qu'elle réfléchissait à s'en prendre à Penn. Harper se tourna vers Gemma, et celle-ci lui lança un regard de supplication. Les yeux de Harper passèrent de féroces à déchirés.

— Gemma, dit encore Harper, cette fois plus désespérée. S'il te plaît, viens à l'intérieur.

— Je suis désolée.

Gemma secoua la tête et recula avec Lexi vers une voiture qui tournait au ralenti devant leur maison.

— Je serai de retour plus tard.

Elle attendit une seconde avant d'ajouter :

— Ne t'inquiète pas.

— Nous prendrons bien soin de Gemma, assura Penn à Harper, toujours avec son sourire trop grand.

— Gemma! appela Harper alors qu'elle se glissait sur le siège arrière avec Lexi et que Penn fermait la portière derrière elle.

Thea était assise sur le siège du conducteur, comme si elle attendait dans la voiture d'évasion d'un vol de banque, et Penn la rejoignit à l'avant quelques secondes plus tard.

Gemma regarda par la fenêtre alors que la voiture reculait, observant sa sœur sur le perron avant. Elle leva les yeux vers la maison voisine d'Alex, la fenêtre de sa chambre diffusant une lumière jaune dans le ciel s'obscurcissant.

Elle détourna les yeux, et son regard croisa celui de Penn dans le rétroviseur.

— Qu'est-ce que vous êtes? demanda Gemma.

— Pas encore.

Penn sourit.

— Attends que nous soyons à la baie. À ce moment, nous te montrerons exactement ce que nous sommes.

Gemma s'était toujours demandé comment Penn, Lexi et Thea se rendaient à la crique et elle était impatiente de le découvrir. Thea conduisit la voiture autour de la baie et se dirigea vers la côte, de l'autre côté. Quand elle se stationna dans une aire de gravier derrière un groupe de cyprès, les filles descendirent de la voiture.

Gemma remarqua qu'elles laissèrent leurs chaussures dans la voiture. Elle aurait fait de même, si elle s'était souvenue d'en enfiler avant de quitter la maison.

Personne ne dit rien alors qu'elles parcoururent un sentier battu à travers les arbres. La lune était presque pleine, étincelant au-dessus d'elles, mais sinon, il n'y avait pas de lumière.

Le cœur de Gemma continuait de battre la chamade, et elle n'était pas entièrement convaincue d'avoir fait la bonne chose en les suivant. Une part d'elle-même savait que c'était dangereux, particulièrement après ce qui s'était produit la dernière fois qu'elle avait été avec elles.

Mais elle avait le sentiment que si elles avaient réellement voulu la tuer, elles l'auraient déjà fait. Elles étaient les seules qui savaient ce qui lui arrivait. Elle devait prendre le risque de les suivre, afin de le découvrir.

Quand elles arrivèrent à une pente abrupte rocailleuse, il fallut une minute à Gemma pour comprendre qu'elles se trouvaient à l'arrière de la crique de la baie. Elle s'attendait à ce que les filles lui montrent une entrée dissimulée leur permettant d'aller à la crique sans se mouiller, mais elles commencèrent plutôt à escalader les pierres.

— Vous pensez que je vais monter ? questionna Gemma, considérant la montée à pic.

Elle ne voyait aucun endroit pour s'agripper ou poser les mains et elle n'avait jamais vraiment aimé l'escalade.

— Tu peux le faire, lui assura Lexi alors que Penn commença à monter vers le sommet de la pente.

— Je ne crois vraiment pas.

Gemma secoua la tête.

— Tu serais étonnée de ce que tu peux faire maintenant, dit Lexi avec un sourire.

Puis, sans attendre pour voir si Gemma la suivait, elle commença à monter.

Penn, Lexi et Thea se mouvaient agilement sur les pierres. Gemma débattit pendant une brève seconde, puis les suivit. Cela lui fut étonnement facile. Elle n'était pas exactement une meilleure alpiniste, mais elle était plus rapide, plus forte et plus habile. Elle glissa à quelques reprises, mais se reprit aisément.

Quand elle atteignit le sommet, Penn se tenait à la crête devant la baie, l'embouchure de la crique se trouvait sous elle. À cette hauteur, le vent était plus fort, fouettant les cheveux des filles. Une chute de cette hauteur, même dans l'eau, serait redoutable, en supposant qu'on évitait les pierres.

— Que faisons-nous ici ? demanda Gemma en s'approchant d'elle.

— Je voulais te montrer ce que nous sommes, répondit Penn.

— Qu'est-ce que vous êtes ?

— La même chose que toi.

Penn lui fit face, souriant.

Gemma déglutit péniblement.

— Et qu'est-ce que c'est ?

— Tu verras, dit Penn, puis elle tendit le bras et poussa Gemma par-dessus la crête.

Gemma tomba, criant et battant des bras.

Quand elle frappa la surface de l'eau, c'était comme si elle avait heurté le sol. Cela cogna sur son dos, lui coupant le souffle. Elle alla sous l'eau, et son bras se fracassa contre une pierre. Du sang s'en écoula, et le sel piqua sa blessure.

Gemma se débattit vers la surface, essayant de nager, malgré la douleur écrasant son corps. Mais la chute l'avait désorientée, et il lui était difficile de vraiment distinguer le haut du bas. Elle ne savait pas vers où nager, et ses poumons brûlaient du manque d'oxygène.

Mais même alors qu'elle se démenait, elle sentit un changement la submerger. C'était le même qu'elle avait éprouvé sous la douche et dans la piscine, mais cette fois, plus intensément. Il s'empara de ses jambes, palpita dans sa peau.

La douleur dans son bras commença à s'estomper, remplacée par une sensation de picotement, ressemblant à celle qu'elle sentit se propager dans ses membres inférieurs.

Son corps était en pleine forme, excellente, même, et elle aurait pu l'apprécier, si elle n'avait pas été en train de se noyer. Ce qui lui arrivait l'avait distraite, et maintenant, elle devait prendre une respiration. Son corps le fit involontairement, et elle s'attendit à ce que ses poumons se remplissent d'eau… mais au lieu de cela, lorsqu'elle prit son souffle, elle aspira de l'air.

Elle pouvait respirer sous l'eau.

Gemma cligna des yeux. Elle pouvait même voir sous l'eau. Sa vision était même plus claire que lorsqu'elle était sur terre.

Puis, elle vit la giclée d'eau que fit Lexi en plongeant dans la crique devant elle. Son corps était entouré de bulles blanches pendant un moment. Quand elles se dispersèrent, Lexi nageait devant elle, sa chevelure blonde flottant autour d'elle comme un halo.

Elle lui sourit, et Gemma constata que Lexi n'avait plus de jambes. Elle avait une longue queue, comme celle d'un poisson. Son buste était encore humain, sa poitrine couverte d'un bikini vivement coloré.

Gemma baissa les yeux vers son propre corps et constata qu'elle avait la même queue de poisson, recouverte d'écailles vertes irisées. Son short était déchiré en son centre, là où ses jambes se rencontraient, et le tissu s'étalait autour de sa taille comme une ceinture.

C'est à ce moment que Gemma hurla, et Lexi ne fit que rire.

CHAPITRE 14

Révélations

— Je suis une femme-poisson? demanda Gemma, revenue à la surface.

Il était probable qu'elle put parler sous l'eau, mais elle crut que l'air frais du soir allait peut-être lui éclaircir les idées, dans le cas où cela fut une hallucination provoquée par une drogue. Après tout, cela n'aurait pas été la première fois que Penn lui aurait refilé quelque chose.

— Pas exactement, dit Penn en repoussant ses cheveux noirs de son visage.

Elle et Thea avaient plongé dans l'eau immédiatement après Lexi, toutes les quatre flottaient donc dans la baie.

— Nous sommes des sirènes.

— Quelle est la différence? fit Gemma.

— Eh bien, pour commencer, les femmes-poissons n'existent pas, et nous existons.

Penn sourit.

Thea roula des yeux, puis replongea sous l'eau, vraisemblablement pour nager.

— Je vais tout t'expliquer plus tard, répondit Penn. Pour l'instant, pourquoi n'essaies-tu pas ton nouveau corps pour nager ? Nous aurons amplement de temps pour discuter, quand tu auras terminé.

— Je...

Gemma voulait savoir ce qu'elle était, elle avait *besoin* de savoir, réellement.

Mais elle pouvait sentir sa queue sous elle, frétiller dans l'eau. Cela semblait puissant et rapide, l'invitant presque à nager.

Au moins, maintenant, elle connaissait une partie de la vérité. Elle savait ce qu'elles étaient, et elles ne s'enfuiraient pas. Sans rien ajouter, Gemma plongea sous l'eau.

C'était encore mieux que ce qu'elle n'aurait jamais pu imaginer. Elle bougeait plus vite que ce qu'elle n'avait jamais cru possible. Elle fonça au fond de l'océan et poursuivit un poisson simplement parce qu'elle le pouvait. Dépasser un requin serait du gâteau, et elle espéra presque en croiser un, afin d'essayer.

C'était la sensation la plus incroyable, la plus exaltante qu'elle n'avait jamais ressentie. Sa peau lui parut vivante d'une manière qu'elle n'aurait jamais cru possible. Chaque geste, chaque tremblement, chaque changement dans le courant se répercutaient en elle.

Elle nagea aussi proche du fond qu'elle put, puis elle fila vers la surface et bondit, sautant dans les airs comme un dauphin.

— Doucement, lança Penn. Nous n'avons pas besoin d'attirer l'attention sur nous.

Penn s'assit sur le rivage rocailleux de la crique. Elle tira sa queue, de sorte qu'elle soit repliée sur le sol. Sous les yeux de Gemma, les écailles se ridèrent, passant d'un vert irisé à la peau dorée de Penn. La queue se sépara en deux jambes, et Penn se leva. Elle était complètement nue à partir de la taille, et Gemma détourna rapidement le regard.

— Ne sois pas timide.

Penn éclata de rire.

Elle s'éloigna et fouilla dans un sac posé près d'un des murs de la crique. Du coin de l'œil, Gemma vit Penn enfiler une culotte et une robe soleil.

— Nous avons aussi des vêtements pour toi, dit Lexi en sortant de l'eau. Ne t'inquiète pas.

Thea sortit à la suite de Lexi, et Gemma attendit que toutes les trois soient vêtues avant de s'avancer à la nage et de sortir. Elle se hissa de dos sur le rivage, les pierres éraflant ses nageoires. Elle retira sa queue de l'eau et elle demeura sur le sol pendant quelques secondes avant que le frémissement familier la parcoure.

Alors que la queue se retransformait en ses jambes humaines, elle y fit parcourir ses mains. Elle pouvait vraiment sentir les écailles se transformer sous ses doigts.

— C'est incroyable, souffla Gemma, regardant bouche bée sa peau. Comment est-ce possible ?

— C'est l'eau salée, répondit Thea en lui lançant une robe soleil.

Gemma l'attrapa et se leva. Elle s'attendit presque à ce que ses jambes s'affaissent en une queue sous elle, mais elles demeurèrent solides. Elle passa précipitamment la robe par-dessus sa tête, l'enfila par-dessus son débardeur et ôta son short déchiré.

— En fait, ce n'est pas uniquement le sel, la corrigea Penn. Tu peux ajouter du sel à de l'eau douce, mais cela ne fonctionnera pas réellement. C'est la mer. Tu peux en ressentir des frémissements, mais tu ne te transformeras pas, à moins d'être dans l'océan.

— Mais… et si je ne m'étais pas transformée ? demanda Gemma. Je serais morte, si je ne m'étais pas transformée en une sirène.

— Tu vas bien, fit Thea.

Elle s'accroupit au centre de la crique et commença à monter un feu.

— Évidemment que cela fait mal, quand on fait une culbute arrière dans l'océan, ricana Lexi. Tu es censée plonger, idiote.

— Je ne savais pas ça, puisque tu m'as poussée.

Gemma fusilla Penn du regard.

— Pourquoi ne m'as-tu pas simplement dit ce qui se passait ?

— Cela aurait gâché le plaisir.

Penn lui fit un clin d'œil, comme si elle faisait référence à une blague entre elles plutôt qu'au quasi-décès de Gemma.

Le feu sur lequel travaillait Thea depuis un moment prit soudainement vie, emplissant la crique sombre d'une lumière chaude. Penn s'assit près des flammes, allongeant ses longues jambes et s'appuyant sur ses bras. Lexi s'assit près d'elle tandis que Thea sembla satisfaite d'être agenouillée devant le foyer, attisant le feu.

— C'est vous qui m'avez fait ça, dit Gemma, mais elle n'accusait pas.

Elle n'était pas certaine de ce qu'elles lui avaient exactement fait, alors elle ne pouvait dire s'il s'agissait d'un cadeau ou d'une malédiction. Jusqu'à présent, cela ressemblait beaucoup à un cadeau, mais elle ne faisait toujours pas confiance à Penn.

— Vous m'avez transformée en cette sirène ou quelque chose comme ça. Pourquoi?

— Eh bien, là est l'essentiel de la question, n'est-ce pas?

Penn sourit.

— Pourquoi ne t'assois-tu pas?

Lexi tapota le sol à ses côtés.

— C'est plutôt une longue histoire.

Gemma demeura où elle se trouvait, près de l'ouverture de la crique. Les vagues de la baie frôlaient le rivage, et les moteurs de bateaux vrombissaient au loin. Elle lança un regard dans la nuit, déjà désireuse de retourner dans l'océan.

La dernière fois qu'elle s'était trouvée dans cet endroit, Penn l'avait presque tuée, et il n'y avait que quelques minutes qu'elle l'avait poussée au bas de la falaise. Il était difficile de juxtaposer cela en sachant qu'elles lui avaient offert l'expérience la plus merveilleuse et exaltante de sa vie.

Nager en tant que sirène avait été de loin la sensation la plus splendide qu'elle n'avait jamais vécue. Même alors qu'elle se tenait là, les bras croisés sur sa poitrine et de l'eau de mer dégouttant de sa peau, elle voulait retourner dans l'eau.

Il fallut à Gemma toute son énergie pour demeurer sur le rivage pour entendre ce qu'elles avaient à lui raconter. Mais elle ne pouvait pas se résoudre à s'approcher, à s'éloigner de l'eau qui semblait l'appeler de sa mélodie.

— Comme tu veux.

Lexi haussa les épaules, quand Gemma refusa de bouger.

— C'est véritablement une assez longue histoire, dit Penn. Elle remonte au moment où le monde était jeune, quand les dieux et les déesses vivaient encore librement parmi les mortels.

— Dieux et déesses?

Gemma leva un sourcil.

— Tu es sceptique?

Thea éclata de rire, un son sec et amer qui se répercuta sur les murs.

— Tes jambes viennent de se transformer en nageoires et tu es sceptique?

Gemma baissa les yeux, mais ne dit rien. Thea marquait un point. Après tout ce qu'elle avait vu et senti ces derniers jours, elle allait croire tout ce qu'elles allaient lui dire. Elle n'avait pas le choix, en fait. Toute réponse serait au-delà de ses paramètres de raisonnement, afin d'expliquer les choses surnaturelles qui s'étaient produites.

— Les dieux vivaient souvent ici, sur Terre, parfois en aidant les humains dans leurs vies ou simplement en observant les joies et les peines pour leur propre amusement, poursuivit Penn. Achéloos était l'un de ces dieux. Il régnait sur toutes les eaux douces, nourrissant toute vie sur Terre. Les dieux étaient les vedettes de rock de leur époque et avaient souvent de nombreux

amoureux. Achéloos avait des relations avec de nombreuses muses.

— Des muses? demanda Gemma.

— Oui, des muses, expliqua patiemment Penn. Elles
sont les filles de Zeus, nées pour inspirer et fasciner les
mortels.

— Donc, qu'est-ce que cela signifie?

Gemma s'approcha du feu et s'assit sur une grande
pierre.

— Qu'est-ce qu'être une muse entraîne?

— As-tu entendu parler des *Odes*, de Horace? la questionna Penn, et Gemma hocha la tête.

— Je ne suis pas en classe de littérature avancée, mais
j'ai entendu parler de l'*Odyssée*, de Homère.

— L'*Odyssée*.

Thea pouffa.

— Homère est un idiot.

— Ignore-la. Elle est juste amère, car elle a été complètement omise de l'*Odyssée*.

Penn la balaya de la main.

— Pour revenir à ta question, une muse aida Horace
à écrire une partie de sa prose. Elle ne l'a pas écrite elle-
même, mais elle lui a donné l'inspiration et la motiva-
tion pour son travail.

— Je crois comprendre.

Mais le front de Gemma demeura plissé, comme si
elle ne comprenait pas entièrement.

— Le travail d'une muse n'est pas si important, de
toute façon, fit Penn, décidant de continuer. Achéloos a
eu une aventure amoureuse avec la muse de la chanson,
et ensemble, ils ont eu deux filles, Thelxiépie et Aglaopé.

Puis, il a une relation avec la muse de la danse, et ils ont une fille, Pisinoé.

— Voilà des noms vraiment ridicules, commenta Gemma. Personne ne s'appelait Mary ou Judy, à cette époque?

— Tu as raison.

Lexi rit.

— Les noms sont tellement plus simples à épeler, maintenant.

— Malgré le fait que leur père était un dieu, Thelxiépie, Aglaopé et Pisinoé étaient des enfants illégitimes de ses relations avec des domestiques, alors elles ont grandi sans rien, continua Penn.

— Un instant. Les muses étaient des domestiques? questionna Gemma. Mais leur père était Zeus. Ce n'était pas le plus puissant des dieux ou quelque chose du genre? Elles ne devraient pas être des reines?

— C'est ce qu'on pourrait croire, mais non.

Penn secoua la tête.

— Les muses ont été créées pour servir l'homme. Oui, elles étaient belles et intelligentes, talentueuses sans aucune commune mesure. Elles étaient vénérées et adorées par ceux qu'elles inspiraient, mais au bout du compte, elles passaient leurs journées à travailler pour des artistes et des poètes affamés. Elles vivaient une vie de bohème, nourrissant les désirs des hommes. Quand les poètes avaient terminé leurs sonnets, les artistes, leurs peintures, les muses étaient mises de côté et oubliées.

— Elles étaient des prostituées glorifiées, résuma Thea.

— Exactement, acquiesça Penn. Achéloos renia toutes ses filles, et leurs mères étaient occupées à servir les hommes. Thelxiépie, Aglaopé et Pisinoé ont donc été forcées de se débrouiller toutes seules.

— Thelxiépie a essayé de prendre soin de ses sœurs cadettes, coupa Thea.

Elle lança à Penn un regard dur, la lueur du feu dansant et jetant des ombres sur ses jolis traits, la faisant paraître presque diabolique.

— Mais Pisinoé n'était jamais satisfaite.

— Une personne ne peut pas être satisfaite à vivre dans les rues.

Penn dériva son attention de Gemma à Thea, lui rendant son regard.

— Thelxiépie a fait du mieux qu'elle a pu, mais la nourriture n'est pas suffisante.

— Elles ne mourraient pas de faim ! claqua Thea. Elles avaient du travail ! Elles auraient pu se bâtir une vie !

— Du travail !

Penn roula les yeux.

— Elles étaient des servantes !

Lexi et Gemma observèrent l'échange entre Penn et Thea avec fascination. Les deux filles se fixaient de chaque côté du feu. Pendant un moment, elles ne dirent rien. La tension dans l'air était si épaisse que Gemma fut trop effrayée pour briser le silence.

— C'était il y a très longtemps, dit doucement Lexi.

Elle resta près de Penn et leva les yeux vers elle, presque avec adoration.

— Oui, c'est vrai, acquiesça Penn, détournant enfin son regard foudroyant de Thea et posa de nouveau les yeux sur Gemma. Elles mourraient de faim dans les rues. Même Thelxiépie le savait. C'est pour cette raison qu'elle est allée voir son père, l'implorant pour qu'il leur trouve du travail. Elles étaient suffisamment âgées pour qu'elles commencent à attirer l'attention des hommes, poursuivit-elle. Les trois sœurs avaient hérité de plusieurs dons de leurs mères, incluant leur beauté et le talent pour le chant et la danse.

— Thelxiépie croyait qu'un travail honnête serait le meilleur moyen de s'en sortir, dit Thea, se joignant à la conversation sur un ton plus raisonnable.

La colère avait disparu de sa voix, et elle racontait simplement la même histoire que Penn.

— Pisinoé, d'un autre côté, croyait que le meilleur moyen de s'échapper était par le mariage.

— C'était une autre époque, expliqua Penn. Les femmes n'avaient pas les choix et les droits qu'elles ont maintenant. Avoir un homme pour prendre soin de soi était le seul moyen.

— Ce n'était qu'une partie. Thelxiépie était la plus âgée, la plus expérimentée. Mais Pisinoé n'avait que quatorze ans. Elle était encore romantique et rêveuse. Elle croyait que si elle tombait amoureuse, un prince allait la transporter au paradis.

— Elle était jeune et stupide, fit Penn, presque pour elle-même, puis secoua la tête rapidement. Le travail qu'Achéloos avait trouvé pour ses filles était celui de servante pour Perséphone. Une servante n'est qu'une boniche, qui aide à habiller et à nettoyer une morveuse gâtée.

— Oh, ce n'était pas une morveuse gâtée, la corrigea Thea.

— Oui, elle l'était, insista Penn. Elle était horrible, divertissant constamment des soupirants, et les filles d'Achéloos auraient dû avoir leur propre servante. C'était une abomination, et ça n'a jamais intéressé Perséphone. Elle leur donnait des ordres comme si elle était mariée à Zeus.

— Parle à Gemma de Ligie, suggéra Lexi, rappelant à Gemma une jeune enfant qui demande qu'on lui lise la même histoire chaque soir, même si elle connaît tous les mots.

— Ligie travaillait en tant que servante pour Perséphone quand Thelxiépie, Aglaopé et Pisinoé ont commencé, fit Penn, et Lexi lui sourit. Ligie n'était pas leur sœur, mais elles l'aimaient comme si ça avait été le cas. Et Ligie avait une voix magnifique. C'était véritablement le son le plus adorable que quiconque avait entendu.

— Comme servante, Ligie exécutait en fait très peu de travail, dit Penn. Elle passait la majorité de ses journées à chanter pour Perséphone, mais personne ne s'en souciait, car son chant était si ravissant. Tout semblait mieux, grâce à son chant. Mais il n'y avait pas seulement du travail, poursuivit Penn. Les quatre filles n'étaient que des adolescentes et avaient besoin de s'amuser. Aussi souvent qu'elles pouvaient, elles s'échappaient de leur vie d'esclavage et allaient vers l'océan pour nager et chanter.

— C'était les chansons de Ligie qui amenait un public, fit Thea. Elle et Aglaopé se perchaient dans les arbres sur le rivage, chantant en parfaite harmonie, tandis que Thelxiépie et Pisinoé nageaient.

— Mais ce n'était pas que de la nage, clarifia Penn. C'était de charmantes danses sous-marines. Elles offraient un spectacle autant que Ligie et Aglaopé.

— C'est vrai, et des voyageurs venaient pour les voir, approuva Thea. Elles ont même attiré l'attention de dieux comme Poséidon.

— Poséidon était le dieu de l'océan, expliqua Penn. Dans sa naïveté, Pisinoé pensait qu'elle pouvait le persuader grâce à sa nage et qu'il allait tomber amoureux d'elle et l'amener. Et peut-être est-il tombé amoureux d'elle.

Penn brossa le sable de ses jambes et fixa le feu.

— De nombreux hommes et quelques dieux sont tombés amoureux d'elle au fil des années. Mais au bout du compte, cela importe peu. Ce n'était pas suffisant.

— Perséphone était fiancée, dit Thea en reprenant l'histoire. Elle avait beaucoup à faire, mais plutôt que de l'aider, ses quatre servantes sont allées à l'océan pour nager et danser. Poséidon les avait invitées, et Pisinoé était certaine que c'était le jour où il allait lui demander de l'épouser, si elle arrivait à suffisamment lui faire une bonne impression.

— Malheureusement, c'était aussi le jour où quelqu'un avait décidé d'enlever et de violer Perséphone, dit Penn. Les servantes devaient veiller sur elle, mais elles n'étaient même pas assez proches pour entendre ses cris.

— Sa mère, Déméter, était une déesse et elle était furieuse, continua Thea. Elle a raconté à Achéloos l'échec de ses filles à protéger Perspéphone. Mais comme Achéloos était plus puissant que Déméter, elle devait lui demander la permission avant d'infliger une punition à Thelxiépie, Aglaopé et Pisinoé.

— Pisinoé savait que leur père n'allait pas les protéger, car il ne s'était jamais soucié d'elles de toute leur vie, alors elle est allée voir Poséidon, l'implorant d'intervenir, raconta Penn. Elle l'a supplié, lui offrant chaque part d'elle-même inconditionnellement, s'il l'aidait elle et ses sœurs.

Il y eut une longue pause durant laquelle personne ne dit rien. Gemma s'était inclinée, les bras déposés sur ses genoux, suspendue à chaque mot.

— Mais il ne l'a pas fait, dit Penn, si doucement que Gemma l'entendit à peine par-dessus le bruit des vagues. Personne ne les a sauvées. Elles n'avaient qu'elles-mêmes sur qui compter, comme ça avait toujours été le cas, comme ça serait toujours le cas.

— Déméter les a maudites à la vie qu'elles avaient choisie, plutôt que de protéger sa fille, expliqua Thea. Elle les a rendues immortelles, afin qu'elles vivent avec leur bêtise chaque jour pour l'éternité. Les choses qu'elles avaient aimées deviendraient les choses qu'elles détestaient.

— Quelles choses ? demanda Gemma.

— Elles étaient trop occupées à flirter, nager et chanter, quand Perséphone a été enlevée, dit Thea. Donc, c'est cette malédiction qu'elles ont eue.

— Elle les a transformées en partie en oiseau, avec une voix si hypnotique qu'aucun homme ne pourrait y résister, expliqua Penn. Les hommes allaient en être complètement extasiés et allaient devoir la suivre.

— Mais Déméter les a aussi changées en partie en poisson, afin qu'elles ne soient jamais loin de l'eau. Quand leurs prétendants allaient venir, suivant le son de leur voix, leurs bateaux allaient s'échouer sur le rivage, et ils allaient mourir.

— Ceci, évidemment, n'était pas le pire de la malédiction, ajouta Thea avec un sourire ironique. Chaque homme allait tomber amoureux de leur voix, de leur jolie apparence, mais aucun homme n'allait aller au-delà de ça. Ils n'allaient jamais connaître les filles pour ce qu'elles étaient vraiment, jamais vraiment les aimer. Il allait être impossible pour les quatre filles de vraiment tomber amoureuses et d'être véritablement aimées en retour.

CHAPITRE 15

Souviens-toi de moi

Penn et Thea demeurèrent silencieuses pendant un moment, laissant Gemma tout absorber. Mais ce que l'histoire racontait était assez évident.

— Vous êtes les trois sœurs?

Gemma les pointa une à une.

— Pisinoé, Thelxiépie et Aglaopé.

— Pas exactement.

Penn secoua la tête.

— Il est vrai qu'un jour, j'ai été Pisinoé, et Thea était Thelxiépie. Mais Lexi est une remplaçante pour Ligie, qui est morte il y a de nombreuses, nombreuses années.

— Un instant. Lexi a remplacé l'une d'entre vous? demanda Gemma. Pourquoi avez-vous des remplaçantes? Et où se trouve votre autre sœur, Aglaopé?

— C'est une partie de la malédiction de Déméter, répondit Thea. Nous avons préféré notre amie et nos sœurs plutôt que sa fille, alors nous devons toujours être avec nos amies et sœurs. Nous devons toujours être quatre, ensemble. Nous ne pouvons pas partir ou être séparées plus de quelques semaines à la fois.

— Si l'une d'entre nous part, elle meurt, et nous devons la remplacer, expliqua Penn. Nous n'avons que la période de la lune en cours pour la remplacer.

— Je suis la remplaçante d'Aglaopé.

Gemma déglutit péniblement alors qu'elle comprenait subitement.

— Et si je ne veux pas?

— Tu n'as pas le choix. Tu es déjà une sirène. Si tu essaies de partir plutôt que te joindre à nous, tu vas mourir, et nous allons simplement te remplacer.

— Comment? questionna Gemma. Comment me suis-je transformée? Cette flasque?

— Oui, c'était un… mélange de quelque chose.

Penn choisit ses mots avec soin.

— Un mélange de quoi? s'enquit Gemma.

Penn secoua la tête.

— Tu n'as pas à t'inquiéter de cela pour le moment. Tu ne comprendrais même pas ce que c'est. En temps opportun, tout te sera expliqué.

— Pourquoi? demanda Gemma, un nouveau tremblement dans la voix. Pourquoi moi? Pourquoi vouliez-vous que je *me* joigne à vous?

— N'est-ce pas évident? demanda Penn. Tu es belle, tu aimes l'eau et tu es courageuse. Aglaopé était trop craintive, et nous avions besoin de quelqu'un de différent.

— Elle n'était pas craintive, riposta Thea. Elle était bienveillante.

— Peu importe ce qu'elle était, fit abruptement Penn. Elle n'est plus là, et nous avons Gemma, maintenant.

— Alors… vous vous attendez à ce que je me joigne simplement à vous, laissant tout ce que j'ai toujours connu, pour passer ma vie à chanter et à nager ?

— Cela ne semble pas si terrible, n'est-ce pas ? demanda Penn.

— C'est vraiment merveilleux, intervint Lexi. Dès que tu y es habituée, c'est un million de fois mieux que tout ce qu'une vie mortelle pourrait t'offrir.

— Mais si je…

Gemma laissa ses mots en suspens et baissa les yeux, pensant à Harper, ses parents, Alex. Elle leva la tête, rencontrant les yeux de Penn.

— Je ne veux pas de ceci, termina-t-elle.

— Alors, tu vas mourir, dit Penn.

Elle haussa les épaules comme si elle s'en moquait, mais sa voix était dure et ses yeux, brûlants.

— Si c'est ce que tu désires, alors, ainsi soit-il.

— Penn.

Lexi soupira et sourit doucement à Gemma.

— C'est beaucoup de choses à absorber, je sais, et tu n'as pas à décider aujourd'hui. Quand tu auras pris le temps de réfléchir, tu comprendras que c'est la meilleure chose qui aurait pu t'arriver.

— Mais c'est une malédiction, dit Gemma. Déméter vous a transformées en sirènes pour vous punir.

— Est-ce que ça t'a vraiment paru comme une punition ? fit malicieusement Penn. Quand tu étais dans l'eau, est-ce que tu t'étais déjà mieux sentie ?

— Non, mais…

— Déméter était une idiote, et elle a échoué.

Penn se leva brusquement.

— Elle croyait nous donner un châtiment, mais elle nous a libérées. Aujourd'hui, sa fille est morte depuis longtemps, Déméter est toute oubliée, et nous sommes là, plus belles et puissantes que jamais, nous épanouissant sous sa « malédiction ».

— Maintenant, excusez-moi, je crois avoir marqué mon point, lâcha Penn. Joins-toi à nous ou non. Vis ou meurs. Cela dépend de toi, et franchement, je me fiche de ton choix.

— Attends.

Gemma se leva, son esprit bouillonnant, mais Penn l'ignora.

— Penn, attends. J'ai encore tellement de questions.

Penn passa sa robe par-dessus sa tête et plongea dans l'eau. Thea la suivit quelques pas derrière et sauta dans les vagues après elle.

Lexi demeura un moment. Elle s'approcha de Gemma et déposa une main sur son bras.

— Va voir tes amis et ta famille, lui dit Lexi. Mets de l'ordre dans ta vie. Fais tes adieux à ce dont tu as besoin de le faire. Puis, viens te joindre à nous. Tu ne le regretteras jamais.

Après que Lexi fut partie dans la crique, nageant dans la nuit avec les deux autres sirènes, Gemma envisagea de les suivre. Elle était tellement rapide maintenant qu'elle arriverait probablement à les rattraper. Mais dans quel but ? Penn n'avait pas encore répondu à toutes ses questions, mais Gemma avait suffisamment à réfléchir.

Elle savait que Penn et Thea avaient dit la vérité, mais elle ne croyait pas qu'il s'agissait nécessairement de toute la vérité. Elles avaient de toute évidence omis quelque chose, et elles ne lui avaient pas dit ce qui était arrivé d'Aglaopé, seulement que Gemma était nécessaire pour la remplacer.

La malédiction de la sirène que Déméter leur avait soi-disant attribuée ne faisait aucun sens. Rien de ce qu'elle leur avait fait ne semblait *si* terrible. Elles avaient acquis l'immortalité, la beauté éternelle, et elles pouvaient nager et respirer comme des poissons, quand elles voulaient.

Cela ressemblait à un rêve devenu réalité pour Gemma.

Elle s'avança vers l'ouverture de la crique et s'assit au bord de l'eau, les jambes immergées jusqu'aux genoux. Sa peau frémit, picotant alors que des écailles surgirent par intervalle sur sa peau. Ses orteils s'étalèrent, deve-nant de fines nageoires glissant dans l'eau.

Son corps n'était pas suffisamment submergé dans la baie, alors il ne se transforma pas complètement. Ses jambes demeurèrent des jambes avec seulement quelques écailles, mais ses pieds se transformèrent davantage en palmes. Gemma balançait ses jambes d'avant en arrière, savourant la manière dont l'eau coulait sur ses écailles et ses palmes.

Elle ferma les yeux, respirant profondément, son cœur se gonflant de la joie pure du moment.

Mais aussi extraordinaire que la sensation fut, aussi incroyablement et invraisemblablement par-fait que cela semblât être, est-ce que cela en valait la peine ? Abandonner tout ce qu'elle connaissait et aimait ? Laisser derrière sa sœur, son père, Alex ?

Les yeux toujours clos, Gemma glissa dans l'eau, tou-jours vêtue de la robe que les sirènes lui avaient donnée.

Elle n'essaya pas de nager. Elle se laissa juste couler, flottant vers le fond de la baie.

Gemma sentit ses jambes changer, ses appendices fusionner pour former une unique queue. Ce ne fut que lorsqu'elle put respirer dans l'eau qu'elle ouvrit les yeux, scrutant la noirceur l'entourant.

Juste avant qu'elle n'atteigne le fond, elle plia sa queue et commença à nager vers le rivage. Comme elle ne semblait pas avoir d'autre choix pour le moment, elle décida de suivre le conseil de Lexi. Elle retournerait à la maison et y réfléchirait.

Elle ne voulait pas que les gens la voient, alors elle nagea à l'autre bout de la baie, qui était couverte de pierres. À cause de sa queue, elle dut se tirer sur les pierres sur le ventre, éraflant sa peau et ses bras. Quand elle fut suffisamment loin de la mer, elle attendit et observa émerveillée ses écailles se transformant encore une fois en peau.

Heureusement, elle avait gardé la robe et n'eut pas à retourner chez elle toute nue. Elle parcourut les nombreux pâtés de maisons. Elle aurait pu téléphoner à Harper ou à Alex pour qu'il vienne la prendre, mais Gemma voulait du temps, afin de s'éclaircir les idées. Il devait être autour de minuit, alors elle avait les rues pour elle seule.

Plutôt que de se rendre directement chez elle, elle traversa l'allée de la cour arrière d'Alex. Elle se faufila le plus près possible de la maison d'Alex, craignant que Harper l'aperçoive, si elle regardait par la fenêtre. Elle se pressa contre la maison, quand elle cogna à la porte arrière, espérant qu'Alex soit encore éveillé.

Son cœur battit fort dans sa poitrine alors qu'elle attendit. Elle voulait le voir, mais une partie d'elle en était effrayée.

Les mots de Thea flottaient dans sa tête sur la véritable malédiction de la sirène. Aucun homme ne serait jamais vraiment capable de l'aimer. Gemma se souvint de la manière vigoureuse avec laquelle Alex l'avait embrassée l'autre jour, le regard sidéré. Ce n'était pas le même Alex duquel elle était tombée amoureuse. C'était un garçon sous l'emprise d'une sirène, un garçon incapable de réellement l'aimer.

Gemma continua d'attendre à l'extérieur de la maison d'Alex. Elle avait presque décidé de rentrer chez elle, quand la porte s'ouvrit.

— Gemma !

Alex cria tant de surprise que de soulagement.

— Chut !

Elle leva un doigt sur sa bouche, le calmant avant que Harper ou son père l'entende.

— Que fais-tu ? demanda Alex. Est-ce que ça va ? Tu es trempée.

Gemma baissa les yeux vers sa robe. Elle avait commencé à sécher sur le chemin du retour, mais elle avait marché rapidement, alors la robe n'avait pas eu assez de temps.

— Ouais, je vais bien.

— Tu as l'air d'avoir froid. As-tu besoin d'une veste ou de quelque chose ?

Alex commença à se diriger vers l'intérieur de la maison pour aller lui chercher quelque chose, afin de la réchauffer, mais elle le saisit par le bras, afin de l'arrêter.

— Non, Alex, écoute. J'ai simplement besoin de te demander quelque chose.

Elle jeta un regard autour, comme si elle s'attendait à ce que Harper soit cachée.

— Peut-on discuter un instant ?

— Ouais, bien sûr.

Il s'avança près d'elle et mit ses mains sur ses bras, dégageant une force et une chaleur contre sa peau nue.

— Que se passe-t-il ? Tu as l'air dans tous tes états.

— Je viens d'avoir la nuit la plus stupéfiante, la plus terrible de ma vie, admit Gemma.

Elle fut surprise, quand elle sentit des larmes lui piquer les yeux.

— Pourquoi ? Que s'est-il passé ?

Les yeux bruns d'Alex s'emplirent d'inquiétude.

Son expression inquiète le fit paraître plus âgé, comme l'homme qu'il serait un jour, et le cœur de Gemma se serra, quand elle réalisa qu'elle n'assisterait probablement jamais à cela. Il était déjà douloureusement beau, et en être inconscient ne faisait que l'accentuer.

Il était beaucoup plus grand qu'elle, presque immense devant elle, et son corps musclé la fit se sentir en sécurité. Ce fut ses yeux, d'un acajou profond, qui transmettaient tant de chaleur et de gentillesse, qui la convainquit qu'il ne ferait jamais rien pour la blesser.

— Peu importe.

Elle secoua la tête.

— J'ai besoin de savoir… est-ce que je te plais ?

— Est-ce que tu me plais ?

Son inquiétude se transforma en un soulagement déconcerté, et il lui fit un sourire en coin.

— Allez, Gemma, je pense que tu connais la réponse à cette question.

— Non, Alex, je suis sérieuse. J'ai besoin de savoir.

— Ouais.

Il repoussa une mèche mouillée sur le front de Gemma, et ses yeux devinrent solennels.

— Tu me plais. Beaucoup, en fait.

— Pourquoi?

Sa voix brisa, quand elle posa la question, et elle souhaita presque n'avoir rien dit.

Son aveu fit tournoyer des papillons dans son ventre, et son cœur s'emballa, puis tant son cœur que son ventre se contractèrent de peur. Elle n'était pas certaine qu'Alex saurait *pourquoi* elle lui plaisait.

S'il était sous l'emprise du sort de la sirène, il saurait seulement qu'il la désirait, sans aucune raison perceptible.

— Pourquoi?

Alex éclata de rire à la question.

— Que veux-tu dire?

— C'est important pour moi, insista-t-elle, et quelque chose dans son expression le persuada d'à quel point cela était sérieux.

— Euh, parce que.

Il haussa les épaules, trouvant difficile d'avoir les bons mots.

— Tu es si… si jolie.

Le cœur de Gemma s'arrêta à ces mots, mais Alex continua.

— Et tu as un sens de l'humour taquin. Tu es gentille et intelligente. Et incroyablement déterminée. Je n'ai jamais rencontré quelqu'un d'aussi décidé que toi. Tout ce que tu veux, tu l'auras. Tu es beaucoup, beaucoup trop formidable pour moi, et tu me laisses quand même te prendre la main, même quand nous sommes en public.

— Je te plais pour moi-même ? questionna Gemma en levant les yeux vers lui.

— Ouais, bien sûr. Sinon pour quelle autre raison ? demanda Alex. Quoi ? Qu'est-ce que j'ai dit de travers ? On dirait que tu vas pleurer.

— Non, tu as exactement dit les bonnes choses.

Elle lui sourit, les yeux emplis de larmes.

Elle se mit sur la pointe des pieds et l'embrassa. Avec hésitation, il l'enveloppa de ses bras, et alors qu'elle l'embrassa plus profondément, il la souleva du sol. Ses bras se nouèrent autour du cou d'Alex, et elle était pratiquement pendue à lui.

— Gemma !

Harper cria de la fenêtre de sa chambre. Le cœur de Gemma fondit, quand elle prit conscience qu'ils étaient repérés.

Alex la déposa par terre, mais ils furent lents à se détacher l'un de l'autre. Son front demeura sur celui de Gemma, et elle garda sa main sur sa nuque, enfouissant ses doigts dans ses cheveux.

— Promets-moi que tu te souviendras de ceci, murmura Gemma.

— Pardon ? demanda Alex, troublé.

— Moi, comme je suis en ce moment. La moi réelle.

— Comment pourrais-je jamais t'oublier ?

Avant qu'Alex puisse poser d'autres questions, Gemma partit, courant vers sa maison sans se retourner.

CHAPITRE 16

La mouette crasseuse

Harper mâchouilla sa lèvre et fixa *La mouette crasseuse*. Le sac froissé contenant le lunch de son père dans la main, elle arpentait le quai devant le bateau de Daniel depuis les dernières minutes. Cela ne s'était jamais produit, alors elle ne savait pas quoi faire.

Presque chaque fois qu'elle avait apporté le lunch à son père, Daniel se trouvait inévitablement dehors à faire quelques tâches, alors elle le rencontrait. Toutes les fois où cela s'était produit, elle avait essayé de l'éviter, mais maintenant qu'elle voulait le voir, il n'était pas là.

Il n'avait pas vraiment de porte avant, alors elle ne pouvait pas frapper, et il lui semblait un peu trop spectaculaire de se tenir sur le quai et crier son nom. Harper supposait qu'elle pourrait monter sur le bateau, mais cela semblait affreusement présomptueux.

En vérité, elle ne savait pas réellement *pourquoi* elle voulait le voir. En partie, parce que c'était vraiment la pagaille en ce qui concernait Gemma et que Harper ne pouvait pas lui en parler à elle ou à Alex. C'était les deux personnes vers qui habituellement elle se tournait avec ses problèmes, puisque Marcy n'était pas exactement reconnue pour ses compétences d'écoute.

Cela sembla si horrible. Harper voulait voir Daniel parce qu'elle n'avait personne d'autre sur qui jeter ses problèmes.

Puis, Harper constata que ce n'était pas exactement la vérité. Elle ne voulait pas se confier à Daniel. Ce n'était qu'une excuse. Elle voulait le voir simplement, car... elle voulait le voir.

Son estomac fit des nœuds, et elle décida de simplement poursuivre son chemin. Elle devait apporter son lunch à son père et n'avait pas de temps pour Daniel. Il serait préférable si elle partait.

— Alors, c'est tout? demanda Daniel dès que Harper commença à s'éloigner.

— Quoi?

Elle s'arrêta subitement et se tourna vers le bateau, mais ne vit pas Daniel. Elle se retourna, pensant qu'il devait se trouver sur le quai, mais ce n'était pas le cas. Troublée, elle se tourna à nouveau vers le bateau.

— Daniel?

— Harper.

Il sortit de l'embrasure sombre de la porte de la cabine et avança sur le pont.

— Je me tiens ici à te regarder tourner en rond, et après tout tes débats, tu vas simplement partir?

— Je...

Ses joues s'empourprèrent d'embarras, quand elle comprit que Daniel avait dû se tenir juste de l'autre côté de la porte, là où elle ne pouvait pas le voir, mais où lui pouvait la voir.

— Si tu m'as vue, pourquoi n'as-tu rien dit?

— C'était trop amusant de t'observer.

Il sourit largement et s'appuya contre la rambarde, déposant ses coudes sur la barre.

— Tu ressemblais à un petit jouet mécanique.

— Personne n'a plus de jouet mécanique, soutint maladroitement Harper.

— Donc, qu'est-ce qui t'amène ici?

Daniel posa son menton sur sa main.

— J'amène le lunch à mon père.

Elle leva le sac en papier brun froissé.

Alors qu'elle attendait, elle avait roulé et déroulé le sac une bonne douzaine de fois. Le sandwich au fond du sac devait être complètement écrasé.

— Oui, c'est ce que je vois. J'espère qu'il n'y avait rien là-dedans qu'il voulait vraiment, car cela doit maintenant ressembler à de la nourriture pour bébé.

— Oh.

Harper baissa les yeux vers le sac et soupira.

— Je suis certaine que ça va. Il mange n'importe quoi.

— Ou peut-être qu'il peut simplement se prendre quelque chose sur le dock, suggéra Daniel. Il y a un kiosque à hot-dogs près des bateaux. Ton père peut se procurer un repas pour moins de trois dollars, quand il oublie son lunch.

Il fit une pause et inclina la tête.

— Mais tu savais déjà ça, n'est-ce pas?

— Trois dollars par-ci et trois dollars par-là finissent par s'additionner, particulièrement au rythme où il oublie son lunch, expliqua Harper.

— Sans mentionner que tu ne me verrais pas.

— Je ne...

Elle laissa sa phrase en suspens, puisque de toute évidence, aujourd'hui, elle l'attendait.

— Ce n'est pas pour ça. Je lui amène vraiment son lunch pour lui faire épargner de l'argent. D'accord, aujourd'hui, cette fois-ci, j'espérais te rencontrer, mais est-ce si terrible?

— Non. Ce n'est pas terrible du tout.

Il se redressa et fit un signe vers son bateau.

— Veux-tu monter et discuter, alors?

— Sur ton bateau? demanda Harper.

— Oui. Sur mon bateau. Ça me paraît beaucoup plus civilisé que de te parler ainsi, n'est-ce pas?

Harper lança un regard vers le bout du dock, où son père travaillait. Elle avait probablement détruit son lunch, de toute façon, et Brian pouvait facilement se prendre un hot-dog. Mais elle n'était toujours pas certaine de vouloir traîner avec Daniel sur son bateau.

Oui, elle voulait le voir, mais aller sur son bateau... c'était comme d'admettre quelque chose qu'elle ne voulait pas.

— Oh, allez.

Daniel se pencha par-dessus la balustrade et tendit son bras vers elle.

— Tu n'as pas un ponton ou quelque chose du genre? demanda Harper en fixant la main tendue.

— Oui, mais c'est plus rapide ainsi.

Il fit un geste de la main.

— Prends ma main et viens.

Soupirant, Harper prit sa main. Elle était forte et rugueuse, la main d'un garçon ayant passé sa vie à travailler. Il la souleva aisément, comme si elle ne pesait rien. Afin de la soulever par-dessus la balustrade, il dut la prendre dans ses bras et la tint ainsi une seconde de plus que nécessaire.

— N'as-tu aucun t-shirt? demanda Harper en se libérant de sa poitrine nue.

Il ne portait qu'un short et des sandales, et, intentionnellement, Harper ne le regarda plus, depuis qu'elle s'était éloignée de lui. Elle pouvait encore sentir sa peau contre la sienne, réchauffée par le soleil tapant sur eux.

— Mes t-shirts t'ont déjà frappée au visage, tu te souviens? demanda Daniel.

— Ouais. C'est vrai.

Elle jeta un coup d'œil autour du pont. Comme elle ne savait pas quoi faire d'autre avec, elle lui tendit le sac.

— Tiens.

— Merci?

Il prit le sac et l'ouvrit. Il fouilla à l'intérieur, découvrant un sandwich écrasé au jambon, des tranches de pommes et un cornichon.

— Des tranches de pommes? questionna Daniel en les lui montrant. Est-ce que ton père est au primaire?

— Son cholestérol est élevé, dit sur la défensive Harper. Le médecin veut qu'il surveille ce qu'il mange, alors je fais ses lunchs.

Daniel haussa les épaules, comme s'il ne la croyait pas ou s'en moquait. Soigneusement, il sortit tout de leur emballage plastique, ce qui fut plus difficile pour le sandwich, puisqu'il avait été si durement écrasé.

Quand il eut terminé, il lança toute la nourriture sur le quai et le reste dans la poubelle.

— Hé! cria Harper. Tu n'avais pas besoin de gaspiller cela!

— Je n'ai pas gaspillé.

Il fit un geste vers le quai, lequel était maintenant couvert de mouettes se battant pour la nourriture.

— J'ai nourri les oiseaux.

Harper ne parut pas encore satisfaite, alors il rit.

— Je suppose.

— Allons sur le pont inférieur pour discuter, suggéra Daniel. Il y fait plus frais.

Il descendit, sans attendre ses protestations. Elle ne bougea pas pendant un instant, réticente à le suivre. Mais il faisait chaud dehors, et le soleil n'améliorait rien.

Quand Harper arriva en bas, elle nota que le bateau n'était pas si sale, mais plutôt en désordre, et cela la surprit. Il y avait des choses éparpillées partout, mais c'était en grande partie parce qu'il s'agissait d'un si petit endroit et qu'il n'y avait pas vraiment de place pour mettre quoi que ce soit.

— Assis-toi.

Il fit un geste de la main.

Son lit était l'endroit le plus dégagé, mais elle ne voulait pas lui donner de mauvaises idées. Elle s'appuya plutôt contre la table, préférant demeurer debout.

— Ça va comme ça.

— Comme tu veux.

Daniel s'assit sur le lit et croisa les bras sur sa poitrine.

— De quoi voulais-tu parler ?

— Euh…

Harper cherchait ses mots, car elle ne savait pas vraiment de quoi elle voulait parler. Tout ce qu'elle savait était qu'elle voulait lui parler, peu importait de quoi il s'agissait.

— Gemma n'est pas venue dernièrement, si c'est ce qui t'inquiète, dit Daniel, et elle fut heureuse qu'il aborde un véritable sujet, afin de ne pas rester muette devant lui.

— Bien. Elle n'est pas censée aller nulle part, puisqu'elle est punie. Mais ce n'est pas ce qui l'arrête.

Harper secoua la tête.

— Donc, elle se faufile encore vers la baie ? demanda Daniel, mais il ne parut pas surpris. Tu ne peux pas empêcher cette fille de s'approcher de l'eau. Si je n'étais pas plus avisé, je dirais qu'elle est en partie un poisson.

— J'aimerais bien que le problème soit seulement qu'elle aille à la baie, admit-elle avec lassitude en s'appuyant. Je pourrais y faire face. Mais je ne sais même plus ce qu'elle fait.

— Que veux-tu dire ?

— C'est tellement étrange. Ces filles sont venues hier soir pour la prendre et…

— Quelles filles ? demanda Daniel. Tu veux dire Penn ?

— Ouais.

Elle hocha la tête.

— Elles sont venues la prendre, et je leur ai dit de se barrer. Mais Gemma a insisté pour les suivre. Elle s'est faufilée devant moi et est partie.

— Elle les a suivies de son plein gré ?

Ses yeux s'écarquillèrent.

— Je croyais qu'elle les craignait.

— Je sais ! Moi aussi !

— Alors, que s'est-il passé ? questionna Daniel. Est-elle revenue à la maison hier soir ?

— Ouais, elle est revenue quelques heures plus tard.

Son expression se troubla, et elle secoua la tête.

— Mais ça n'a aucun sens. Elle a quitté la maison en short et débardeur et est revenue vêtue d'une robe que je n'avais jamais vue et elle était trempée. Je lui ai demandé ce qu'elle avait fait, mais elle n'a rien voulu me dire.

— Au moins, elle est revenue saine et sauve, dit-il.

— Ouais.

Harper soupira, réfléchissant.

— Elle n'est pas revenue directement. Elle s'est d'abord arrêtée chez Alex, le jeune voisin et son comme qui dirait petit ami, je crois. Je lui ai demandé s'il savait ce qui se passait, et il dit que non. Je le crois, mais je ne sais pas si je devrais.

— Je suis désolé, fit Daniel, et Harper leva les yeux, étonnée de voir qu'il le pensait. Je sais qu'il est difficile de voir quelqu'un qu'on aime faire des choses témé-raires. Mais ce n'est pas ta faute.

— Je sais.

Elle baissa les yeux.

— Je ne sens pas que c'est ma faute, mais… je dois la protéger.

— Mais tu ne peux pas.

Daniel s'avança, appuyant ses bras sur ses genoux.

— Tu ne peux pas protéger les gens d'eux-mêmes.

— Mais je dois essayer. C'est ma sœur.

Daniel s'humecta les lèvres et baissa les yeux. Il se tordit les mains, et un large anneau d'argent à son pouce capta la lumière. Il ne dit rien pendant un moment, et Harper vit qu'il se débattait avec quelque chose.

— Tu as vu mon tatouage dans mon dos ? finit-il par demander.

— Ouais. Il est difficile à manquer.

— Vois-tu ce qu'il couvre ?

— Tu veux dire ton dos ?

— Non. Les cicatrices.

Il se retourna, afin que son épaule et son dos tatoués soient face à elle.

La personne lui ayant fait ses tatouages avait fait un très bon travail. L'encre était épaisse et noire, et ce n'est qu'après avoir regardé de près qu'elle vit que les branches n'étaient pas ombragées pour avoir l'air noueuses et tordues. Elles avaient été dessinées ainsi, le long de plusieurs cicatrices allongées.

Toutes les branches ne masquaient pas des cicatrices, et le tronc long et épais suivant sa colonne ne semblait pas camoufler de blessure. Mais il y en avait suffisamment pour voir qu'il avait traversé quelque chose.

— Et ici.

Il tourna la tête vers le côté et repoussa ses cheveux. Quelques centimètres sous la chevelure, enfouie sous sa coupe hirsute, se trouvait une large cicatrice rose.

— Oh, mince, gémit Harper. Que s'est-il passé ?

— Quand j'avais quinze ans, mon frère aîné, John, en avait vingt.

Daniel bougea, afin d'être à nouveau assis normalement sur le lit, et il braqua les yeux sur la fenêtre.

— Il était fou et téméraire, ne regardant jamais avant de sauter. Il fonçait simplement dans tout. Et je le suivais. Au début, je pensais qu'il était plus cool, audacieux et brave. Mais ensuite, en vieillissant, je le suivais pour le rescaper. Mon grand-père possédait de nombreux bateaux, dont celui-ci.

Il fit un geste autour d'eux.

— Il adorait l'eau et pensait que les jeunes devaient être libres de s'y promener. Donc, chaque fois que nous le voulions, nous pouvions sortir les bateaux. Le soir où je me suis fait ça...

Daniel fit un mouvement vers ses cicatrices

— John s'était rendu à une fête, et je l'avais suivi. Il s'était saoulé, et je veux dire vraiment bourré la gueule. Ce n'était pas inhabituel, car John était presque toujours saoul. Il y avait quelques filles à la fête qu'il essayait d'épater et il s'était mis en tête que s'il les amenait en bateau, ça ferait l'affaire. Je suis allé avec lui parce qu'il était tellement saoul que je savais qu'il ne pourrait pas conduire. Si j'étais là, j'allais pouvoir prendre le volant. Tout irait bien. Alors, il y avait John, ces deux filles et moi sur ce petit hors-bord.

Il soupira et secoua la tête.

— John allait de plus en plus vite. Je lui ai dit de ralentir. Les filles criaient, et j'ai tenté de lui prendre le volant.

Il déglutit.

— Il a foncé directement dans les pierres au bout de la baie. Le bateau s'est retourné. Je ne sais pas exactement ce qu'il s'est passé, mais je me suis trouvé sous le bateau, et l'hélice m'a atteint.

Il fit un nouveau geste vers ses cicatrices.

— John a perdu connaissance, et je n'arrivais pas à le retrouver...

— Je suis désolée, dit doucement Harper.

— Les deux filles ont survécu, mais John...

Daniel secoua la tête.

— Tout était terminé une semaine avant qu'on trouve son corps rejeté sur le rivage trois kilomètres plus loin. Et non, je ne suis pas heureux qu'il soit mort. Je ne le serai jamais. J'aimais mon frère.

Il regarda alors Harper, ses yeux intensément sérieux.

— Mais je n'ai rien pu faire ce soir-là pour l'empêcher de boire ou de monter sur ce bateau. Aucune de mes supplications, demandes ou bagarres avec lui ne l'a sauvé. Tout ce que ça a fait, c'est de quasiment me tuer.

— Gemma n'est pas ainsi.

Harper détourna les yeux de Daniel.

— Elle traverse quelque chose et elle a besoin de mon aide.

— Je ne dis pas de l'abandonner ou de cesser de l'aimer. Je n'oserais même jamais suggérer ça, particulièrement pour Gemma. Elle semble être une bonne fille.

— Alors, que dis-tu ?

— Il m'a fallu des années pour accepter que la mort de John n'était pas ma faute.

Ses épaules s'affaissèrent.

— Je ne sais pas si je vais un jour réellement me pardonner pour ce qui s'est passé. Mais ça ne signifie pas que tu dois faire pareil. Je crois que ce que j'essaie de dire, c'est qu'on ne peut pas vivre sa vie à la place de quelqu'un d'autre. Il doit faire ses propres choix, et parfois, tout ce que nous pouvons faire est d'apprendre à vivre avec eux.

— Hum.

Harper laissa échapper un long soupir.

— Quand je me suis arrêtée aujourd'hui, je n'avais pas prévu que j'aurais une leçon de vie si profonde.

— Désolé.

Daniel parut embarrassé et rit un peu.

— Je ne voulais pas être... lugubre.

— Non, c'est bien.

Elle se gratta la tête et lui sourit.

— Je crois... je crois que j'avais besoin d'entendre ça.

— Bien. Heureux d'avoir pu aider, dit-il. Alors, pourquoi es-tu passé aujourd'hui?

— Je...

Elle considéra brièvement de mentir, mais après qu'il eut été si honnête avec elle, Harper ne le put pas.

— Je ne sais pas vraiment.

— Tu voulais juste me voir? demanda Daniel avec un petit sourire en coin.

— Je suppose.

— As-tu faim?

Daniel se leva avant qu'elle puisse répondre.

Il n'y avait pas vraiment d'espace pour marcher sur le bateau, alors le seul fait que Daniel se lève l'amena étonnamment près. Il s'avança, afin d'être directement devant elle, à quelques centimètres de la toucher.

— Tu veux quelque chose? demanda Daniel alors qu'elle le fixait.

— Pardon ? fit Harper, n'ayant aucune idée de ce qu'il venait de lui demander.

Elle s'était étrangement trouvée fascinée par les mouchetures bleues de ses yeux noisette.

Pour ouvrir son frigo, il dut se pencher et s'incliner sur le côté. Il la frôla. Même quand il ouvrit la porte pour sortir quelques canettes de soda, il garda ses yeux sur Harper.

— Tu veux quelque chose à boire ou à manger ?

Il se redressa, lui tendant une canette.

Elle la prit, lui souriant faiblement.

— Merci.

Mais Daniel ne bougea pas, demeurant plutôt devant elle. Quand un bateau passa tout près, les faisant vaciller, il tomba légèrement en avant. Il se stabilisa en plaçant une main de chaque côté de Harper. Tandis qu'il se pressait contre elle, elle put sentir la chaleur de sa poitrine nue contre le mince tissu de son t-shirt.

— Désolé, dit Daniel, la voix grave, mais il ne s'éloigna pas d'elle.

Son visage flottait au-dessus du sien, et Harper put le sentir s'approcher, comme si elle l'attirait dans son orbite. Les yeux de Daniel cherchèrent les siens, et elle ne comprit pas pourquoi elle n'avait jamais remarqué auparavant à quel point ses yeux étaient magnifiques.

Il sentait la lotion solaire et le shampoing. Quelque part au fond de sa tête, elle s'attendait à ce qu'il sente plus la sueur et le musc. À la place, c'était étrangement sucré.

À travers son t-shirt, elle put sentir les muscles lisses de sa poitrine et de son estomac, et soudainement, une intense envie de lancer ses bras autour de lui s'empara d'elle.

Daniel ferma les yeux, et comme ses lèvres étaient sur le point de toucher les siennes, Harper réagit enfin, ou, du moins, elle tenta.

Elle bougea la main, voulant passer son bras autour de lui. Mais elle ne réussit qu'à mettre la canette de soda glaciale sur son côté, le faisant reculer de surprise.

— Désolée.

Elle grimaça et secoua la tête.

— J'avais complètement oublié que je tenais une canette de soda.

— Non, ça va.

Daniel sourit.

— Ce n'était que froid.

Il s'approcha d'elle, comme s'il voulait reprendre le baiser, mais le moment était brisé, et Harper se souvint à quel point il serait stupide d'avoir une liaison avec lui.

— Je devrais probablement retourner au travail, lâcha-t-elle en s'éloignant de lui et se dirigeant vers la porte.

— Bien sûr.

Il mit ses mains sur ses hanches et hocha la tête.

— Évidemment.

— Désolée, bredouilla Harper, se sentant confuse.

— Ne le sois pas. Tu peux passer quand tu veux. Ma porte est toujours ouverte pour toi.

— Je sais.

Harper sourit.

— Merci.

Harper retourna vers le pont. Après avoir été à la faible lumière de la cabine, le soleil était aveuglant.

Elle plissa les yeux en regardant le soleil et alla vers la rambarde.

Comme Daniel refusait d'utiliser le ponton, il dut l'aider à descendre à nouveau sur le quai. Il enveloppa un bras autour d'elle, afin de la soulever par-dessus la rampe, mais avant de faire cela, il la tint près de lui pendant un moment. Harper avait déjà un bras autour de ses épaules, s'agrippant pour lorsqu'il la soulèverait.

— Je suis heureux que tu sois passée.

Puis, il la souleva et la déposa doucement sur le quai. Il demeura sur le pont de son bateau, l'observant alors qu'elle s'éloignait.

CHAPITRE 17

Attachement

Pour la première fois de toute sa vie, Gemma sauta sa pratique de natation.

Elle n'était pas malade et elle n'appela pas. Elle n'y alla simplement pas. Grâce à ses nouvelles habiletés de sirène, elle était déjà follement rapide dans l'eau. En plus, Penn lui avait dit qu'elle allait devoir partir bientôt, et même si Gemma n'était pas certaine de les suivre ou non, il lui semblait qu'elle allait probablement devoir quitter l'équipe de natation.

Malgré tout cela, elle s'en sentit coupable. Gemma avait manqué les pratiques seulement quand elle le devait absolument. Levi serait très déçu, et elle n'avait jamais voulu le laisser tomber.

Quand elle s'éveilla ce matin-là, elle se prépara comme d'habitude pour sa pratique, mais plutôt que de s'y rendre, elle alla en vélo de l'autre côté du pâté de maisons et se cacha dans un petit bosquet jusqu'à ce que Harper et son père soient partis pour leur travail.

Quand elle fut certaine qu'ils étaient partis, elle retourna chez elle. Elle devait voir Alex de nouveau.

Après leur baiser hier soir, elle était rentrée à la maison et s'était fait crier pas mal dessus par Harper et Brian. Ils étaient tous deux abasourdis et furieux de son comportement récent. Gemma aurait souhaité pouvoir tout leur expliquer, mais cela aurait paru insensé. Personne ne croirait jamais qu'elle était une sirène et encore moins le comprendrait.

Ils avaient fini par la laisser se mettre au lit, mais elle était demeurée éveillée pendant un long moment. Elle savait qu'elle devait discuter davantage avec Penn avant de vraiment pouvoir saisir ce qu'elle était. Mais ce n'était même pas cela qui avait gardé son esprit en ébullition tard dans la nuit.

Elles lui avaient dit que personne ne pourrait l'aimer, que cela faisait partie de leur malédiction. Peut-être qu'Alex ne l'aimait-il pas encore, mais le pourrait. Si elle avait suffisamment de temps avec lui, Gemma était presque certaine qu'Alex allait tomber amoureux d'elle.

Si les sirènes avaient tort à ce sujet, alors peut-être avaient-elles tort sur d'autres choses, comme sur le fait qu'elle n'avait peut-être pas à quitter sa famille et sa vie. Même si Harper et son père avaient hurlé après elle la nuit précédente, cela lui brisait le cœur de seulement penser à les quitter. Elle savait à quel point ils l'aimaient.

La nuit précédente, quand elle avait embrassé Alex, elle était sur le point d'abandonner. Mais elle ne pouvait pas. Peut-être que cela ne signifiait rien qu'elle plaise à Alex, mais elle devait essayer. Il lui avait dit qu'elle était la personne la plus décidée qu'il connaissait et il avait raison. Elle allait tout essayer avant de s'enfuir avec les sirènes.

Gemma frappa à la porte arrière de chez Alex, mais il ne répondit pas. Elle dut prendre des mesures plus drastiques.

Sa mère avait un treillis couvert de plantes grimpantes en fleurs poussant sur le côté de la maison. Il n'était probablement pas assez robuste pour supporter son poids, mais Gemma y grimpa tout de même.

L'une des planches craqua sous ses pieds, mais elle reprit son équilibre rapidement. Une vigne lui fit une petite coupure, mais mis à part cela, son ascension se déroula étonnamment bien. Quand elle eut atteint le toit à l'extérieur de la fenêtre de la chambre d'Alex, située au deuxième étage, la coupure avait déjà guéri.

Gemma regarda par la fenêtre, et ce qu'elle vit était ce à quoi elle s'attendait. Alex était assis à son bureau devant son ordinateur portatif, portant des écouteurs, la tête bondissant au son d'une chanson. À en juger par l'état de ses cheveux hérissés dans tous les sens et le fait qu'il ne portait qu'un vieux boxeur, elle supposa qu'Alex n'était pas debout depuis bien longtemps.

Pendant quelques minutes, elle fut simplement heureuse de l'observer : la manière avec laquelle il bougeait à contretemps tel un vrai rat de bibliothèque, de temps en temps bredouillant quelques paroles de ce qui semblait être une vieille chanson de Run-D.M.C.

L'absurdité de son comportement était juxtaposée au fait qu'il était étonnamment séduisant sans t-shirt. Quand il bougeait, elle pouvait voir les muscles de son dos et de ses bras sous sa peau bronzée.

— Alex.

Elle frappa avec ses jointures sur la fenêtre, et le bruit effraya tant Alex qu'il bondit sur sa chaise.

— Gemma! dit-il estomaqué en ôtant vivement ses écouteurs. Que fais-tu sur mon toit?

— Tu ne répondais pas à la porte. Est-ce que je peux entrer?

— Euh…

Il se gratta un sourcil, l'observant un moment comme s'il ne comprenait pas ce qui se passait.

— Ouais. Certainement.

Il s'avança et lui ouvrit la fenêtre, mais ce n'était pas exactement la réponse qu'elle espérait. Peut-être avait-elle commis une erreur en venant ici sans être invitée.

— Désolée, dit Gemma en se hissant dans la chambre. Je ne voulais pas te déranger.

— Non, tu ne me déranges pas.

Il secoua la tête, puis se précipita pour mettre de l'ordre dans sa chambre.

— Tu n'as pas besoin de faire ça parce que je suis ici.

Alex l'ignora et continua de ramasser les chaussettes sales et les magazines de technologie jonchant sa chambre. Ce n'était pas si en désordre. Il était un garçon relativement soigné. Mis à part la pile de jeux Xbox et de canettes de soda vides, c'était une chambre plutôt propre.

— Tu sais quoi, Gemma, je suis désolé. Je ne peux pas faire ça.

Alex cessa brusquement ce qu'il faisait, tenant une pleine brassée de vêtements sales. Il se frotta l'œil et secoua la tête.

— Que fais-tu ici? Que se passe-t-il avec toi?

— Je voulais te voir, dit-elle simplement.

— Non, je ne parle pas seulement de maintenant…

Il déposa ses vêtements en une pile près de la porte et se retourna pour lui faire face, les mains posées sur les hanches.

— Qu'est-ce qui s'est passé, hier soir ? Harper a dit que tu t'es sauvée avec ces belles filles bizarres, puis tu viens à ma maison trempée, parce que tu as besoin de savoir si tu me plais.

— Je suis vraiment désolée, dit Gemma, mais il était sur une lancée.

— Et l'autre soir, quand tu as disparu, *encore* avec ces belles filles bizarres, Harper a cru que tu étais morte. Tu sais que tu fiches une trouille bleue à ta sœur, et ce n'est pas ton genre. Puis, quand tu es venue mardi et…

Il baissa les yeux, ses joues se colorant légèrement.

— Et que nous nous sommes embrassés. C'était super et tout, mais ce n'était pas… ton genre du tout. Je ne sais même pas si c'était moi.

— Je sais, je sais.

Gemma soupira. Elle aurait voulu tout lui dire, mais comment ? Comment quiconque pourrait-il croire ce qu'elle avait à dire ?

— Que se passe-t-il ? demanda Alex, et le désespoir dans sa voix lui fit mal au cœur.

— Me fais-tu confiance ?

— Honnêtement ?

Il leva la tête et la regarda dans les yeux.

— Il y a quelques jours, j'aurais sans conteste dit oui. Mais avec ce qui s'est passé dernièrement, je ne sais pas.

— Je ne t'ai jamais menti.

Puis, elle secoua la tête.

— Enfin, peut-être quand j'étais petite, mais pas depuis que nous avons commencé à nous fréquenter. Et je ne le ferai pas. Et je sais à quel point tout est insensé, et je ne sais pas comment te l'expliquer.

— Tu pourrais au moins essayer, suggéra Alex.

— Je ne crois pas que je peux.

— Est-ce que c'est moi ? demanda-t-il. Ou, enfin, est-ce nous ?

— Non, non !

Gemma secoua la tête énergiquement.

— Parce que c'est la seule chose ayant réellement changé. Tu étais normale jusqu'à ce que nous commencions à nous fréquenter.

— Non.

Elle s'avança plus près de lui, plaçant ses mains sur sa poitrine pour le convaincre.

— Non, ce n'est absolument pas toi. Tu es tout ce qui me garde saine d'esprit.

— Comment ?

Il baissa les yeux vers elle, mais il ne tendit pas la main pour la toucher comme elle le souhaita.

— Comment suis-je soudainement devenu ta bouée de normalité ?

— Parce que. Je crois que tu es la seule personne qui me voit pour qui je suis réellement.

— Gemma.

Il respira profondément et repoussa ses cheveux, plaçant une mèche rebelle derrière l'oreille de Gemma. Quelque chose dut lui venir à l'esprit, car il regarda autour de lui.

— Attends. Quelle heure est-il? Pourquoi n'es-tu pas à ta pratique de natation?

Elle lui sourit piteusement.

— J'avais besoin de te voir.

— Pourquoi? Ce n'est pas que je ne veux pas passer du temps avec toi, mais tu ne manques jamais ta pratique. Tu aimes la natation plus que tu aimes n'importe quoi au monde.

— Eh bien, pas n'importe quoi.

Elle baissa les yeux et recula, afin de s'asseoir sur son lit.

— Je sais que tu es incertain, mais peux-tu me faire confiance?

Il plissa les yeux, craignant peut-être où elle voulait en venir.

— Comment?

— Laisse-moi passer la journée avec toi. Juste une journée.

— Gemma.

Il rit un peu et secoua la tête.

— Je veux passer tous les jours avec toi. Pourquoi aujourd'hui est si important?

— Je ne sais pas.

Elle haussa les épaules.

— Peut-être que ce ne l'est pas.

— Tu es tellement énigmatique dernièrement.

— Désolée.

— Alors, d'accord.

Il se gratta derrière la tête, puis s'assit sur le lit à ses côtés.

— Que veux-tu faire aujourd'hui?

— Eh bien... tu pourrais m'enseigner certains de ces super mouvements de danse que tu faisais plus tôt.

Elle tenta d'en reproduire quelques-uns.

— Oh, c'est méchant.

Alex prétendit être offensé.

— C'étaient mes mouvements de danse privés, et tu jouais à la voyeuse louche sur mon toit. Je devrais appeler la police et te dénoncer.

— Oh, allez.

Gemma se leva, faisant une version horriblement exagérée de ce qu'il avait fait.

— Montre-moi ce que tu sais faire.

— Non, jamais.

Il rit à sa tentative de le copier.

Comme elle continuait, il la saisit par la taille et la tira vers le lit. Elle se mit à ricaner, et il la repoussa, afin d'être par-dessus elle. Ses bras étaient forts autour d'elle, et elle ne s'était jamais sentie aussi près de lui.

Il se pencha et l'embrassa, faisant bondir son cœur. Cela fit parcourir un frisson chaud partant de son ventre et s'étendant jusqu'au bout de ses doigts.

Quand elle avait nagé dans la baie en sirène, elle avait cru qu'il s'agissait de la chose la plus incroyable qu'elle avait sentie. Mais étendue là à embrasser Alex, elle comprit qu'elle avait eu tort. La manière dont il la faisait se sentir était tellement mieux, car ce n'était pas une malédiction magique insensée. C'était réel.

— D'accord, dit Alex encore au-dessus d'elle. Je suppose que je pourrais te montrer quelques mouvements.

Brusquement, il se leva, prenant ses mains, afin de la lever avec lui. Il accomplit des mouvements ridicules.

Gemma essaya de se joindre à lui, mais elle rit trop. Il entoura sa taille de son bras, l'attira à lui et exécuta une valse exagérée.

Ils finirent par s'écrouler sur son lit en riant. Et c'est à cet endroit qu'ils passèrent le reste de l'après-midi, allongés sur son vieux petit lit à rire et à parler. Parfois, ils s'embrassaient, mais en gros, ils ne restèrent qu'allongés ensemble.

L'humeur s'assombrit quand Alex lui dit combien il était inquiet au sujet de son ami Luke. Ils n'avaient pas été si proches, mais il avait toujours bien aimé Luke. Sans regarder Gemma, Alex admit d'un ton embarrassé que cela l'effrayait qu'une personne puisse simplement disparaître comme ça, sans laisser de trace.

Gemma fit du mieux qu'elle put pour le réconforter, tenant sa main et lui assurant que tout finirait bien.

Après cela, Alex tenta d'alléger les choses. À la grande déception de Gemma, il passa un t-shirt, mais c'était probablement mieux ainsi, car elle trouvait cela difficile de se concentrer, quand il n'en portait pas.

Il la divertit avec des histoires de son adolescence maladroite, lui racontant des anecdotes qui la firent tellement rire qu'elle en eut mal au ventre. Pour le lunch, il leur fit des sandwichs de beurre d'arachides et des croustilles, qu'ils mangèrent aussi dans son lit, éparpillant des miettes partout sur ses draps Transformers.

À un moment, il s'excusa pour les draps, insistant sur le fait qu'il les avait depuis qu'il avait onze ans et qu'ils étaient en bon état, alors il ne voyait pas de raison de s'en débarrasser. Gemma sourit et hocha la tête, mais en se disant que le fait qu'il soit aussi intello était en quelque sorte mignon.

Pendant un moment, ils demeurèrent simplement allongés, ne disant pas grand-chose. Ils étaient couchés l'un près de l'autre, regardant le plafond, mais ils glissèrent doucement l'un vers l'autre, de sorte que leurs côtés se touchèrent. Alex tint sa main et parfois la serra si fermement qu'elle put sentir leurs pulsations dans leurs doigts battre au même rythme.

Elle roula sur elle-même, se blottissant plus près et déposant la tête sur sa poitrine. Il plaça le bras autour d'elle, la tenant contre lui. Il embrassa le dessus de sa tête, puis respira profondément.

— Tu sens toujours l'océan, dit-il la voix calme.

— Merci.

Il la serra encore plus fort contre lui, mais c'était une bonne étreinte. Cela la fit sentir encore plus en sécurité.

— Je ne sais pas ce qui se passe avec toi et je ne sais pas pourquoi tu ne peux pas m'en parler. J'aimerais que tu le puisses. Mais peu importe de quoi il s'agit, je serai là pour toi. Peu importe ce que tu traverses, je suis là. Je veux que tu le saches.

Gemma ne dit rien. Elle ferma simplement les yeux et s'agrippa à Alex aussi fermement qu'elle put. À cet instant, elle fit le serment que rien au monde n'allait l'éloigner de lui, pas même des sirènes ou d'antiques malédictions.

CHAPITRE 18

Découvertes

Le mur entre elles était presque visible. Chaque fois que Harper tentait de parler à sa sœur, Gemma se fermait, peu importe de quoi il s'agissait. Gemma ne voulait simplement rien lui dire.

Après sa discussion avec Daniel sur son bateau, Harper voulait aborder leur relation sous un angle différent, mais c'était comme si Gemma ne voulait d'aucune sorte de relation.

Même quand Brian rentra à la maison, son attitude ne s'améliora guère. La conversation lors du repas fut laborieuse et tendue. La triste vérité était que cela fut un soulagement lorsque Gemma s'excusa et alla dans sa chambre.

Harper était en congé le lendemain, alors elle amena Gemma à sa pratique de natation. La voiture de Gemma était encore en panne, et avec son récent comportement, Brian n'avait pas l'intention de la réparer bientôt. Mais elle ne semblait pas trop s'en soucier. Mais là encore, Gemma ne semblait pas se soucier de grand-chose dernièrement.

Après avoir déposé Gemma, Harper fit quelque chose qu'elle ne croyait jamais faire : elle fouilla dans les choses de Gemma. D'une certaine façon, Harper espérait presque trouver de la drogue. Cela expliquerait au moins ce qui se passait.

Mais mis à part une étrange écaille verte de poisson emmêlée dans ses draps, Harper ne trouva rien. En ce qui concernait sa chambre, Gemma était normale.

Gemma ne lui parlait peut-être plus, mais elle devait parler à quelqu'un. En soupirant, Harper alla chez le voisin pour parler au garçon qu'elle considérait encore comme l'un de ses meilleurs amis.

— Allô, fit Harper, quand Alex ouvrit la porte avant.

Il s'appuya contre l'embrasure de la porte, son t-shirt moulant sa large poitrine d'une manière à laquelle Harper n'était pas encore habituée. Alex avait toujours été grand et dégingandé jusqu'à leur dernière année, où il avait eu une soudaine poussée de croissance miraculeuse, et même si Harper ne s'en souciait pas, du moins pas de la manière dont Gemma ou d'autres filles de l'école avaient commencé à s'en soucier, c'était encore bizarre pour elle qu'Alex soit si séduisant.

Heureusement, Alex ne semblait pas s'en apercevoir. Il n'avait pas compris qu'il était passé de rat de bibliothèque à canon, et c'était une bonne chose. Harper ne croyait pas qu'elle aurait pu continuer à être amie avec lui, s'il avait laissé tomber ses nuits à jouer à des jeux vidéo pour courir après des meneuses de claques.

— Allô, répondit-il. Gemma n'est pas ici.

— Je sais. Elle est à sa pratique de natation.

Harper se balança d'avant en arrière sur la pointe des pieds.

— Wow. Je viens de prendre conscience comme c'est triste.

— Quoi? demanda Alex.

— Les seules fois où nous parlons maintenant sont quand je cherche ma sœur.

Elle se frotta la nuque et détourna les yeux.

— Ouais, je suppose que tu as raison, acquiesça-t-il.

— Est-ce que je peux être honnête avec toi?

— J'ai toujours cru que tu l'étais.

— C'est bizarre pour moi que tu sortes avec ma petite sœur, admit Harper, ses mots sortant d'un seul trait. Enfin, je ne t'ai jamais aimé, pas de cette façon, tu le sais. Mais... tu étais mon ami, et c'est ma sœur cadette. Et maintenant, tu t'intéresses à elle.

Elle secoua la tête.

— Je ne sais pas. C'est étrange pour moi.

— Ouais.

Il enfouit les mains dans ses poches et baissa les yeux vers les marches.

— Je sais. Et on dirait que j'aurais dû t'en parler avant de l'inviter à sortir.

— Non, non.

Harper fit un geste de la main.

— Tu n'avais pas besoin de ma permission ou quoi que ce soit. C'est juste que... je me sens bizarre de traîner avec toi quand Gemma n'est pas là. Comme si je la trahissais, en quelque sorte.

— Non, je comprends.

Il hocha la tête.

— Parce que tu es une fille, même si tu es une fille qui ne m'a jamais intéressé.

— Voilà. Ouais. Je suis contente que tu comprennes.

— Ouais, moi aussi.

— Mais… je crois que le problème, c'est que tu es mon ami.

Harper joua avec la bague autour de son doigt, la faisant tourner.

— Et je veux qu'on redevienne amis.

Alex la fixa, l'air dérouté pendant un moment.

— Je ne savais pas que nous avions cessé de l'être.

— Nous n'avons pas arrêté, pas réellement, mais ça fait des lustres qu'on n'a pas traîné ensemble, dit-elle. Je crois que la dernière fois, c'est juste après la remise des diplômes, et ça fait des semaines.

— Alors… tu me demandes de traîner avec moi ? demanda Alex.

— Oui.

Elle hocha la tête une fois.

— C'est ça.

— Comme maintenant ?

— Si tu n'es pas occupé.

— Je ne le suis pas.

Il recula.

— Tu veux entrer ou quoi ?

— En fait, veux-tu faire une promenade ? J'aurais vraiment besoin d'air frais.

— Euh, bien sûr. Ouais.

Il regarda autour de lui, comme s'il avait oublié quelque chose, puis il sortit et ferma la porte derrière lui.

— Allons-y.

Ils marchèrent presque deux pâtés de maisons entiers avant qu'un d'entre eux dit quelque chose. Harper essaya à quelques reprises, mais elle ne réussit qu'à faire des sons et à cligner des yeux vers le soleil. Elle avait cru qu'une promenade rendrait les choses plus aisées, car il y aurait du mouvement pour les distraire.

En réalité, elle ne comprenait pas pourquoi les choses étaient aussi inconfortables entre eux. Elle tenait partiellement responsable Alex, puisqu'il était gêné dans des situations normales. Mais une grande part était aussi de sa faute. Elle se sentait nerveuse avec lui.

— Alors, finit par dire Harper, comment se déroule ton été ?

— Bien, je suppose.

Il secoua la tête.

— Enfin, mis à part ce qui est arrivé à Luke.

— Oh, ouais.

Elle fit une grimace et lui jeta un regard, essayant de voir jusqu'à quel point cela l'attristait, mais il garda les yeux baissés vers le trottoir.

— J'en ai entendu parler. Je suis désolée.

— Tu n'as pas de raison d'être désolée. Ce n'est pas ta faute.

Il donna un coup de pied dans une pierre.

— Je me sens simplement horrible pour sa famille.

— Ouais, je comprends. Ça doit être vraiment difficile.

— Sa mère m'a appelé en pleurant mardi, me demandant si je savais quoi que ce soit, puis les policiers m'ont questionné le lendemain.

Alex ne dit rien pendant un moment, alors Harper tendit la main et toucha doucement son épaule.

— Je ne savais pas quoi leur dire. Je ne sais pas où il est.

Alors qu'il marchait avec Harper, sa chevelure sombre tombant sur son front, il avait le même air que lorsqu'il avait douze ans et que son chien adoré s'était fait frapper par une voiture. Sous sa nouvelle apparence séduisante, il était le même gentil Alex.

Harper eut un pincement de culpabilité au cœur. Dès qu'elle avait su que Luke avait disparu, elle aurait dû parler à Alex pour savoir comment il allait. Mais elle avait été trop absorbée par ses problèmes et avait ignoré son plus vieil ami.

— Je suis réellement désolée, répéta Harper, mais cette fois, elle s'excusait de ne pas avoir été là pour lui.

— Ça va. Je suis certain qu'il reviendra.

Alex prit une profonde respiration. Puis, il lança un regard vers Harper, se forçant à sourire.

— Et toi ? Comment se passe ton été ?

— Euh, assez bien, dit-elle, mais elle ne fut pas certaine si c'était la vérité ou non.

Jusqu'à présent, tout avait paru plutôt chaotique.

— Vois-tu quelqu'un ? demanda Alex.

— Pardon ?

La question la surprit, et elle trébucha sur une fente du trottoir, car elle ne faisait pas attention.

— Pourquoi est-ce que je verrais quelqu'un ?

— Je ne sais pas.

Il haussa les épaules.

— Gemma a parlé d'un gars sur un bateau.

— Pardon ?

Harper détourna rapidement les yeux, espérant qu'Alex n'avait pas remarqué la couleur de ses joues.

— Daniel ? Non, ce n'est... c'est... non. Pas question. Enfin, je pars dans quelques mois. Et avec tout ce qui se passe avec Gemma, je n'ai pas de temps pour ça. Alors, non, je ne vois personne.

— Oh.

Il marqua une pause.

— Ouais. Ça a du sens.

— Ouais.

Harper se mâchouilla la lèvre et tourna sa bague encore.

— Comment... hum, comment vont les choses entre toi et Gemma ?

— Bien.

Il hocha la tête.

— Super.

— Heureuse d'entendre ça.

Elle poussa un long soupir et regarda le ciel, souhaitant que quelques nuages arrivent pour affaiblir le soleil.

— En fait...

Il cessa de marcher et regarda Harper.

— Honnêtement, je n'ai aucune idée de la manière dont vont les choses avec Gemma.

— Vraiment ? demanda Harper, espérant ne pas trop avoir l'air avide d'information. Pourquoi ? Que veux-tu dire ?

— Je ne sais pas.

Il passa une main dans ses cheveux et secoua la tête, puis recommença à marcher.

— Je ne devrais probablement pas te parler de ça.

— Non ! Enfin, bien sûr que tu peux.

Elle se pressa, afin de le rattraper.

— Nous sommes amis.

— Tu promets de ne rien lui dire ? demanda Alex.

— Je promets. Nous ne nous parlons pas vraiment, en ce moment, alors ça ne devrait pas être trop difficile.

— Vous êtes en dispute ? questionna Alex, paraissant sincèrement bouleversé par cette nouvelle. Je suis désolé d'entendre ça. Je ne savais pas.

— Non, nous ne sommes pas en dispute exactement. Je crois qu'elle est juste…

Harper fit un geste de la main.

— Peu importe ce que je pense. Tu me parlais de toi et elle.

— Oh, ouais, exact.

Avant qu'Alex puisse ajouter quelque chose, Harper pointa vers un sentier traversant le parc menant à la forêt.

— Allons de ce côté. Il fera plus frais.

C'était une épaisse forêt de cyprès et d'érables. Le sentier la traversant n'en était pas un officiel de randonnée, mais un fait par les jeunes faisant un raccourci vers la baie. Il menait directement à l'eau, alors la quantité d'insectes était bien pire, mais cela en valait la peine pour se retrouver au soleil.

— Le problème de Gemma, c'est que…

Alex secoua la tête et sembla chercher les bons mots.

— Elle me plaît. C'est vrai. Réellement.

Harper hocha la tête alors qu'ils pénétrèrent sous les arbres.

— Je sais.

— Et je crois que je lui plais. En tout cas, j'en suis presque certain.

— Non, de toute évidence, tu lui plais.

— Vraiment?

Sa tête se leva brusquement, et il sourit un peu, paraissant soulagé.

— Bien.

— Tu ne le voyais pas?

Harper eut un petit sourire en coin.

— Eh bien, voilà. Parfois, je lui plais manifestement. Et d'autres fois, c'est comme si elle n'était pas là.

Il regarda Harper.

— Tu vois ce que je veux dire? Elle est là, mais son esprit se trouve à des kilomètres.

— Ouais, je vois exactement ce que tu veux dire.

— Et maintenant, toute cette histoire avec ces filles étranges.

Il secoua la tête.

— Elle ne veut pas me dire ce qu'elle fabrique avec elles ou pourquoi elle continue de traîner avec elles.

— Elle ne veut pas te le dire? demanda Harper, ne prenant pas la peine de dissimuler sa déception.

— Non.

Il la regarda.

— Elle ne te le dit pas non plus?

— Non, elle ne me dit rien, tu te rappelles?

— Oh, ouais. Et ces filles sont tellement... effrayantes.

— Je sais, acquiesça Harper, se souvenant de la manière qu'elles avaient abandonné Gemma sur le rivage. Je le dis, elles sont mauvaises.

— Je n'en doute pas. Et Gemma n'est pas mauvaise. Vraiment pas. Alors, je ne comprends pas ce qu'elle fait.

— Je sais! Ça n'a aucun sens!

Harper était excitée d'avoir quelqu'un avec qui parler de tout cela, quelqu'un qui connaissait Gemma et qui la comprenait autant elle.

— J'aimerais simplement que tout ceci ne se passe pas maintenant.

— Que veux-tu dire?

— Je pars à la fin du mois d'août pour l'école, et à ce moment, il n'y aura que Gemma et mon père. Elle devient étrange et insensée, et bientôt, je ne serai plus là pour gérer tout ça.

Alex ne dit rien, probablement parce que Harper venait de lui rappeler que son temps avec Gemma était limité, lui aussi.

Alors que le sentier s'approchait de la baie, la quantité d'insectes devint plus grande, grouillant autour d'eux. Harper agita la main, essayant de les chasser.

— La quantité d'insectes est ridicule, cette année, commenta Alex, et Harper approuva.

Les arbres commencèrent à bourdonner d'insectes. Puis, Harper les vit. De grosses mouches noires tournoyaient en un nouage hors du sentier, là où des fougères et des herbes avaient envahi un endroit rocailleux près de l'océan.

— Pouah, grogna Alex. C'est quoi, cette odeur?

— Je ne sais pas.

Elle plissa le nez.

— On dirait... du poisson en décomposition, mais pas exactement.

Elle avait en fait commencé à légèrement sentir quelque chose dès qu'ils étaient entrés dans la forêt, mais elle n'en avait pas fait de cas. Lors de chaudes journées comme aujourd'hui, il n'était pas inhabituel de capter l'odeur de poissons avariés provenant des docks.

Mais maintenant, la puanteur était pénible à supporter.

Harper cessa d'avancer, mais Alex fit encore quelques pas avant de s'arrêter et se retourner vers elle. Les mouches étaient plus nombreuses, et ils les chassaient avec leurs mains.

— C'est dégoûtant, dit Harper en se penchant pour éviter d'avaler des insectes. Je crois que je préfère avoir chaud et être en sueurs plutôt que d'avoir tous ces insectes. Faisons demi-tour.

— D'accord, bonne idée.

Il commença à marcher pour la rejoindre, mais s'arrêta brusquement.

— Quoi? demanda-t-elle.

Il fixa le sol, apparemment figé. Les insectes bourdonnant autour de lui ne semblaient même pas le déranger. Harper était sur le point de le questionner à nouveau, mais il s'inclina et prit quelque chose sur le sol. Petit et vert, cela se trouvait sur le bord du sentier, en de ténus morceaux dans la terre et donc à peine visible.

— Qu'est-ce que c'est? questionna Harper en s'approchant de lui.

Alex brossa la saleté, afin que Harper puisse voir. Elle ne comprenait toujours pas de quoi il s'agissait exactement, mis à part que cela ressemblait à une bague, mais les mains d'Alex se mirent à trembler.

— C'est une bague de la *Lanterne verte*.

Il la fit tourner dans la lumière.

— Luke l'a demandée à ses parents plutôt qu'une bague de fin d'études. Il ne l'enlève jamais.

— Peut-être l'a-t-il perdue en se promenant ? proposa Harper, tentant d'atténuer ses craintes.

— Il ne l'enlève *jamais*, répéta Alex en commençant à observer les environs. Il était ici. Quelque chose de terrible lui est arrivé ici.

— Nous devrions appeler les policiers.

Elle chassa une autre mouche, mais Alex leur était maintenant insensible.

Ses yeux étaient braqués sur un nuage de mouches situé à quelques mètres du sentier. Il tourna et s'y dirigea, indifférent aux sumacs vénéneux et aux ronces recouvrant le sol de la forêt.

Malgré ses réserves, ou plus probablement à cause d'elles, Harper suivit Alex. Dès qu'il avait trouvé la bague, elle l'avait senti au fond de son ventre : un malaise. Tout comme Alex, elle avait immédiatement su que quelque chose n'allait pas, que Luke n'allait pas bien.

Alex s'arrêta dès qu'il le vit, mais pour une raison qu'elle ne comprit pas, Harper fit encore quelques pas, comme si elle voulut mieux voir. En fait, elle ne voulait pas du tout voir. Elle voulut oublier dès qu'elle le vit, mais c'était déjà gravé dans sa mémoire, prêt à hanter ses cauchemars pour des années à venir.

Luke était allongé à quelques mètres, ou du moins Harper crut qu'il s'agissait de Luke selon la touffe de cheveux roux sur sa tête. Ses vêtements étaient brun foncé de sang. Il y en avait tellement qu'il s'accumulait sur certains endroits, faisant plutôt penser à de la confiture séchée qu'à du sang.

Son visage et ses membres semblaient intacts, mis à part les insectes le recouvrant. Une grosse larve blanche sortit en rampant de sa bouche, et ses paupières closes bougèrent à cause des créatures grouillantes sous elles.

Il était ouvert de la poitrine à l'aine. La première pensée de Gemma fut qu'on aurait dit qu'une grenade avait explosé en lui. À cause de toutes les larves, elle ne put pas bien voir pour en être certaine, mais il semblait que tous ses organes intérieurs manquaient.

Il y avait un autre corps presque à côté de lui, mais en bien pire état, étant là depuis apparemment plus longtemps. Les insectes et les animaux s'en étaient déjà pris à lui, mais d'après ce que Harper put voir, il semblait avoir été laissé dans le même état que Luke, tout son torse déchiré.

Quelques mètres plus loin, Harper vit une jambe sortant des herbes. S'il n'y avait pas eu la vieille basket Reebok sur le pied, elle n'aurait pas été certaine qu'il s'agissait d'une jambe. Elle aurait simplement cru qu'il s'agissait d'une branche pourrie.

Le plus inquiétant est qu'elle aurait pu rester là toute la journée, observant les corps, si Alex n'avait pas tourné les talons pour détaler vers le sentier.

— Alex, cria Harper en courant derrière lui.

Dès qu'il arriva au sentier, il se pencha et vomit. Son propre estomac vacilla, mais elle réussit à le retenir. Elle se tint près d'Alex et frotta son dos. Même après qu'il eut terminé de vomir, il demeura plié pendant un moment.

— Désolé.

Il s'essuya la bouche avec le bras et se releva.

— Je ne voulais pas contaminer la scène de crime.

— C'est probablement une bonne idée.

Elle hocha la tête.

— Nous devrions aller chercher des secours.

Ils commencèrent par marcher vers le sentier, mais se mirent rapidement à courir à toutes jambes. Ils coururent jusqu'au commissariat du centre-ville, comme s'ils pouvaient distancer la mort.

CHAPITRE 19

Issue

Gemma s'était rendue à sa pratique de natation, car elle avait décidé d'essayer cette vie. Avoir passé l'après-midi avec Alex avait confirmé sa conviction qu'elle ne pouvait pas encore abandonner tout ça. Elle devait au moins essayer de trouver une manière de faire en sorte que cela fonctionne.

Mais elle avait eu de la difficulté à dormir. Elle était demeurée allongée, à se tourner et se retourner toute la nuit. L'océan l'appelait, presque comme une chanson. Les vagues l'attiraient, et il lui avait fallu toute son énergie pour ignorer leur attraction.

Le matin, Levi avait été dur avec elle concernant ses absences aux pratiques cette semaine, mais son temps avait été si bon qu'il ne put trop la punir. Mais maintenant, nager dans la piscine était beaucoup moins plaisant qu'avant.

Le chlore irritait sa peau. Cela ne lui donnait pas de démangeaisons, mais elle pouvait presque le sentir frotter contre sa peau, comme du jute grattant contre elle. Elle avait hâte que la pratique se termine.

Grâce à sa vitesse fantastique, elle réussit à convaincre son entraîneur de la laisser partir plus tôt. Comme Harper l'avait déposée le matin, elle avait probablement prévu de revenir la prendre aussi. Mais Gemma ne voulait pas. Elle avait besoin de voir les sirènes.

Le problème était qu'elle ne savait pas exactement où traînaient les sirènes. Gemma imagina que la mer devait les appeler comme elle l'appelait, alors elles ne devaient pas être trop loin de la baie.

Harper était en congé aujourd'hui, et Gemma n'avait aucune idée de ce qu'elle avait planifié, alors elle devait se faire discrète en ville. Il était difficile de passer inaperçu, mais elle essaya d'éviter les lieux de prédilection habituels où se rendait Harper, comme la bibliothèque et les docks.

En se dirigeant vers l'eau, Gemma tomba sur les sirènes. Elle avait eu l'intention de passer par les cyprès et jusqu'à la rive rocheuse, là où il n'y avait pas trop de gens, et ainsi pouvoir nager dans la crique. Mais elle ne se rendit qu'à la plage.

Il faisait chaud, alors la plage était bondée, tant par des touristes que des gens du coin. Mais les sirènes n'étaient pas difficiles à repérer. Gemma se trouvait sur la colline gazonnée derrière la plage, regardant en bas vers la baie, et elle put aisément voir les trois filles dans la foule.

Elles portaient toutes un bikini, exposant leurs généreux atouts. Penn était étendue sur le ventre sur une serviette de plage. Lexi était assise, appuyée sur les coudes, flirtant avec un garçon plus vieux se tenant devant elle. Comme d'habitude, Thea semblait ennuyée par tout ceci et lisait un exemplaire écorné de *Salem*, allongée sur un transat.

Gemma dut fendre la foule de la plage pour les atteindre, même si elle réalisa qu'elle n'eut pas à forcer trop. Les gens s'écartaient devant elle, comme ils semblaient toujours le faire devant Penn et ses amies.

Les gens avaient déjà commencé à la traiter comme l'une des sirènes, comme si sa place était auprès d'elles.

— Tu caches le soleil, dit Penn sans lever les yeux.

Gemma se tint devant elle, faisant de l'ombre sur son dos.

— Je dois te parler.

Gemma croisa les bras et les fixa.

— Hé, Gemma.

Lexi se tourna pour la regarder en se servant de sa main comme visière pour se protéger du soleil.

— Tu es splendide, aujourd'hui.

— Merci, Lexi, lâcha Gemma avec indifférence tout en demeurant concentrée sur Penn. Est-ce que tu m'as entendue ?

— Ouais, tu dois parler.

Penn n'avait toujours pas bougé de sa serviette.

— Alors, vas-y. Parle.

Gemma jeta un regard autour. Les gens étaient occupés à leurs activités, comme se faire bronzer, lire ou fabriquer des châteaux de sable, donc ce n'était pas comme s'ils étaient assis là à observer les sirènes. Mais les gens étaient trop près, trop collés les uns sur les autres, pour ignorer les sirènes trop longtemps. Ils les regardaient de temps à autre.

— Pas ici, dit Gemma en baissant la voix.

— Alors, on parlera plus tard, lui répondit Penn.

— Non. Je dois te parler *maintenant*.

— Eh bien, je suis occupée *maintenant*.

Penn avait fini par lever la tête et la fusillait du regard.

— Alors, ça devra attendre, n'est-ce pas?

— Non.

Gemma secoua la tête.

— Je ne vais nulle part sans que tu viennes avec moi.

Thea soupira bruyamment.

— Penn, va donc lui parler. Nous n'aurons pas la paix tant que tu n'iras pas.

— Si j'y vais, nous y allons toutes.

Penn lança un regard vers Thea, qui pouffa et roula les yeux.

— D'accord. Je crois que nous avons terminé ici, alors.

Thea ferma son livre et l'enfouit brutalement dans son sac de plage.

— Allez, Lexi, on emballe tout.

— Quoi?

Lexi sembla troublée.

— Est-ce que nous reviendrons?

Quand Thea commença à se lever, elle agita la main.

— Non, on va revenir. Quelqu'un pourrait simplement surveiller nos choses.

Elle se tourna vers le garçon plus âgé, qui était maintenant assis près d'elle.

— Serais-tu un amour et surveillerais-tu nos choses jusqu'à notre retour? Nous ne devrions pas être trop longues.

— Ouais, certainement, pas de problème.

Il sourit avec empressement à Lexi et hocha la tête.

— Merci.

Lexi lui rendit son sourire, puis se leva et enleva le sable de ses jambes.

— D'accord. Je suis prête.

Penn et Thea s'étaient levées plus lentement que Lexi, et Penn les guida hors de la plage. Une demi-douzaine de garçons les saluèrent lorsqu'elles passèrent, mais seule Lexi répondit. Gemma, qui captait l'attention de certains mâles, n'était pas habituée à tant d'intérêt. Elle découvrit que cela ne lui plaisait pas.

Elles allèrent vers un endroit rocailleux, s'avançant dans la baie, pas vraiment jusqu'aux cyprès, mais suffisamment loin pour être hors de vue de la foule sur la plage.

Dès qu'elles arrivèrent, Thea enleva le bas de son bikini et sauta dans l'eau. De l'endroit où elle se tenait, Gemma ne put voir ses jambes se transformer en queue, mais elle savait tout de même que cela s'était produit.

— On va aussi faire une petite baignade ? suggéra Lexi en descendant son propre bas de bikini.

— Non, je ne veux pas me baigner, mentit Gemma. Je veux juste parler.

Le bas du bikini de Lexi se trouvait juste en dessous de ses hanches, et elle s'arrêta, son regard allant de Gemma à Penn. Penn fixa Gemma pendant une minute, se demandant ce qu'elle allait faire.

— Vas-y et nage, dit Penn à Lexi sans la regarder. Je vais rester et parler avec Gemma.

— D'accord.

Lexi parut hésitante, mais elle enleva son bas de bikini et glissa dans l'eau. En un instant, elle disparut dans la baie, nageant avec Thea.

Gemma regarda du coin de l'œil, mais essaya de ne pas fixer. Il lui était difficile d'être aussi près de l'océan et de ne pas nager. Les vagues clapotant contre les pierres étaient comme de la musique, chantant pour elle.

Les vagues la convoquaient, appelant ses cellules. Son être entier aspirait à être dans l'eau, mais elle devait parler à Penn. Elle ne pensait pas qu'elle le pourrait, si elle pataugeait dans la baie.

— Alors, de quoi voulais-tu parler? demanda Penn, appuyée contre un gros rocher derrière elle.

— Pour commencer, comment tolérez-vous *ça*?

Gemma fit un geste vers l'océan près d'elles et tira sur son lobe d'oreille.

— Ça me rend folle.

— Tu veux dire la mélodie de l'eau?

Penn eut un sourire suffisant devant le désarroi de Gemma.

— La mélodie de l'eau?

— La musique que tu entends en ce moment, la manière dont l'océan chante pour toi? C'est la mélodie de l'eau. Elle nous rappelle à la maison, et c'est pour cette raison que nous ne pouvons jamais être trop loin de l'océan.

— Donc, ça n'arrête jamais?

Gemma tourna une mèche de cheveux autour de son doigt en lançant un regard noir vers les vagues.

— Non, ça n'arrête jamais, admit Penn quelque peu tristement. Mais ça devient plus aisé à ignorer, quand tu n'as pas faim.

— Je n'ai pas faim, insista Gemma. J'ai mangé ce matin.

Penn haussa une épaule et regarda l'eau.

— Il y a différentes sortes de faim.

— Écoute, je veux te parler de quelque chose que tu as dit.

— Je l'assume.

Penn observa Thea et Lexi pataugeant loin du rivage, puis se retourna vers Gemma.

— Es-tu prête à te joindre à nous ?

— Voilà le problème.

Gemma secoua la tête.

— Je ne veux pas me joindre à vous.

— Donc, tu veux mourir, alors ?

Penn leva un sourcil nonchalamment.

— Non, bien sûr que non. Mais il doit y avoir une issue. Il doit bien y avoir quelque chose d'autre que je peux faire.

— Non. Il n'y en a pas, dit simplement Penn. Dès que tu as pris le breuvage et t'es transformée, tu es captive. Tu es une sirène, et la seule issue est la mort.

— Mais ce n'est pas juste.

Gemma serra les poings, car il n'y avait rien d'autre qu'elle pouvait faire pour soulager sa frustration.

— Comment as-tu pu me faire ça ? Comment as-tu pu me transformer sans même me demander ce que je voulais ? Tu ne peux pas me forcer à être cette… cette *chose*.

— Oh, je peux. Et je l'ai fait.

Penn se redressa et fit un pas en direction de Gemma.

— C'est trop tard. Tu es une sirène, que tu aimes ça ou non.

— Pourquoi as-tu fait ça ? demanda Gemma, des larmes de colère piquant ses yeux.

— Parce que je te voulais.

La voix de Penn était froide et dure.

— Et je fais ce que je veux.

— Non.

Gemma secoua la tête.

— Tu ne peux pas faire ça. Tu ne peux pas m'avoir. Je suis une personne. Tu ne peux pas me forcer à être quelque chose simplement parce que tu le veux !

— Chérie.

Penn sourit

— Je l'ai déjà fait.

Gemma voulait la frapper, mais elle garda les mains près d'elle. Elle avait le sentiment que Penn était beaucoup plus dangereuse qu'elle le paraissait et elle ne voulait pas vraiment enflammer sa colère, du moins pas encore.

— Je ne crois pas que tu en sais autant que tu crois en savoir.

— Comme quoi ?

Penn rit sèchement.

— Tu as dit qu'il n'était pas possible pour les garçons de réellement aimer une sirène, commença Gemma. Mais Alex tient à moi, la moi *réelle*.

Les yeux de Penn étincelèrent violemment, et son sourire s'évanouit.

— Ça ne fait que démontrer à quel point tu es jeune et stupide, siffla-t-elle. Alex a quoi, dix-sept ans ? Dix-huit ans ? C'est un adolescent avec des hormones en ébullition. Tu crois qu'il se soucie de *toi* ?

Elle rit sombrement.

— Regarde-toi ! Tu es magnifique, et c'est tout ce qui compte pour lui.

— Tu ne le connais pas et tu ne *me* connais pas.

Gemma la fusilla du regard.

— Tu as choisi la mauvaise fille. Je vais trouver une issue. Je vais défaire ta stupide malédiction et je vais me libérer.

— Tu es tellement ingrate !

Penn secoua la tête, agitant ses longs cheveux noirs autour d'elle.

— Une malédiction ? C'est tout ce que tu as toujours voulu, Gemma. Je t'ai vue. L'eau t'a appelée tout au long de ta vie.

Elle s'avança si près qu'elle se tint juste devant Gemma.

— Je t'ai donné tout ce que tu voulais. Tu devrais me remercier.

— Je n'ai pas demandé ça ! répliqua Gemma. Et je n'en veux pas !

— Fichtrement dommage.

Penn se détourna d'elle, retournant vers le rocher.

— Tu ne peux pas la défaire ! Tu as bu la potion. Maintenant, tu es une sirène jusqu'au jour de ta mort.

— Potion ?

Gemma secoua la tête.

— Quelle potion ? Qu'est-ce que c'était ?

— Le sang d'une sirène, le sang d'un mortel et le sang de l'océan, récita Penn.

— Le sang de l'océan ?

— Ce n'est que de l'eau. Déméter a toujours aimé le spectaculaire, particulièrement en composant les règles de la malédiction.

— Alors, qu'est-ce que le sang d'un mortel ? questionna Gemma. Est-ce que c'est des larmes ?

— Non, c'est du sang.

Penn la regarda comme si elle était idiote.

— C'était le sang d'Aglaopé et celui d'un humain.

— J'ai bu du *sang*?

L'estomac de Gemma se tordit, et elle plaça la main contre son ventre.

— Tu m'as trompée pour que je boive du sang? Quel genre de monstre es-tu?

— Ça s'appelle une sirène, tu te souviens?

Penn roula les yeux.

— Tu es tellement plus stupide que je l'ai cru. Peut-être ai-je fait une erreur avec toi. Peut-être as-tu raison, et je devrais te laisser mourir.

— Quel sang? demanda Gemma, faisant de son mieux pour ne pas vomir.

— Celui d'Aglaopé. Je te l'ai déjà dit.

— Non, le sang *humain*.

— Oh, est-ce que cela importe vraiment?

Penn haussa les épaules.

— C'était un humain.

— Comment l'as-tu eu? demanda Gemma.

— C'est tellement pénible.

Penn leva les yeux au ciel et secoua la tête.

— Je *déteste* transformer de nouvelles sirènes. Particulièrement les ingrates comme toi. C'est une perte de temps.

— Si tu détestes ça tant que ça, pourquoi l'as-tu fait?

— Je n'avais pas le choix. Nous devons être quatre.

Gemma ne put en prendre davantage. Elle s'inclina et commença à avoir des haut-le-cœur. La pensée d'avoir bu du sang ajouté à tout ce que Penn lui avait dit était trop, sans parler de la migraine qu'elle commençait à avoir à force de résister à la mélodie de l'eau.

— Oh, mon Dieu!

Penn soupira, observant Gemma tousser et vomir.

— Tu as déjà digéré le sang, d'où toute l'histoire de sirène. Que crois-tu être en train de vomir?

— Je n'essaie pas de vomir. La simple pensée d'être comme toi me rend malade.

Gemma se releva et s'essuya la bouche.

Penn plissa les yeux en la regardant.

— Tu es une telle erreur.

— Alors, dis-moi comment faire pour me sortir de ça! Dis-moi comment faire pour me retransformer!

— Je te l'ai déjà dit! grogna Penn. Tu dois mourir! C'est tout! Et si tu ne cesses pas d'être une salope ingrate, je serai heureuse de mettre un terme à ton malheur!

Avec les yeux emplis de larmes de frustration, Gemma secoua la tête. Elle repoussa les cheveux de son front et scruta l'océan. Les têtes de Thea et de Lexi sortaient à l'occasion de l'eau alors qu'elles nageaient.

— Alors, dis-moi comment faire pour vivre avec ça.

Gemma prit une profonde respiration et regarda à nouveau Penn.

— Tu as besoin d'une quatrième, et je ne veux pas mourir. Alors, dis-moi ce que je dois faire.

— Pour commencer, change d'attitude. Puis, tu pars d'ici et tu nous suis. Nous te montrerons quoi faire.

— Pourquoi dois-je partir? s'enquit Gemma.

— C'est préférable de ne pas rester au même endroit trop longtemps. Les choses ont tendance à devenir compliquées.

— Et ma famille? Et Alex?

— Nous sommes ta famille, maintenant, lui expliqua Penn, sa voix frôlant la gentillesse. Et Alex ne t'aime pas et ne t'aimera jamais.

— Mais...

Une larme glissa sur la joue de Gemma, et elle l'essuya.

— Ce n'est pas sa faute et ce n'est pas ta faute. Il ne peut *pas*, Gemma. Ce n'est pas possible pour un mortel d'aimer une sirène. Je suis désolée.

Penn laissa échapper un long soupir.

— Mais voilà, lorsqu'on vit suffisamment longtemps et voit suffisamment de choses, on apprend qu'il est impossible pour un mortel de véritablement aimer quelqu'un. Savoir cela t'épargnera bien des chagrins d'amour.

— Comment te croire? demanda Gemma. Tu m'as trompée et forcée dans tout ceci. Comment savoir que ce que tu dis est vrai?

— Tu ne peux pas, admit Penn avec un haussement d'épaules. Mais qui d'autre peux-tu croire? Qui d'autre sait quoi que ce soit sur les sirènes?

Gemma comprit amèrement que Penn avait raison. Pour le meilleur ou pour le pire, elle avait été placée dans une situation où elle n'avait pas beaucoup d'options. Cela n'avait pas été son choix. Ce n'était pas ce qu'elle voulait. Mais elle devait en tirer le meilleur. Elle pouvait encore faire de bonnes choses, même si Penn l'avait acculée dans un coin.

Du brouhaha dans les cyprès à proximité les déconcentra. Des voix pressantes résonnèrent dans la baie avec le son statique d'une radio. C'était assez loin pour que Gemma ne puisse pas bien voir, mais elle put distinguer des mouvements et des uniformes bleus comme ceux de policier.

— Qu'est-ce qui se passe? appela Thea, attirée sur la rive par les bruits provenant de la forêt.

— Est-ce que ce sont des policiers? demanda Lexi, flottant près de Thea.

— Nous devrions partir, claqua Penn en marchant vers l'océan. Tu devrais venir avec nous, Gemma.

— Euh…

Gemma détourna les yeux de ce qui se passait dans la forêt et regarda où se tenait Penn près de l'eau.

— Non. Du moins, pas encore.

Penn fit la moue.

— Comme tu veux. Mais nous ne serons ici que pour quelques jours encore. Après, nous serons parties.

— Allez, Penn, l'appela Thea en s'éloignant du rivage. Nous devons partir d'ici.

— Bye, Gemma!

Lexi lui fit un signe de la main.

— Bye.

Gemma lui retourna son signe de la main, mais Lexi avait déjà plongé sous l'eau.

Gemma observa Penn s'enfoncer dans l'eau. Elle s'arrêta, quand elle fut à sa taille, et Gemma put voir sa peau bronzée se transformer en écailles irisées scintiller sur ses hanches.

— Pour ce que ça vaut, je disais la vérité, dit Penn, puis plongea dans l'eau et s'éloigna à la nage.

Gemma demeura sur le rivage pour un petit moment, examinant les vagues, mais les sirènes ne refirent pas surface. La mélodie de l'eau noya presque le son des hommes dans la forêt, mais elle ne voulut pas vraiment les entendre, de toute façon.

Elle finit par réussir à s'éloigner de la baie et marcha jusqu'à sa maison. Elle n'était pas encore certaine de ce qu'elle devait faire : mourir ou se joindre à elles. Aucune des options ne semblait acceptable.

Comme elle arrivait chez elle, une voiture de police se gara devant. Son cœur se mit à tambouriner. Avec de grands yeux, elle vit un agent en sortir et ouvrir la portière arrière. Harper et Alex sortirent du siège arrière, et cela finit de l'abasourdir.

Harper avait un bras autour d'Alex, et celui-ci avait le visage livide.

— Que s'est-il passé ? demanda Gemma en se précipitant vers eux.

— Nous avons trouvé Luke, dit doucement Harper.

— Il est mort.

Alex s'éloigna de Harper et enlaça Gemma. Elle l'enveloppa de ses bras, l'étreignit étroitement contre elle et put sentir ses larmes sur son épaule.

CHAPITRE 20

Tenir le coup

Harper s'appuya sur l'évier de la cuisine et regarda par la fenêtre la maison d'Alex. Il était secoué depuis qu'ils avaient retrouvé les corps la veille, et Gemma avait passé presque tout son temps chez lui.

Brian et Harper croyaient qu'il était préférable pour Gemma d'être avec lui plutôt que punie à l'étage dans sa chambre. Alex avait besoin d'elle.

— Comment tiens-tu le coup ? demanda Brian assis à la table de la cuisine en train de boire une tasse de café derrière Harper.

— Bien, mentit Harper.

Des cauchemars l'avaient réveillée trois fois avant qu'elle s'abandonne entièrement au sommeil. Afin de se tenir occupée, elle avait fait tout le lavage et réarrangé le garde-manger avant que Brian se lève, à 8 h.

— Es-tu certaine ? questionna Brian.

— Ouais.

Elle se tourna vers son père et se força à lui sourire pour le rassurer.

— Je ne connaissais pas si bien Luke.

— Peu importe. Voir quelqu'un dans cet état peut ébranler.

— Ça ira.

Elle tira une chaise et s'assit devant lui.

Brian avait étalé le journal devant lui, comme chaque samedi matin. Les corps découverts dans la forêt faisaient la une, alors il avait délibérément séparé cette page du reste du journal et l'avait jetée avant que Harper puisse la voir.

Se penchant par-dessus la table, Harper prit les mots croisés. Brian commençait toujours à remplir la grille, mais abandonnait après avoir trouvé seulement un ou deux mots. Il fit rouler le stylo sur la table, et elle l'en remercia.

— Donc, on va faire semblant que rien n'est arrivé? demanda Brian en sirotant son café.

— Je ne fais semblant de rien.

Harper tira ses genoux vers sa poitrine, afin de s'y appuyer pendant qu'elle remplit les mots croisés.

— Quelque chose d'horrible s'est produit. Je n'ai simplement pas grand-chose à dire sur le sujet.

— Est-ce que je t'ai déjà raconté comment Terry Connelly est mort? la questionna Brian.

— Je ne sais pas.

Elle fit une pause, réfléchissant.

— Je me rappelle quand ça s'est passé, mais je n'avais que cinq ou six ans à l'époque. C'était un accident sur les docks, c'est ça?

— Ouais.

Il hocha la tête.

— Une palette pesant plusieurs centaines de kilos est tombée du chariot élévateur et s'est abattue sur lui. Ça l'a renversé et a atterri sur son estomac. J'étais juste à côté de lui, quand c'est arrivé, et il était encore vivant, alors je me suis assis avec lui jusqu'à ce que l'ambulance arrive.

— Je ne savais pas ça.

Harper déposa le menton sur ses genoux et le regarda parler.

— Nous n'étions pas amis, mais nous travaillions ensemble depuis des années, et je ne voulais pas qu'il soit seul, dit Brian. Quand l'équipe de secours est enfin arrivée, elle a soulevé la palette, afin de le sortir. Tous ces organes étaient entassés sur les côtés. On pouvait voir ses intestins écrasés sur le fond de la palette, pendouillant comme un ver.

— Oh, mince, papa.

Harper grimaça.

— Pourquoi me dis-tu ça?

— Je ne te raconte pas ça pour te dégoûter, lui assura-t-il. Ce que je veux te dire, c'est que c'était horrible. D'une certaine façon, la palette qui l'étouffait le gardait en vie, je crois, car dès qu'elle a été enlevée, il est mort.

— Je suis désolée, dit-elle, ne sachant pas quoi dire d'autre.

— J'en ai fait des cauchemars pendant des semaines après. Tu aurais pu le demander à ta mère, si elle s'en souvenait encore.

Il s'avança, appuyant les bras sur la table.

— J'étais un homme, quand c'est arrivé, et ce n'était qu'un monstrueux accident. Personne n'avait été tué ou laissé en décomposition dans la forêt, et ça m'a quand même bouleversé pendant un bon moment.

— Papa.

Elle soupira et s'adossa à sa chaise.

— Je ne peux pas imaginer ce que tu traverses, chérie, dit doucement Brian. Mais je sais que tu traverses quelque chose. Et il est correct de l'admettre. Il est correct d'avoir mal et d'être effrayé, parfois.

— Je sais. Mais je vais bien.

— Je sais que tu ne veux pas toujours me parler, mais j'espère que tu parles à quelqu'un.

Il prit une gorgée de son café.

— Vas-tu chez Alex aujourd'hui ?

— Non, Gemma y est.

— Et alors ? Il est ton ami aussi. Tu peux être avec lui quand Gemma est là.

— Je sais, mais...

Elle haussa les épaules.

— Tu peux encore être son amie, même s'il a une petite amie.

Brian marqua une pause.

— Est-ce que Gemma est sa petite amie ?

— Je ne sais pas.

Elle secoua la tête.

— Je crois, oui.

— Hum.

Il plissa le front.

— Je suppose qu'il y a de plus mauvais garçons qu'Alex.

— Oui, c'est vrai, acquiesça-t-elle.

— Et toi ?

— Et moi quoi ?

— Fréquentes-tu quelqu'un ?

— Papa, grogna Harper en se levant de table.

— Harper, grogna à son tour Brian.

— Pourquoi tout le monde est-il si intéressé par ma vie amoureuse tout à coup ?

Elle alla au frigo et prit le jus d'orange.

— Pas que j'aie une vie amoureuse, car ce n'est pas le cas.

Tout en se versant un verre de jus, elle murmura :

— Personne ne me plaît.

— Tout le monde s'intéresse à ta vie amoureuse ? demanda Brian. Qui ça, tout le monde ?

— Je ne sais pas. Toi. Alex.

Elle se tortilla et engloutit son jus, afin de ne pas en dire davantage.

— Je sais que nous sommes samedi, mais je ne crois pas que j'irai voir maman aujourd'hui.

— D'accord.

— Gemma est assez prise aujourd'hui, mais peut-être qu'elle voudra voir maman demain.

Harper lança un regard vers la maison d'Alex.

— Je ne sais pas. Ou peut-être pas. Je vais probablement y aller demain, même si elle ne veut pas.

— D'accord.

Brian hocha la tête.

— Bien. C'est bon pour vous de voir votre mère.

— Tu sais, il serait probablement bon pour toi aussi de la voir, dit prudemment Harper, et il se raidit visiblement à sa suggestion.

La sonnette de la porte retentit, leur évitant une autre discussion embarrassante au sujet de Nathalie. Aucun des deux n'aimait vraiment parler d'elle, encore moins ensemble, mais dès que son nom était mentionné, ils se sentaient contraints d'en parler.

— J'y vais, dit Harper, même si elle était encore en pyjama et que Brian était habillé.

Elle crut que c'était peut-être les policiers. Ils avaient dit qu'ils viendraient, s'ils avaient d'autres questions, mais Alex et elle n'avaient pas pu leur en dire beaucoup. Ils ne savaient rien, mis à part l'endroit où les corps avaient été trouvés.

À la place des policiers, elle trouva Daniel sur le pas de sa porte. Il lui sourit, et elle ne fit rien d'autre que de rester là tenant la porte, bouche bée de surprise.

— Désolé. Est-ce que je te réveille ? demanda Daniel. Si je te dérange, je peux y aller…

— Non, hum, ça va.

Harper secoua la tête et prit soudainement conscience qu'elle ne portait qu'un débardeur et un caleçon court pour femme. Elle croisa les bras sur sa poitrine.

— J'étais réveillée.

— Bien.

Il se gratta le bras et la fixa.

— Est-ce que je peux entrer ?

— Oh, c'est vrai, ouais. Oui. Bien sûr.

Elle recula, afin qu'il puisse entrer, alors maintenant, ils purent se regarder d'un air embarrassé dans l'entrée plutôt que sur le pas de la porte. Elle finit par lâcher :

— Que fais-tu ici ?

— Oh, hum, j'ai entendu ce qui s'est passé pour ton ami.

De la sympathie emplit ses yeux noisette.

— Celui qui avait disparu, et je voulais t'offrir mes condoléances.

— Oh. Merci.

Elle lui sourit faiblement.

— Je suis passé à la bibliothèque pour voir si tu travaillais, expliqua Daniel. Je voulais m'assurer que tu tenais le coup, car tu semblais plutôt bouleversée, quand tu as découvert qu'il avait disparu.

— J'ai congé les samedis, dit Harper plutôt que de répondre à comment elle tenait le coup.

— C'est ce que la fille qui travaille m'a dit. C'était une fille revêche avec une frange raide.

Il mit la main devant son front, afin de montrer où sa frange arrêtait, juste au-dessus des sourcils.

— C'est Marcy.

— La collègue que tu ne peux pas laisser sans surveillance ? fit Daniel.

— Ouais.

Elle rit un peu, surprise que Daniel eût prêté attention et se souvînt de cela.

— C'est elle.

— Elle m'a dit où tu habitais, et j'espère que ce n'est pas trop étrange que je passe. Je peux y aller, si tu veux.

Il fit un geste vers la porte près de lui.

— Non, non. Ça va. Et je sais où tu habites, alors c'est équitable, non ?

— Je suppose.

Il sourit, l'air soulagé.

— Comment vas-tu ?

— Bien.

Elle haussa les épaules.

— Harper ?

Brian appela et sortit de la cuisine.

— Qui est-ce ?

— Papa, c'est, euh, Daniel.

Harper fit un geste vers lui.

— Daniel, voici mon père, Brian.

— Bonjour, Monsieur.

Daniel tendit la main, et Brian l'examina avec hésitation pendant qu'ils se serrèrent la main.

— Tu me sembles familier, dit Brian. Est-ce que je t'ai déjà vu quelque part ?

— Vous m'avez probablement vu sur mon bateau, *La mouette crasseuse*. Il est amarré aux docks.

— Oh.

Brian le scruta, tentant de voir d'où il le connaissait.

— Est-ce que ton grand-père était Darryl Morgan ?

Daniel hocha la tête.

— C'était mon grand-papa.

— C'était mon contremaître sur les docks, se souvint Brian. Nous avons perdu un bon gars, quand il est décédé.

— C'est certain, acquiesça Daniel.

— Tu venais sur les docks avec lui, n'est-ce pas ? Mais tu n'étais pas plus haut que…

Brian tint sa main à la hauteur de sa hanche, mais maintenant, Daniel mesurait quelques centimètres de plus que Brian.

— Et aujourd'hui, tu es un adulte.

Il lança un coup d'œil à Harper.

— Et tu rends visite à ma fille.

— Papa, dit Harper doucement en lui lançant un regard.

— D'accord. Eh bien, ça m'a fait plaisir de te revoir, fit Brian. Mais je crois que je vais aller dans le garage pour travailler sur la voiture de Gemma.

Il les contourna et se dirigea vers la porte avant, mais s'arrêta en l'ouvrant.

— Mais je serai juste dehors, si vous avez besoin de moi. Avec de lourds outils.

— Papa ! claqua Harper.

— Amusez-vous, les enfants, dit Brian en disparaissant par la porte.

— Désolée pour ça, lâcha Harper quand il fut parti.

— Ça va, dit Daniel avec un sourire en coin. On dirait que tu n'as pas beaucoup de prétendants.

— Est-ce que tu insinues que *tu* es un prétendant ? demandant Harper en levant un sourcil et le regardant.

— Je n'insinue rien du tout, dit-il, mais il lui sourit d'une manière qui lui fit détourner les yeux.

— Est-ce que tu veux quelque chose à boire ? demandant-elle en se dirigeant vers la cuisine. J'ai fait du café il y a peu de temps.

— Un café serait parfait.

Daniel la suivit dans la cuisine. Harper prit deux tasses du placard et les emplit de café. Quand elle tendit la sienne à Daniel, il s'assit à la table de la cuisine, mais elle demeura debout, préférant s'appuyer contre le comptoir pour boire son café.

— C'est un très bon café, dit Daniel après en avoir pris une gorgée.

— Merci. C'est du Folgers.

— Alors.

Il déposa sa tasse sur la table.

— Tu ne m'as jamais dit comment tu allais.

— Ouais, j'ai dit que j'allais bien.

— Ouais, mais c'était un mensonge.

Il pencha la tête, l'observant.

— Comment vas-tu réellement ?

Harper pouffa et détourna le regard en souriant nerveusement.

— Comment sais-tu que c'est un mensonge ? Et pour-quoi mentirais-je ?

Elle secoua la tête.

— Pourquoi n'irais-je pas bien ? Je veux dire, je ne connaissais que l'un d'eux et je ne le connaissais pas réellement.

— Tu es une *horrible* menteuse. Honnêtement. Tu es l'une des pires que j'ai rencontrées. Chaque fois que tu émets quelque chose qui n'est pas vrai, tu dis n'importe quoi et évites tout contact visuel.

— Je...

Elle voulut protester, puis soupira.

— Pourquoi ne veux-tu pas reconnaître comment tu te sens réellement ? demanda Daniel.

— Ce n'est pas que je ne veux pas.

Elle baissa les yeux vers son café entre ses mains.

— C'est que... je n'ai pas l'impression que j'ai le droit de me sentir mal.

— Pourquoi n'as-tu pas le *droit* de te sentir mal ? Tu as le droit de te sentir comme tu veux.

— Non, je ne peux pas.

Elle eut soudainement envie de pleurer.

— Luke était... Je le connaissais à peine. Ses parents ont perdu un fils. Alex a perdu un ami. Ils l'aimaient.

Ils ont perdu quelque chose. Ils ont le droit de se sentir épouvantables.

Elle secoua la tête, comme si ce n'était pas du tout cela qu'elle voulait dire.

— Nous avons échangé quelques baisers maladroits et bâclés l'automne dernier, et ensuite, je l'ai comme rabroué.

Elle se mâchouilla la lèvre, essayant de ne pas pleurer.

— Enfin, c'était un gentil garçon. Je n'avais simplement pas ce genre de sentiment pour lui.

— Parce que vous vous êtes fréquentés et que ça s'est terminé, tu n'as pas le droit de te sentir mal ?

— Peut-être.

Elle secoua la tête.

— Je ne sais pas.

— D'accord. Essayons ceci. Oublions ce que tu devrais ressentir ou non. Pourquoi ne me dis-tu pas exactement comment tu te sens et ce à quoi tu penses en ce moment ?

— Ce n'est pas...

Harper déglutit péniblement, comptant ignorer la question de Daniel, puis elle changea d'idée.

— Je ne peux arrêter de penser à son visage, quand nous l'avons découvert. Il y avait un asticot rampant sur sa lèvre.

Inconsciemment, elle fit courir un doigt sur ses lèvres.

— C'étaient des lèvres que j'ai embrassées. Et je n'arrive pas à retirer de mon nez l'odeur de ces corps. Peu importe le nombre de douches que je prends ou la quantité de parfum que je porte, je n'arrête pas de le sentir.

Sa voix se durcit, et ses yeux s'emplirent de larmes.

— C'est ses lèvres et son visage que je vois, mais son corps était tout lacéré.

Elle fit un geste vers sa poitrine.

— Il était ouvert, et... je n'arrête pas de penser à quel point il devait être effrayé.

Des larmes coulèrent sur ses joues.

— Il a dû être terrifié, quand c'est arrivé. Ils ont dû tous l'être.

Daniel se leva de la table et s'avança vers elle. Il se tint devant elle et plaça les mains sur ses bras, mais elle ne voulut pas le regarder. Elle fixa un point sur le plancher en pleurant.

— Nous l'avons vu ce jour-là, poursuivit Harper. Le jour où il a disparu, au pique-nique. Et je n'arrête pas de me dire que si je l'avais invité à traîner avec nous, il serait encore en vie. Quand je l'ai vu, j'étais contrariée, car les choses étaient étranges entre nous maintenant. Et il était un gentil garçon! Si je l'avais...

Elle se mit alors à sangloter, ses mots se noyant dans ses larmes. Daniel prit sa tasse de ses mains et la déposa sur le comptoir derrière elle. Il tendit les bras et, presque avec hésitation, la tira vers lui, l'étreignant.

— Ce n'est pas ta faute, lui dit Daniel pendant qu'elle pleurait sur son épaule. Tu ne peux pas sauver tout le monde, Harper.

— Pourquoi pas? demanda-t-elle, ses mots étouffés.

— C'est ainsi que le monde fonctionne.

Harper se permit de pleurer un peu plus longtemps, se sentant à la fois reconnaissante et honteuse d'avoir les bras de Daniel autour d'elle. Quand elle se fut suffisamment calmée, elle se libéra et s'essuya les yeux. Il ôta ses bras, mais demeura devant elle, dans le cas où elle aurait besoin de lui.

— Désolée, dit-elle, pressant les mains sur ses joues pour essuyer ses larmes.

— Ne le sois pas. Je ne le suis pas.

— Eh bien, tu n'as aucune raison d'être désolé. Tu n'agis pas en parfaite imbécile.

— Toi non plus.

Il repoussa une mèche de cheveux de son front, et elle le laissa faire, mais elle ne voulut pas le regarder.

— Et je sais que tu as raison. Enfin, je sais que ce n'est pas ma faute.

Elle renifla.

— Mais je n'arrive pas à cesser de penser à cette journée au pique-nique. Nous l'avons vu cet après-midi-là, et il a disparu le même soir. Si j'avais simplement dit : « Hé, pourquoi ne traînes-tu pas avec nous ? » plutôt que de le laisser partir avec cette fille…

— Tu ne peux pas te martyriser comme ça. Il n'y a aucune façon que tu aurais pu savoir.

— Oui, j'aurais pu.

Ses yeux s'agrandirent, quand elle réalisa quelque chose, et elle leva les yeux vers lui.

— La dernière fois que j'ai vu Luke vivant, il partait avec Lexi.

— Qui est Lexi ? questionna Daniel.

— L'une de ces filles très belles et très effrayantes.

— Alors, il a quitté le pique-nique avec cette Lexi, puis a disparu ? demanda Daniel. As-tu dit cela aux policiers ?

— Non, enfin, oui.

Elle secoua la tête.

— Je leur ai dit ce que je savais, mais ça ne semblait pas très important. Il est rentré chez lui après le pique-nique et a mangé avec ses parents. C'est après ça qu'il est parti, puis a disparu. Mais il est bien parti avec Lexi pendant un petit moment.

— Tu crois que Lexi, Penn et cette autre fille ont un quelconque lien avec les meurtres ? C'est ça que tu sous-entends ?

— Je ne sais pas, dit Harper, puis changea d'idée. Oui. C'est ça. Je crois qu'elles ont un lien.

— Au risque de passer pour sexiste, j'aimerais dire qu'elles ne sont que des filles.

Il s'éloigna légèrement de Harper, comme s'il s'attendait à ce qu'elle le frappe, mais elle n'en fit rien.

— Je sais que nous sommes dans un nouveau millénaire, qu'il y a l'égalité des droits et que les filles peuvent autant être des tueuses en série que les garçons. Mais ces trois filles n'ont pas l'air d'avoir la force dans le haut du corps pour, tu sais, éviscérer quelqu'un.

— Je sais, mais...

Elle plissa le front.

— Elles sont mauvaises et elles ont quelque chose à voir là-dedans. Je ne comprends peut-être pas encore comment, mais je le sais.

Daniel l'observa pendant un moment, réfléchissant, puis hocha la tête.

— Non. Je te crois. Maintenant, que fait-on ?

— Je ne sais pas.

Elle soupira.

— Mais je ne laisserai plus Gemma les approcher. Je vais l'attacher à son lit, s'il le faut.

— Ça me semble raisonnable.

— Aux grands maux les grands moyens.

— Où est Gemma? demanda Daniel.

— Chez Alex.

Harper fit un geste vers la maison voisine.

— Elle le réconforte.

— Donc, nous savons qu'elle est en sécurité et qu'on prend soin d'elle? questionna Daniel, et elle hocha la tête. Bien. Alors, pourquoi ne faisons-nous pas quelque chose que tu veux faire?

— Comme quoi?

— Je ne sais pas. Qu'aimes-tu faire?

— Euh...

Son ventre gronda, car pleurer lui avait toujours creusé l'appétit.

— J'aime prendre le petit déjeuner.

— C'est tellement incroyable, dit Daniel en souriant, car j'aime faire du pain perdu.

— Tout s'arrange bien, n'est-ce pas?

De concert, Harper et Daniel préparèrent le petit déjeuner. Son père entra, quand il sentit l'odeur de cuisson, et les trois mangèrent ensemble. Cela aurait pu être quelque peu gênant, mais ce ne fut pas le cas. Daniel fut respectueux et amusant, et Brian sembla l'apprécier.

Elle sut que lorsque Daniel partirait, son père aurait plein de questions sur la nature de leur relation, qu'elle n'était pas prête à répondre. Mais cela en valait quand même la peine.

CHAPITRE 21

Île

Se retrouver sur l'île fit surgir des souvenirs. Cela faisait beaucoup trop longtemps que Harper ou son père avait rendu visite à Bernie McAllister, alors quand Brian l'invita à se joindre à lui cet après-midi-là, elle accepta avec entrain.

Comme Gemma était encore chez Alex, il n'y avait qu'eux deux, ce qui était un peu dommage, puisque Gemma avait aussi toujours bien aimé Bernie. Mais pour être juste, Harper n'avait jamais été vraiment certaine si elle aimait le vieil homme ou simplement son île.

Brian avait emprunté un bateau à un ami pour s'y rendre. Il accosta sur le quai de Bernie, lequel était presque invisible parmi les cyprès chauves poussant dans l'eau. Il y avait un étroit sentier menant au hangar à bateaux, mais sinon, l'île était presque envahie de cyprès et de Pinus taeda. Les arbres géants au-dessus d'eux étaient presque plus grands que la largeur de l'île.

— Hé! cria Bernie.

Harper protégea ses yeux des vifs rayons du soleil qui réussissaient à traverser le feuillage, mais ne parvint pas à voir Bernie nulle part.

— Bernie? appela Brian.

Il enjamba le bateau pour monter sur le quai, puis aida sa fille à faire de même.

— Je croyais bien que c'était vous qui arriviez, dit Bernie, et Harper le vit enfin trotter sur le sentier en faisant un signe de la main. Je n'attendais personne aujourd'hui, mais c'est une belle surprise.

— J'ai essayé de téléphoner, dit Brian, mais le numéro ne fonctionnait pas. As-tu encore un téléphone ici?

Bernie chassa cette idée de la main.

— Les tempêtes le mettaient toujours hors service, alors je m'en suis débarrassé.

— Nous ne nous imposons pas, n'est-ce pas? demanda Harper tandis que son père et elle avançaient sur le quai à la rencontre de Bernie. Nous ne voulons pas vous déranger.

— Me déranger? Ha!

Bernie la taquina dans son accent cockney britannique

— Ce n'est jamais un dérangement que d'avoir de la visite d'une jolie fille comme toi.

Il lui fit un clin d'œil, faisant rire Harper.

— Et toi, vieil homme, tu n'es pas si mal non plus.

— Alors, comment vont les choses, Bernie? questionna Brian.

— Je ne peux pas me plaindre, mais je le fais quand même.

Bernie fit demi-tour, afin de les mener loin du quai, et fit un large geste en direction des arbres les entourant.

— Venez. Je vais vous montrer ce que j'ai fait de l'endroit. Des choses ont changé, depuis la dernière fois où vous êtes venus.

Rien n'avait l'air bien différent, selon Harper qui suivait Bernie sur le vieux sentier menant à la maison. Tout sentait encore le pin et le lierre sauvage, de la même manière dont elle se souvenait. Pendant que Bernie et son père parlaient de toutes les choses qu'ils avaient faites depuis la dernière année, Harper flâna plus lentement derrière eux, admirant l'endroit de son enfance.

Depuis qu'elle avait environ douze ans, l'âge où son père commença à se sentir à l'aise à la laisser seule à la maison et responsable de Gemma, elles étaient venues de moins en moins demeurer avec Bernie, mais avant, cela avait été une maison loin de la maison.

Harper fut certaine que si elle cherchait, elle trouverait le fort que Gemma et elle avaient construit à l'aide de branches et de vieux bois au fond, derrière la cabane de Bernie. Elles l'avaient solidifié avec des clous et du bois, et Bernie avait promis de toujours le laisser là pour elles.

Quand ils arrivèrent à sa cabane, elle nota qu'elle paraissait plus usée que dans son souvenir, mais elle tenait remarquablement bien pour son âge. Des vignes couvraient un côté, Bernie ne les taillant qu'autour des fenêtres.

Tandis que Bernie les menait derrière la cabane, Harper découvrit enfin ce qu'étaient les « grands changements »; il avait commencé un potager. Un énorme rosier couvert de grosses fleurs violettes poussait au centre. C'était sa femme qui l'avait planté juste avant de mourir, et jusqu'à ce qu'il possède un potager, c'était la seule plante dont il prenait vraiment soin.

— Ouah, Bernie, s'exclama Brian, un peu surpris par la grande quantité de tomates, poivrons verts, concombres, carottes, radis et laitues que Bernie avait dans sa cour.

Le potager avait presque la même dimension que sa cabane.

— Il y en a beaucoup, n'est-ce pas ?

Bernie sourit fièrement.

— Je les vends au marché. Ça m'occupe pendant ma retraite. Tu sais à quel point ma vie peut être extravagante.

— C'est impressionnant, admit Brian, mais si tu es à court d'argent, tu sais que...

Bernie leva la main, l'arrêtant avant qu'il puisse en dire davantage.

— Je sais que tu as deux filles à t'occuper et je n'ai jamais accepté d'aumône de ma vie.

— Je sais.

Brian hocha la tête.

— Mais si jamais tu as besoin de quelque chose, tu peux toujours compter sur moi.

— Bah.

Bernie secoua la tête, puis pénétra dans son potager, frottant ses mains ensemble.

— Que dirais-tu d'un rutabaga ?

Pendant que Brian et Bernie discutaient des légumes que Brian aimerait ramener à la maison, Harper se dirigea vers les arbres, espérant apercevoir son vieux fort. Venir ici était comme d'entrer dans Térabithia.

Certains de ses meilleurs souvenirs d'enfance étaient associés à Gemma et elle courant à travers ces arbres, habituellement parce qu'elles étaient poursuivies par un monstre inventé. Presque chaque fois, c'était Gemma qui se retournait pour affronter le monstre.

Harper était celle inventant les jeux, expliquant à Gemma avec plusieurs détails à qui ressemblait le hideux ogre et qu'il voulait deux jeunes filles pour moudre et faire son pain.

Mais Gemma était toujours celle qui vainquait l'ogre, grâce à un bâton qui était en fait une épée magique ou en lui lançant des pierres. Elle ne courait que pendant un certain temps avant de s'arrêter et se défendre.

Pendant que Harper traversait les arbres, une brise se leva, mélangeant l'odeur de l'océan à celui des pins. Elle souffla aussi une plume, qui se dissimulait dans les arbres. Quand elle flotta près de Harper, elle se pencha et la ramassa.

La plume était étonnamment grande, faisant plusieurs centimètres de largeur et près d'un mètre de longueur. Elle était d'un noir profond, même le rachis la traversant en son centre.

— Ah, tu as trouvé une plume ! lança Bernie derrière elle, et elle se tourna, afin de le regarder.

— Vous savez d'où elle provient ? demanda Harper en la levant, afin qu'il puisse mieux voir la plume particulière.

— D'un sacré gros oiseau.

Bernie traversa prudemment son potager vers elle.

— Mais je ne sais pas de quel genre d'oiseau. Ça ne ressemble à rien que j'ai déjà vu.

— À quoi ressemble-t-il? s'enquit Harper.

— Je n'ai pas réussi à très bien le voir, mais je t'assure, il est énorme.

Il ouvrit les bras aussi grand qu'il put, en guise de démonstration.

— L'envergure des ailes était deux fois plus grande, lorsque je l'ai vu faire une approche au-dessus de la cabane. Le soleil se couchait, et au début, j'ai cru qu'il s'agissait d'un avion, mais les ailes battaient, et une plume est tombée.

— Je ne savais pas qu'il y avait de si gros oiseaux par ici, dit Brian, regardant Bernie pendant qu'il expliquait ce qu'il avait vu. On dirait un condor, peut-être.

— Ma vue n'est pas ce qu'elle a déjà été, je l'admets, mais même les bruits qu'ils font sont étranges, continua Bernie. Je les ai entendus partout sur l'île, pousser toutes sortes de gloussements bizarres. En premier, j'ai cru que les mouettes avaient appris à rire, mais ensuite, j'ai compris que ça n'avait pas beaucoup de sens.

— Peut-être as-tu découvert une nouvelle espèce d'oiseau, dit Brian avec un sourire. On pourrait la nommer l'«oiseau de Bernie», en ton nom.

— On peut toujours rêver!

Bernie éclata de rire.

Il retourna à son potager pour cueillir des légumes, oubliant la plume, et Harper alla l'aider. Quand ils eurent terminé, Bernie lui avait fait remplir une pleine brouette de produits qu'il pourrait vendre au marché.

Brian et Harper demeurèrent un peu plus longtemps, assis dans la cour à se remémorer le passé. Mais à la fin, Bernie sembla fatigué, alors ils s'excusèrent. Bernie les accompagna jusqu'au quai. Quand ils montèrent dans le bateau, il resta à leur faire des signes de la main pendant un très long moment.

CHAPITRE 22

Confessions

Dès le moment où Alex lui apprit que Luke était mort, Gemma sut que les sirènes avaient quelque chose à y voir. Durant la première heure qu'elle passa avec Alex après sa révélation, il lui fut difficile de ne pas vomir. Cela devait être le sang de Luke qu'elle avait bu, le sang du mortel que Penn avait utilisé dans la potion qui avait transformé Gemma en sirène.

Quand Alex lui expliqua où ils avaient découvert le corps, cela ne fit que confirmer ses craintes. C'était la raison pour laquelle Thea avait insisté pour qu'elles partent, quand les policiers avaient commencé à fouiller la forêt près de la baie.

Évidemment, Alex n'avait pas les mêmes soupçons que Gemma. Il essaya de spéculer sur ce qui était arrivé à Luke et aux garçons, mais il ne pouvait pas concevoir. Encore et encore, le regard vide, confus, il demanda :

— Pourquoi quelqu'un voudrait-il faire ça à un autre être humain ?

Gemma ne pouvait que secouer la tête, car en vérité, elle ne connaissait pas la réponse. Son intuition lui disait que ce n'était pas un autre humain qui avait fait cela, que c'était un monstre. Elle ne comprenait pas encore complètement ce qu'était une sirène, mais sans aucun doute, elles étaient mauvaises.

Le bon côté du fait de réconforter Alex était que cela ne lui laissait pas de temps pour penser à elle-même ou s'inquiéter si elle était mauvaise ou non. Toute son énergie se concentra à s'assurer qu'Alex allait mieux et le rendre le plus heureux qu'elle put.

Mis à part le moment où il lui avait annoncé la mort de Luke, Alex n'avait pas pleuré. La majeure partie du temps, il resta assis, la mâchoire crispée, les yeux dans le lointain. Gemma demeura avec lui jusqu'à très tard vendredi et toute la journée samedi.

Tard dans l'après-midi samedi, la tête couchée sur les cuisses de Gemma et elle lui caressant le dos, il murmura :

— Je suis incapable de cesser de le voir. Chaque fois que je ferme les yeux, je le vois.

— Quoi ? demanda Gemma. Que vois-tu ?

Mis à part qu'il avait trouvé les corps, Alex ne lui avait en fait pas dit grand-chose. Il refusa de lui donner des détails, secouant simplement la tête chaque fois qu'elle le pressa. Gemma ne savait même pas comment Luke était mort ou ce qui lui était arrivé.

— Je ne peux pas.

Sa voix était dure.

— Je n'arrive même pas à le mettre en mots. C'était la chose la plus horrible que j'ai vue.

Alex leva les yeux vers elle, fouillant son visage. Repoussant les cheveux de son visage, il força un mince sourire.

— Tu n'as pas besoin de savoir, lui dit-il. Tu n'as pas besoin d'avoir cette image gravée dans ta mémoire. Tu es beaucoup trop gentille pour avoir à gérer quelque chose d'aussi atroce.

— Ce n'est pas vrai.

— Oui, c'est vrai, insista-t-il. Et c'est une partie de la raison pour laquelle je…

Il humecta ses lèvres et scruta son regard.

— C'est pour ça que je suis en train de tomber amoureux de toi.

Gemma s'inclina et l'embrassa, partiellement pour s'empêcher de pleurer. C'est ce qu'elle avait voulu, ce qu'elle avait espéré, mais… elle ne pouvait l'avoir maintenant. Elle ne le méritait pas.

Ce qui avait traumatisé ainsi Alex, Gemma en faisait partie, peut-être pas encore complètement, mais elle devenait un monstre.

À quelques reprises, elle avait pensé parler à Harper ou à Alex au sujet des sirènes. Avant qu'elle découvre ce qu'elle était, Gemma avait été sur le point de raconter à Harper les choses étranges qu'elle vivait.

Maintenant, avec les meurtres et en sachant qu'elle leur était liée d'une quelconque façon, Gemma ne pourrait jamais en parler à Harper, à Alex ou à son père.

Mais il y avait une personne à qui elle pensait pouvoir parler, une personne dont le sens de la réalité était devenu si ténu qu'elle ne douterait jamais de l'histoire de Gemma : sa mère.

— Comment vont les choses avec Alex ? s'enquit Harper alors qu'elle les conduisait pour voir leur mère dimanche matin.

— Veux-tu dire dans notre relation ou comment il tient le coup en général ? demanda Gemma.

Elle était avachie dans le siège passager, regardant par la fenêtre à travers ses lunettes de soleil foncées.

— Euh, les deux.

Harper jeta un coup dans sa direction, comme si elle fut surprise que sa sœur eût tant parlé.

Elles avaient à peine parlé durant le trajet de vingt minutes vers le Briar Ridge, malgré les nombreuses tentatives de conversation de la part de Harper. Maintenant qu'elles étaient presque arrivées au foyer de groupe, Gemma commença à répondre par des phrases complètes.

— Bien, étant donné les circonstances. Pour les deux points.

Gemma tira sur ses oreilles, essayant d'atténuer la mélodie de l'eau. Elle semblait simplement s'amplifier, peu importe ce qu'elle tentait, et cela l'exaspérait.

— Eh bien, je suis heureuse que tu sois venue avec moi voir maman aujourd'hui, dit Harper. Je sais que ça t'a été difficile de te séparer d'Alex, mais maman aime te voir.

— À ce propos.

Gemma se tourna vers sa sœur alors qu'elles arrivaient devant le foyer de groupe.

— Je veux voir maman seule, aujourd'hui.

— Qu'est-ce que tu veux dire ?

Harper arrêta la voiture et regarda Gemma avec des yeux interrogateurs.

— J'ai besoin de lui parler seule.

— Pourquoi ? À quel sujet ?

— Si je voulais t'en parler, je n'aurais pas besoin de voir maman seule, fit remarquer Gemma.

— Eh bien...

Harper soupira et regarda par le pare-brise.

— Pourquoi as-tu entendu jusqu'à maintenant pour me le dire ? Pourquoi n'es-tu pas venue ici par toi-même ?

— Ma voiture est brisée, et je savais que tu ne me laisserais aller nulle part toute seule, expliqua Gemma. Du moins pas avec ta voiture. Je suis en fait un peu surprise que tu m'aies laissé marcher seule jusqu'à la maison d'Alex.

— Ne fais pas ça.

Harper secoua la tête.

— Ne me fais pas passer pour la méchante. Tu es celle qui se promène en faisant Dieu sait quoi avec ces horribles filles ! C'est ta faute, si l'on ne te fait pas confiance.

— Harper.

Gemma grogna et se cogna la tête sur le siège de la voiture.

— Je n'ai jamais dit que ce n'était pas ma faute.

— Tu agis de manière totalement dingue, dernièrement, poursuivis Harper comme si elle n'avait pas entendu ce que Gemma avait dit. Et en plus, il y a un tueur en série en liberté. Que suis-je censée faire ? Te laisser faire ce que tu veux ?

— Dieu ! Tu n'es pas ma mère, Harper ! claqua Gemma.

— Et elle l'est ?

Harper pointa en direction de la résidence. Gemma la regarda comme si elle était stupide.

— Euh, ouais, elle l'est.

— Peut-être qu'elle l'a été. Même si ce n'est pas sa faute, elle a dû abandonner. Mais qui t'a élevée les neuf dernières années? Qui t'a aidée avec tes devoirs? Qui s'inquiète toute la nuit à s'en rendre malade quand tu ne rentres pas, puis prends soin de toi quand tu as la gueule de bois et est amochée? interrogea Harper.

— Je ne t'ai jamais demandé de faire ces choses! cria en retour Gemma. Je ne t'ai jamais demandé de prendre soin de moi!

— Je sais que tu n'as pas demandé! hurla Harper en colère, comme si elle marquait un point.

Elle laissa échapper une respiration tremblotante. Quand elle parla à nouveau, sa voix était beaucoup plus douce.

— Comment se fait-il que tu puisses lui dire ce qui se passe avec toi et pas à moi?

Gemma baissa les yeux sur ses cuisses, tirant sur les bords effilochés de son short et ne dit rien. Il n'y avait aucun moyen qu'elle répondit à cette question sans dévoiler quelque chose. Elle ne pouvait pas mettre Harper au courant de ce qu'elle était devenue.

— Très bien.

Harper se cala dans son siège. Elle mit en marche la batterie de la voiture, afin d'ouvrir la radio.

— Vas-y. Dis à maman que je la salue. Je vais être ici, à attendre.

— Merci, dit doucement Gemma en sortant de la voiture.

Souvent, Nathalie sortait en courant pour les accueillir, quand elle voyait la voiture, mais pas aujourd'hui. C'était probablement un mauvais signe, mais Gemma avait besoin de parler à quelqu'un, et sa mère était la seule personne qui comprendrait.

Quand Gemma arriva à la porte avant, elle entendit déjà les cris de l'intérieur. Se dominant, elle frappa à la porte et attendit.

— Vous ne me laissez jamais rien faire !

Nathalie criait en arrière-plan, quand un membre du personnel ouvrit la porte.

— C'est une foutue prison !

— Oh, allô, Gemma !

Becky lui sourit faiblement. Becky n'était pas tellement plus âgée que Harper, mais elle travaillait à la résidence depuis les deux dernières années, alors elle était devenue assez habituée aux filles et à leur mère.

— Je ne croyais pas que vous veniez cette fin de semaine, puisque vous avez manqué hier.

— Comment est-ce qu'elle va aujourd'hui ? demanda Gemma, même si elle pouvait entendre comment allait sa mère.

Dans l'autre pièce, Nathalie jura et cogna bruyamment quelque chose.

— Pas trop bien. Mais peut-être pourras-tu lui remonter le moral.

Becky recula, afin que Gemma entre.

— Nathalie, ta fille est ici. Peut-être devrais-tu te calmer, afin de lui parler.

— Je ne veux pas lui parler ! claqua Nathalie.

Gemma tressaillit, puis se secoua. Elle enleva ses lunettes de soleil et avança dans la maison. Elle trouva Nathalie dans la salle à manger, devant la table et fusillant du regard le personnel de l'autre côté. Nathalie avait les pieds éloignés l'un de l'autre et les yeux fous, la faisant paraître tel un animal prêt à bondir.

— Nathalie, répéta Becky, la voix apaisante. Ta fille a fait tout ce chemin pour te voir. Tu pourrais au moins la saluer.

— Allô, maman.

Gemma fit un signe de la main, quand Nathalie lui jeta un coup d'œil.

— Gemma, fais-moi sortir d'ici, lança Nathalie, renvoyant son regard fâché au membre du personnel en face d'elle.

Elle saisit la chaise devant elle et la secoua, afin qu'elle frappe bruyamment le plancher.

— Fais-moi sortir d'ici !

— Nathalie !

Becky s'approcha d'elle, levant les mains, paumes vers le haut.

— Si tu veux une visite de ta fille, tu dois te calmer. Ce comportement n'est pas toléré, et tu le sais.

Nathalie s'éloigna de la chaise et croisa les bras sur sa poitrine. Ses yeux parcoururent la pièce, semblant être incapables de se concentrer sur quoi que ce soit tandis qu'elle réfléchissait à ce qu'elle ferait ensuite.

— Très bien.

Elle hocha la tête une fois.

— Gemma, allons dans ma chambre.

Nathalie courut pratiquement jusqu'à sa chambre, et Gemma la suivit. Becky l'avisa qu'elle devait bien se comporter, sinon sa fille allait devoir partir. Dès qu'elles furent dans sa chambre, Nathalie claqua la porte.

— Salope, marmonna Nathalie, quand la porte se ferma.

Habituellement, lors des visites de Gemma, la chambre de sa mère était plutôt propre, pas parce que Nathalie était soignée ou organisée, mais parce que les membres du personnel se mettaient sur son dos, si c'était trop en désordre. Aujourd'hui, la chambre était une zone sinistrée. Vêtements, CD, bijoux, tout était éparpillé dans la pièce. Sa chaîne stéréo était fracassée dans un coin, et son affiche adorée de Justin Bieber était déchirée en deux.

— Maman, que s'est-il passé aujourd'hui ? demanda Gemma.

— Tu dois me faire sortir d'ici.

Nathalie prit un sac à dos rose d'une pile au milieu du plancher et se promena dans la chambre, attrapant des vêtements et des babioles pour l'emplir.

— Tu as une voiture, n'est-ce pas ?

— Ma voiture est brisée.

Elle joua avec ses lunettes de soleil dans ses mains en observant sa mère essayer d'enfoncer un soulier Reebok à velcro dans son sac, même si celui-ci débordait déjà.

— Maman, je ne peux pas t'emmener d'ici.

Nathalie cessa instantanément ce qu'elle faisait, à moitié accroupie sur le sol avec le soulier et le sac dans les mains, et fusilla du regard sa fille.

— Alors, pourquoi es-tu venue ici, si tu ne m'emmènes pas ? Es-tu venue juste pour remuer le couteau dans la plaie ?

— Quel couteau ?

Gemma secoua la tête.

— Maman, je te visite chaque semaine. Je viens te voir et parler avec toi parce que tu me manques et que je t'aime. Nous venons habituellement les samedis, mais il s'est passé pas mal de choses à la maison.

— Alors, je dois rester ici ?

Nathalie se redressa et laissa tomber son sac et son soulier sur le plancher.

— Pour combien de temps ?

— Je ne sais pas. Mais c'est ici que tu habites.

— Mais ils ne me laissent rien faire ! se lamenta Nathalie.

— Tous les endroits ont des règlements, essaya de lui expliquer Gemma. Tu n'auras jamais le droit de faire tout ce que tu veux. Personne ne peut.

— Eh bien, c'est moche.

Elle parcourut la pièce du regard avec dégoût et donna un coup de pied dans un ourson en peluche que Gemma lui avait offert pour la fête des Mères.

— Écoute, maman, est-ce que je peux te parler ? demanda Gemma.

— Je suppose.

Nathalie soupira et alla vers son lit, où elle se laissa choir.

— Si je ne peux pas partir, aussi bien parler.

— Merci.

Gemma s'assit près d'elle.

— J'ai besoin de tes conseils.

— À quel sujet ?

Nathalie leva les yeux vers elle, intriguée que quelqu'un vienne la voir pour de l'aide.

— Beaucoup de choses se passent en ce moment, et tout est tellement fou.

Elle se mordilla la lèvre, puis regarda Nathalie.

— Crois-tu aux monstres ?

— Tu veux dire de vrais monstres ?

Ses yeux s'écarquillèrent, et elle s'approcha de Gemma.

— Ouais. Bien sûr que oui. Pourquoi ? Est-ce que tu en as vu un ? De quoi avait-il l'air ?

— En fait, je ne sais pas.

Gemma secoua la tête.

— Ça semble plutôt génial, mais je sais que ce n'est pas bien.

— Eh bien, à quoi ressemble le monstre ? interrogea Nathalie.

Elle tira les jambes sous elle, afin de s'asseoir en tailleur, devant Gemma.

— Je suppose que c'est comme une sirène.

— Une sirène ?

Nathalie ouvrit grand la bouche et ses yeux encore plus.

— Oh, mince, Gemma, c'est tellement génial !

— Je sais, mais...

Elle fit rouler ses épaules.

— Elles veulent que je me joigne à elles, que je sois une sirène comme elles...

— Oh, Gemma, tu dois le faire !

Nathalie la coupa avant qu'elle puisse terminer.

— Tu dois être une sirène ! Ce serait la chose la plus extraordinaire du monde ! Tu pourrais nager pour toujours ! Personne ne te dirait jamais quoi faire.

— Mais...

Elle déglutit péniblement et baissa les yeux vers ses lunettes de soleil dans ses mains.

— Mais je crois qu'elles font de mauvaises choses. Elles font mal à des gens.

— Les sirènes font mal à des gens ? demanda Nathalie. Comment ? Pourquoi font-elles ça ?

— Je ne sais pas. Mais je sais qu'elles le font. Je pense qu'elles sont peut-être mauvaises.

— Oh, non.

Nathalie mordilla l'ongle de son pouce, réfléchissant très sérieusement à l'histoire de sa fille.

— Donc, je crois que si je vais avec elles, je vais devoir faire mal à des gens.

Gemma leva les yeux, essayant de retenir ses larmes.

— Alors, ne va pas avec elles. Tu ne veux pas faire de mal à des gens ? N'est-ce pas ?

— Non, admit-elle. Vraiment pas. Mais... il y a ce garçon.

— Un garçon ?

Nathalie sourit largement et saisit le bras de Gemma.

— Il est mignon ? L'as-tu embrassé ? Est-ce qu'il ressemble à Justin ?

— Il est très mignon.

Gemma ne put s'empêcher de sourire, voyant sa mère l'observer tout excitée.

— Et nous nous sommes embrassés.

Nathalie couina de plaisir en entendant cela.

— Et je crois que nous nous plaisons vraiment beaucoup.

— C'est merveilleux !

Nathalie tapa des mains.

— Ouais, mais si je vais avec les sirènes, je dois le laisser derrière. Je ne pourrai plus te voir non plus. Je devrai partir pour toujours.

— Oh.

Elle plissa le front.

— Eh bien. Que se passerait-il, si tu restes ? Si tu ne pars pas avec les sirènes ?

— Je n'en suis pas certaine. Mais je crois…

Gemma prit une profonde respiration. Elle ne voulut pas dire à sa mère qu'elle allait mourir, car elle n'avait aucune idée de la manière dont Nathalie prendrait cette information.

— Quelque chose de terrible m'arriverait, conclut-elle.

— Donc…

Le visage de Nathalie se tordit de confusion alors qu'elle essayait de comprendre. Elle se mit à mordiller une longue mèche de cheveux.

— Si tu vas avec les sirènes, tu pourras nager pour toujours, mais tu ne pourrais plus me voir et tu aurais peut-être des choses vilaines à faire.

— C'est ça.

— Mais si tu ne vas pas avec elles, quelque chose de terrible t'arriverait ? questionna Nathalie, et Gemma hocha la tête. Si tu restes, est-ce que tu pourras encore me rendre visite et voir ce garçon qui te plaît ?

— Je ne sais pas.

Gemma secoua la tête.

— Je ne crois pas.

— Eh bien, je crois que tu sais ce que tu dois faire.

— Ah oui ?

— Ouais.

Nathalie hocha la tête.

— Tu dois aller avec elles.

— Mais je vais devoir faire mal à des gens, lui rappela Gemma.

— Peu importe.

Nathalie haussa les épaules.

— Tu n'auras pas mal. D'une manière ou d'une autre, tu ne pourras plus me voir ou ton petit ami. Alors, le choix se résume à être une sirène ou avoir mal. Tu ne peux pas avoir mal.

— Je ne sais pas.

Gemma détourna les yeux d'elle.

— Je ne crois pas que je pourrais faire du mal à des gens.

— Gemma, écoute-moi. Je suis ta mère.

Nathalie prit sa main et la serra avec insistance.

— Je ne peux plus prendre soin de toi. J'aimerais, mais je sais que je ne peux pas. Alors, tu dois prendre soin de toi-même.

Gemma prit une profonde respiration et hocha la tête.

— D'accord. Mais je ne pourrai probablement plus venir.

— Parce que tu seras une sirène ? demanda Nathalie.

— Ouais.

Gemma fit oui de la tête. Elle cligna les yeux, afin de refouler ses larmes. Puis, elle étreignit sa mère, sachant que c'était probablement la dernière fois qu'elle la voyait.

— Je t'aime, maman.

— Je t'aime aussi.

Nathalie l'étreignit aussi, mais seulement une seconde, car elle ne pouvait pas demeurer immobile très longtemps.

Quand Gemma partit, Nathalie dit à tout le personnel que sa fille partait pour devenir une sirène.

CHAPITRE 23

Paix

Si cela devait être sa dernière soirée à la maison, Gemma voulait en profiter au maximum. Elle n'avait pas encore décidé ce qu'elle allait faire exactement, mais elle savait qu'elle ne pouvait plus rester ici.

Même si elle ne l'éprouvait pas, Gemma fit du mieux qu'elle put pour paraître joyeuse et heureuse. Elle passa l'après-midi avec son père dans le garage à l'aider à réparer sa voiture. Ils ne réussirent jamais à la faire partir, mais cela n'importait pas vraiment. Elle ne voulait que passer du temps avec son père.

Pendant que son père se nettoyait, Gemma aida Harper à préparer le repas. Comme elle n'aidait presque jamais, Harper fut méfiante au début. Mais quand elle finit par voir que Gemma n'essayait pas de l'escroquer pour alléger sa punition pour bonne condition, elle se réjouit de l'idée.

Le dîner sembla être le premier repas familial depuis des siècles. Ils parlèrent et rirent tous les trois. Personne ne mentionna le comportement bizarre de Gemma ou le tueur en série en liberté laissant des garçons morts sur son sillage. Ces sujets traînaient comme des nuages noirs au fond de leur esprit, mais pour une soirée, ils les ignorèrent.

— Harper, je peux le faire, offrit Gemma lorsque Harper commença à emplir le lave-vaisselle.

Leur père s'était retiré dans le salon, repu des savoureuses côtelettes de porc, et Gemma et Harper restèrent dans la cuisine. Gemma rangea le restant de côtelettes et de pommes de terre rouges dans un contenant de plastique pendant que Harper nettoya la table.

— Non, ça va. Tu ranges le repas.

Harper rinça une assiette dans l'évier avant de la placer dans le lave-vaisselle et lança un regard étrange à Gemma.

— Qu'est-ce qui t'arrive ?

— Quoi ?

— Ceci.

Harper fit un geste de la main vers Gemma, l'aspergeant accidentellement au passage de quelques gouttes d'eau.

— Tu boudes depuis les dernières semaines. Aujourd'hui, tu es soudainement heureuse et utile ?

— Je suis habituellement heureuse, non ? demanda Gemma en plaçant les restes dans le frigo. Et je suis parfois utile. C'est que dernièrement, j'ai été bizarre. Alors, aujourd'hui, je suis de nouveau normale.

— D'accord ?

Harper leva un sourcil, comme si elle ne croyait pas tout à fait sa sœur.

— Qu'est-ce qui a changé ?

Gemma haussa les épaules et saisit une guenille humide dans l'évier. Elle alla à la table de la cuisine et entreprit de l'essuyer.

— Est-ce que c'est quelque chose que maman a dit? pressa Harper quand Gemma ne répondit pas.

— Pas réellement.

Gemma fit une pause, réfléchissant à la manière de formuler sa pensée.

— Je crois que j'ai compris que je devrais apprécier ce que j'ai.

— Ouais.

Harper termina d'emplir le lave-vaisselle et le mit en marche avant de se tourner vers sa sœur.

— Qu'est-ce que tu as?

— Que veux-tu dire?

Gemma avait terminé d'essuyer la table, alors elle poursuivit sur le comptoir.

— Tu as dit que tu appréciais ce que tu as. Qu'est-ce que tu as exactement?

— Eh bien, pour commencer, j'ai mes deux parents.

Gemma cessa de nettoyer le comptoir et s'y appuya.

— Ils sont tous les deux en vie et à peu de choses près en bonne santé, ce qui est plus que ce que beaucoup de gens peuvent dire. Je sais qu'ils m'aiment énormément tous les deux, et papa est même prêt à passer ses journées de congé à travailler inutilement sur ma voiture pourrie.

— Ouais, papa est un homme super. Et ta sœur? s'enquit Harper avec un sourire espiègle.

— Ma sœur est une autoritaire, madame-je-sais-tout, voulant tout régenter, dit Gemma, mais en lui souriant. Mais je sais qu'elle essaie seulement de me protéger et me tenir à un œil, car elle m'aime beaucoup, probablement trop.

— C'est vrai, admit Harper, envoyant à Gemma un regard entendu.

— Et parfois, ça me rend folle, mais au fond de moi, j'ai toujours su que je suis chanceuse d'avoir quelqu'un qui tient autant à moi.

Gemma baissa les yeux.

— J'ai été follement chanceuse d'avoir autant de gens qui tiennent à moi et d'être aussi privilégiée d'avoir autant de... autant de *tout*.

Gemma secoua la tête et lui sourit tristement.

— Je voulais seulement que tu saches que *je* sais que tu es géniale.

Pendant un moment elles restèrent là à se regarder. Les yeux de Harper devinrent humides, et pendant une horrible seconde, Gemma fut certaine qu'elle allait pleurer. Et si Harper pleurait, Gemma allait pleurer, et cela deviendrait un drame sanglotant, ce que Gemma ne voulait pas.

— Bref.

Gemma prit la guenille et recommença à nettoyer le comptoir.

— Pourquoi es-tu si étrange ? demanda Harper en se maîtrisant.

— Je n'essaie pas d'être étrange.

Gemma avait frotté le comptoir jusqu'à ce qu'il soit impeccable, ou aussi propre qu'un vieux comptoir craqué stratifié puisse être. Mais elle continua, car ainsi, elle put éviter de regarder Harper.

— Est-ce que ça a un lien avec ce qui est arrivé à Luke ? demanda Harper, et Gemma se raidit.

— Je ne veux pas parler de ça. Pas ce soir.

Déglutissant avec peine, elle se tourna pour faire face à sa sœur et lança la guenille dans l'évier.

— D'accord.

Harper s'appuya contre le comptoir et croisa les bras sur sa poitrine.

— De quoi veux-tu parler ?

— Papa m'a dit que Daniel est venu pour le petit déjeuner hier.

Harper rougit et baissa les yeux, espérant que ses cheveux foncés tombent sur son visage et le couvrent. Mais elle ne réussit qu'à faire éclater de rire Gemma.

— Il n'est que passé, et nous avons pris le petit déjeuner, dit Harper. Ce n'était rien.

— *Rien* ?

Gemma arqua un sourcil sceptique.

— Depuis quand Daniel ne fait que passer ? Je pensais qu'il ne te plaisait même pas.

— Il ne me plaît pas, insista Harper, mais elle n'osa pas lever les yeux vers Gemma. Pourquoi me plairait-il ? Je ne le connais même pas réellement. Et il habite sur un bateau et n'a pas de véritable travail. Et je le connais à peine. Nous avons à peine discuté.

— Oh, mince, Harper.

Gemma roula les yeux.

— Il te plaît, et d'après la manière dont il endure tes conneries, je crois que tu lui plais aussi. Où est le problème ?

— Il n'y a pas de problème. *Aucun* problème.

Harper se tortilla sous les accusations de sa sœur.

— Il est gentil, je suppose, mais je pars pour l'université et...

— C'est dans plus de deux mois, la coupa Gemma avant que Harper se lance dans son discours de « je pars pour l'université ». Personne ne dit que tu dois te marier avec lui. Aie du plaisir. Une idylle d'été. Vis un peu.

— Je ne suis pas en train de ne *pas* vivre.

Harper repoussa derrière son oreille une mèche de cheveux.

— Je suis désolée de ne pas voir le but de batifoler avec un garçon pendant quelques semaines. Si je ne partais pas cet automne, ça serait différent.

— Non, ça ne serait pas différent, la corrigea Gemma. Avant ceci, tu ne pouvais pas sortir avec un garçon parce que tu devais prendre soin de moi ou avoir de bonnes notes à l'école. Maintenant, c'est parce que tu vas partir pour l'université, et quand tu seras à l'université, tu n'auras pas le temps d'avoir une relation jusqu'à ce que tu aies ton diplôme, ensuite tu n'auras pas le temps parce que tu chercheras un travail, ensuite ce sera quelque chose d'autre.

— Eh bien...

Harper tourna sa bague sur son doigt.

— Toutes ces choses sont vraies.

— Pas réellement. De nombreuses personnes réussissent à aller à l'école et à avoir une vie, fit Gemma. Tout ce que j'ai énuméré n'est que des excuses.

— Se concentrer sur ses études est une décision de vie valable, soutint Harper. Nous n'avions pas l'argent pour l'université, et si je n'avais pas travaillé aussi dur pour cette bourse, je n'aurais pas pu y aller.

— Non, je sais.

Gemma soupira.

— Mais tu m'as utilisée et tu as utilisé l'école comme bouclier, afin de t'éviter de t'approcher des gens. Je ne serai pas toujours là comme tampon. Un jour, tu devras avoir de vraies relations avec d'autres gens, ou tu risques de te retrouver seule.

— Ouah.

Harper rit sombrement.

— Tu parles de moi comme si j'étais une vieille fille.

— Tu n'es pas une vieille fille. Je n'y songe même pas. C'est seulement que… tout ce que je dis est que peut-être de passer un peu de temps avec Daniel cet été ne serait pas une si mauvaise chose.

Ce n'est qu'après avoir parlé que Gemma comprit ce qu'elle faisait. Elle essayait de prendre soin de Harper. Si Gemma partait ce soir, elle avait besoin de savoir que sa sœur ne serait pas seule, qu'elle aurait quelqu'un sur qui compter. Harper ne croyait pas avoir besoin de personne, mais ce n'était pas le cas, et apparemment, Daniel avait vu clair dans son jeu et le savait, lui aussi.

Sans réfléchir, Gemma s'avança et étreignit sa sœur. Surprise et troublée, Harper demeura immobile pendant une seconde, puis enroula les bras autour de Gemma et lui rendit son étreinte.

— Je ne sais pas ce qui t'arrive, dit Harper. Mais je crois que j'aime ça.

Après qu'elles eurent terminé de ranger la cuisine, Harper monta dans sa chambre pour lire, comme elle le faisait habituellement après le repas. Gemma resta au rez-de-chaussée dans le salon et regarda la télévision pendant un moment avec son père. Quand il se leva pour se mettre au lit, Gemma l'étreignit et lui dit qu'elle l'aimait.

Harper restait d'ordinaire debout assez tard pour lire. Gemma dut attendre qu'elle s'endorme pour partir, mais elle prétendit se mettre au lit, même si elle ne pouvait pas dormir. La mélodie de l'eau semblait empirer le soir, et elle l'avait gardée éveillée presque toute la nuit précédente.

Elle garda la porte de sa chambre ouverte, observant le trait de lumière filtrant sous la porte de la chambre de Harper. Quand elle s'éteignit enfin, signifiant que Harper se couchait, Gemma attendit encore trente minutes afin d'être certaine.

Sans allumer, elle se déplaça furtivement dans sa chambre. Son sac à dos était suspendu à la porte de sa garde-robe, et elle commença à l'emplir de ses effets personnels. Mais il était difficile de savoir quoi prendre.

Elle n'était même pas certaine si elle allait partir avec les sirènes. Elle savait simplement qu'elle ne pouvait plus rester ici. Si elle choisissait de mourir, elle ne voulait pas que sa famille en soit témoin. Ils devaient croire simplement que Gemma s'était enfuie. Ainsi, ils pourraient imaginer que Gemma était vivante quelque part.

La seule chose qu'elle pouvait réellement faire pour sa famille était de la laisser avec un peu d'espoir.

Finalement, elle décida de prendre quelques vêtements et la photographie de Harper, sa mère et elle se trouvant près de son lit. Elle la retira soigneusement de son cadre et la mit dans un sac de plastique. Elle laissa tout le reste dans sa chambre.

Avant de partir, elle s'arrêta à la porte de sa chambre et pensa écrire une note. Mais que pourrait-elle écrire? Que pouvait-elle leur dire?

Gemma sortit dehors, fermant la porte arrière derrière elle aussi silencieusement qu'elle put. Elle jeta un regard en direction de la maison d'Alex, là où la lumière de sa chambre luisait. La fenêtre était ouverte, et elle put entendre un faible son de la musique qu'il écoutait.

Toute la journée, Gemma avait mis de l'ordre dans sa vie, mais avait intentionnellement évité de voir Alex. Il était suffisamment difficile de quitter sa sœur et son père. Elle ne croyait pas pouvoir supporter de lui parler.

Alors, elle baissa la tête et traversa la pelouse. Elle coupa à travers la cour d'Alex, car c'était le chemin le plus court vers la baie. La mélodie de l'eau s'amplifia, quand elle fut dehors, la suppliant de venir nager.

— Gemma!

Alex l'appela derrière elle, et elle entendit la porte-moustiquaire claquer. Mais Gemma continua de marcher, alors il dut courir après elle.

— Gemma!

— Chut!

Elle se retourna. Si elle ne lui parlait pas, il ferait assez de bruit pour réveiller sa sœur.

— Que fais-tu là?

— Je t'ai vue de ma fenêtre.

Il s'arrêta à quelques pas d'elle.

— Que fais-tu là?

— Je suis désolée. Je dois partir.

— Tu ne devrais pas être dehors toute seule, pas avec le tueur en liberté.

Il fit un pas vers sa maison.

— Je vais prendre mes chaussures et je t'accompagne.

— Non, Alex.

Elle secoua la tête.

— Je pars pour toujours.

— Pardon?

Même à la faible lueur de la lune, elle put voir la douleur et la confusion sur son visage.

— Où vas-tu?

— Je ne sais pas, mais tu ne peux pas venir avec moi.

— Pardon?

Il s'avança vers elle, et Gemma recula.

— Alex, je ne peux pas faire ça.

— Quoi? demanda Alex. Qu'est-ce que tu ne peux pas faire?

— Te dire au revoir.

Elle refoula ses larmes et tenta d'ignorer la souffrance dans son cœur.

— Alors, ne le fais pas, dit-il simplement. Reste ici, avec moi.

— Non, je ne peux pas.

Elle commença à reculer, et il la suivit, disant son nom.

— Non, Alex. Tu ne peux pas venir avec moi. Je ne veux pas.

— Gemma, si quelque chose ne va pas, je peux t'aider.

— Non.

Elle secoua la tête et réalisa que la seule façon de l'arrêter était si elle le blessait.

— Tu ne comprends pas, Alex. Je ne *te* veux pas. Tu ne me plais même pas. Tu es ennuyeux et nul. Je ne faisais que t'utiliser parce que tu avais une voiture, mais... je ne veux plus de toi.

Tout son visage s'effondra.

— Tu ne penses pas ça.

— Oui, insista-t-elle. Alors, laisse-moi. Je ne veux plus jamais te revoir.

Elle se retourna et s'éloigna en vitesse de lui. Avec le cœur brisé tambourinant dans sa poitrine, Gemma courut le plus vite qu'elle put.

Des larmes brouillèrent sa vue, mais cela importa peu. Elle n'eut pas besoin de voir où elle allait, de toute façon. La mer l'appela, lui disant exactement où elle devait aller.

CHAPITRE 24

Monstres

Lorsque Gemma s'enfonça dans l'eau, la mélodie cessa enfin. Ses jambes devinrent une queue, et elle prit une profonde respiration. Prendre sa forme de sirène avait fait taire la mélodie de l'eau. Elle ferma les yeux et tendit l'oreille à la recherche des sirènes. Elle ne put les entendre, pas exactement, mais elle put les sentir. Les sirènes l'attirèrent à elles, de la même manière que l'océan.

Si elles n'avaient pas eu ce lien, Gemma n'aurait probablement pas trouvé les sirènes. Plutôt que de se diriger vers la crique comme elle pensait le faire, Gemma se vit attirer vers la mer, à l'île de Bernie, à quelques kilomètres de la baie d'Anthemusa.

Avant de refaire surface, Gemma entendit une musique bruyante. C'était Ke$ha, ce qui ne semblait pas être le genre de Bernie.

Gemma se tira sur le quai, ce qui était plus difficile qu'il n'y parut, car elle ne pouvait pas utiliser sa queue de poisson pour s'aider. De son point de vue, elle put voir la cabane de Bernie à travers les arbres, toute illuminée comme un phare.

Quand sa queue eut repris la forme de ses jambes, Gemma fouilla dans son sac à dos et en sortit des vêtements. Ils étaient trempés, mais c'était mieux que d'être nue.

Elle traversa le quai vers le sentier menant à la cabane de Bernie. Les fenêtres étaient grandes ouvertes, alors la musique rugissait à plein volume. Gemma se faufila discrètement, voulant voir ce qu'elles faisaient avec d'entrer.

Lexi sautait sur le canapé, faisant d'étranges mouvements de danse. Sa bouche bougeait au rythme des paroles de la chanson, mais aucun son n'en sortait.

Thea fouillait dans un placard. Toute la cabane était sens dessus dessous, et à voir la manière avec laquelle Thea inspectait et rejetait les choses, la raison en était évidente. Gemma ne put dire si Thea cherchait quelque chose en particulier ou non.

Ni Penn ni Bernie n'étaient visibles, alors Gemma fit le tour de la cabane pour regarder par une autre fenêtre, espérant mieux voir de là.

— Je suis heureuse que tu aies décidé de te joindre à nous, dit Penn, et Gemma sauta.

Penn était apparue près de Gemma, et celle-ci ne l'avait pas entendue.

Penn lui sourit, et Gemma se dépêcha de se dominer. La dernière chose qu'elle voulait était que Penn sache à quel point elle l'avait effrayée.

— Je n'ai encore rien décidé, répliqua nonchalamment Gemma, et le sourire de Penn ne fit que s'agrandir.

— Oh! s'exclama Lexi à l'intérieur. Est-ce que Gemma est là?

La musique s'arrêta brusquement, alors les seuls bruits furent ceux de l'océan les entourant et le vent dans les arbres.

— Entre.

Penn recula d'un pas, puis se retourna et entra dans la cabane. Déglutissant avec peine, Gemma la suivit.

Lexi était descendue du canapé, mais Thea continuait sa fouille. Elle s'accroupit devant l'évier, sortant des contenants de détergents et de nettoyants à canalisation.

— Thea, je crois qu'on peut supposer qu'il n'y a rien de valeur sous l'évier, dit Penn en enjambant prudemment les choses que Thea avait jetées sur le plancher de la cuisine.

— C'est une perte de temps, de toute façon.

Thea soupira et se mit sur ses pieds.

— Gemma est là. Peut-on y aller, maintenant?

— Je ne sais pas.

Penn fit face à Gemma et s'appuya contre le dossier du canapé.

— Gemma dit qu'elle n'est pas certaine si elle vient avec nous ou non.

Thea grogna et roula les yeux.

— Oh, je t'en prie.

— Où est Bernie? demanda Gemma.

— Qui? questionna Lexi.

— Bernie.

Gemma passa près d'elles pour vérifier la chambre du fond. Elle ouvrit la porte d'une poussée, mais ne trouva que la même pagaille se trouvant dans le reste de la cabane.

— Bernie? M. McAllister?

Comme elle ne le vit pas, elle se tourna vers les sirènes. Penn et Thea l'observèrent, mais Lexi joua avec ses cheveux en regardant le plancher.

— Où est-il? demanda Gemma. Qu'avez-vous fait de lui? Lui avez-vous fait du mal?

— Il nous a donné l'endroit.

Penn haussa les épaules.

— Tu sais à quel point nous pouvons être persuasives.

— Où est-il? répéta Gemma, sa voix devenant plus dure. L'avez-vous tué de la même manière dont vous avez tué ces autres garçons?

— Je n'appellerais pas vraiment ce vieil homme un garçon, dit Penn, le ton taquin.

— Ça suffit! cria Gemma, et Lexi tressaillit. Tu as dit que tu me dirais la vérité, mais tu ne l'as pas fait. Je sais que vous tuez des gens, et tu ne me l'as pas dit.

— Je n'ai pas *menti*, se moqua Penn. Je n'ai jamais dit «nous ne tuons pas de gens, Gemma».

Gemma sentit un poids dans son estomac.

— Alors, tu l'admets.

— Oui. Je l'admets.

En s'approchant de Gemma, elle lui sourit et inclina la tête, la voix soyeuse et douce.

— Je suis désolée de ne pas te l'avoir dit. Mais ce n'est qu'un petit détail.

— Un petit détail?

Gemma recula.

— Vous êtes des meurtrières!

— Nous ne sommes pas des meurtrières! lança sur la défensive Lexi. Du moins, pas plus que l'est un chasseur, que tu es quand tu manges un hamburger. Nous faisons ce que nous avons à faire pour vivre.

— Vous êtes des cannibales?

Gemma, bouche bée, continua à reculer. Elle ne fit pas attention où elle mit les pieds et trébucha presque sur un livre, mais se rattrapa sur le mur.

— C'est pour cette raison que nous ne commençons pas par ça, expliqua Penn d'une façon qui parut si raisonnable, si logique que des frissons parcourent la colonne de Gemma. Nous avons la jeunesse éternelle et une beauté incomparable. Nous pouvons nous transformer en des créatures magiques et mythiques. Mais nous survivons grâce au sang humain. Qu'est-ce que cette petite chose, quand nous obtenons tant en retour?

— Cette petite chose? demanda Gemma, riant sombrement. Vous êtes des *monstres*!

— Ne dis pas ça.

Penn fit la moue et secoua la tête.

— Je déteste le mot «monstre».

Gemma se redressa et s'éloigna du mur, afin de ne plus y être appuyée. Elle rencontra les yeux foncés de Penn.

— Je le nomme tel que je le vois, et en ce moment, devant moi, tout ce que je vois est un monstre.

— Gemma, dit Lexi, sa voix tremblotante, ne la poussa pas.

— Tu n'as aucune idée dans quoi tu mets les pieds, acquiesça Thea.

— Ça va.

Penn leva la main en direction de Thea et Lexi, mais garda les yeux sur Gemma.

— Elle a simplement oublié sa place. Elle a oublié qu'elle était maintenant l'une des nôtres.

— Je ne serai jamais l'une des vôtres.

Gemma secoua la tête.

— Je préfère plutôt mourir que de tuer quelqu'un.

— Je serais plus qu'heureuse d'arranger ça pour toi.

— Alors, vas-y.

Gemma leva le menton en signe de défi.

— Tu as dit que si je n'allais pas avec vous, j'allais mourir. Et je ne vais pas avec vous.

La mâchoire de Penn se serra, et Gemma put voir quelque chose se produire sous sa peau, presque comme un courant filant sur son visage. Même la couleur des yeux de Penn changea, passant de brun foncé à vert jaune.

Puis, subitement, la transformation cessa, et ses yeux redevinrent l'habituel noir sans âme. Quand elle ouvrit la bouche pour parler, ses dents étaient visiblement plus pointues.

— Tu ne me laisses pas le choix. Je vais te montrer exactement ce que tu es.

Penn tourna les yeux vers Thea et Lexi.

— Appelez-le.

— Qui? demanda Lexi.

— Quiconque répondra, répliqua Penn.

Lexi jeta un coup d'œil incertain à Gemma, puis à Thea. Thea soupira, mais se mit à chanter la première. Sa voix était magnifique à sa propre manière rauque, mais ce n'est que lorsque Lexi se joint à elle que Gemma sentit toute la puissance envoûtante de leur musique.

Elles chantèrent la chanson que Gemma avait déjà entendue, celle qu'elle avait elle-même chantée sous la douche. Dès qu'elles ouvrirent la bouche, Gemma sut toutes les paroles et elle voulut se joindre à elles. Elle dut se mordre la langue, afin de s'en empêcher.

Thea et Lexi sortirent de la cabane, se tenant sur le porche pour chanter leur chant de sirène, appelant quelqu'un à se joindre à elles sur l'île.

CHAPITRE 25

Pauvre voyageur

— Harper, cria Alex, et elle se blottit plus profon-dément dans son lit. Harper!

— Quoi? marmonna Harper dans son oreiller, mais à ce moment, elle fut suffisamment réveillée pour entendre la panique dans sa voix. Alex?

— Je suis dehors! cria Alex, et elle regarda par sa fenêtre et le vit là, en train de crier.

— Que fais-tu? demanda Harper. Qu'est-ce qui se passe?

— Gemma s'est enfuie. J'ai essayé de l'en empêcher…

Il laissa ses mots en suspens pendant un moment avant de poursuivre.

— Je crois qu'elle est descendue à la baie, mais je n'en suis pas certain.

— Merde.

Harper s'extirpa de son lit, fouillant sa chambre pour mettre des vêtements. Alex continua de parler dehors, mais elle n'entendit plus grand-chose après qu'il eut dit que Gemma était partie. Elle enfila un pull et se précipita par la porte avant alors qu'Alex se tenait toujours sous la fenêtre de sa chambre maintenant vide, en train de parler.

— Alex, viens!

Harper fit le tour de la maison en courant pour lui faire signe, puis se dépêcha vers sa Sable stationnée dans l'allée et y monta. Dès qu'Alex sauta dans la voiture, elle le questionna.

— Es-tu certain qu'elle est allée à la baie?

— Non, admit-il. Elle n'a pas voulu me dire où elle allait. Mais connaissant Gemma, à quel autre endroit irait-elle?

Harper mit la voiture en marche arrière et appuya sur l'accélérateur, faisant crisser les pneus dans l'allée. Alex ne dit rien, mais boucla sa ceinture.

— Que t'a-t-elle dit? Es-tu certain qu'elle s'enfuit? Peut-être est-elle seulement allée nager.

— Non, j'ai essayé d'aller avec elle à cause du tueur en liberté.

Il appuya les bras contre la fenêtre, se stabilisant alors que Harper tournait un coin de rue.

— Mais elle ne voulait pas me laisser l'accompagner.

— Merde.

Harper frappa le volant.

— Je savais qu'elle était étrange aujourd'hui. Je le savais et je n'ai…

Elle secoua la tête, se rappelant toutes les choses que Gemma lui avait dites.

— Elle faisait ses adieux.

— Mais pourquoi? demanda Alex, la tirant de ses pensées. Pourquoi fait-elle ça?

— Je ne sais pas. Ce n'est pas le genre de Gemma. Elle ne fuit jamais une bagarre. Ce qu'elle fuit doit être plutôt terrible.

Harper arriva à la baie en un temps record. Elle ne freina pas suffisamment rapidement et glissa sur le quai, faisant craquer les planches de bois sous la voiture. Dès que la voiture fut complètement arrêtée, elle en bondit et commença à crier pour Daniel.

— Qui est Daniel ? s'enquit Alex, courant derrière Harper.

— Il a un bateau, expliqua-t-elle rapidement.

Le quai était pauvrement éclairé. Comme elle ne put voir le bateau, elle eut un moment terrible de panique, réalisant qu'il pouvait être parti. C'était un bateau. Il pouvait partir à tout moment.

Puis, les lumières s'allumèrent à l'intérieur de la cabine de *La mouette crasseuse*, et elle s'y précipita. Il n'était pas encore sur le pont quand elle l'atteignit, alors elle frappa les mains contre le côté de la coque, voulant le presser.

— Daniel ! cria Harper.

— Tout d'abord, ta voiture me réveille, maintenant, tu frappes mon bateau.

Daniel finit par émerger de la cabine, se frottant les yeux. Il avait réussi à enfiler son jeans, mais le bouton était encore défait.

— Quelle est l'urgence ?

— Gemma est partie.

Elle s'inclina par-dessus le quai aussi loin qu'elle put, suspendu à la balustrade du bateau pour s'empêcher de tomber dans l'eau.

— Elle s'est enfuie, et nous pensons qu'elle est à la baie. J'ai besoin de ton aide.

— Elle s'est enfuie ?

Daniel se passa une main dans les cheveux et secoua la tête, essayant de chasser le sommeil.

— Pourquoi ?

— Nous ne savons pas, mais il y a quelque chose qui cloche vraiment.

Elle regarda Daniel, ses yeux le suppliant.

— Je t'en prie, Daniel. J'ai besoin de toi.

Sans hésiter, il demanda :

— Que puis-je faire ?

— La baie est le seul endroit qu'elle aime réellement. Elle ne peut pas être encore bien loin. Avec ton bateau, nous pourrions la retrouver.

— La *Mouette* n'est plus aussi rapide qu'avant, mais je vais faire ce que je peux.

Il tendit la main vers le côté du bateau et saisit Harper pour la faire monter.

— Qui est-ce ?

— Pardon ? demanda Harper, quand Daniel la déposa.

Elle regarda en direction de l'endroit où pointait Daniel vers Alex.

— Oh, c'est Alex. C'est le petit ami de Gemma.

— Oh.

Daniel tendit la main vers Alex.

— Enchanté.

— Euh, de même.

Il prit la main de Daniel, incertain, et celui-ci l'aida à monter dans le bateau. Il ne le prit pas de la même manière dont il l'avait fait avec Harper, mais il déposa Alex sur le pont.

— Peux-tu m'aider à détacher le bateau? demanda Daniel à Alex, faisant un geste vers les cordes qui l'attachaient au quai.

— Ouais, certainement.

Alex se pressa d'aider Daniel.

Harper alla sur le devant du bateau. Un vent froid fouettait au-dessus de l'eau, et elle s'enveloppa de ses bras, essayant de s'en protéger. Elle scruta la baie, espérant contre tout espoir que sa sœur était en sécurité.

— Est-ce que tu veux que je fasse un tour dans la baie? s'enquit Daniel venu rejoindre Harper.

Il avait attaché son pantalon et enfilé un t-shirt depuis qu'il avait détaché le bateau.

— Peut-être.

Elle lui jeta un regard, puis scruta à nouveau l'eau.

— Que pensez-vous de la crique? suggéra Alex en pointant. Elle s'enfuit, ce qui signifie qu'elle a besoin d'un endroit provisoire. La crique lui procurerait un abri tout en la gardant près de la baie.

Daniel regarda Harper pour une confirmation, que celle-ci lui donna d'un hochement de tête. Daniel fit le tour du bateau pour retourner à l'arrière pour le piloter tandis qu'Alex se plaça tout au bord, s'accrochant à la balustrade, examinant la mer noire. Harper songea à demeurer avec lui, mais elle se sentait davantage en contrôle en restant avec Daniel, afin de lui dire où se diriger.

Quand Daniel tourna la clé, le bateau toussota, mais ne démarra pas immédiatement. Harper lui lança un coup d'œil, et il lui envoya un sourire d'excuse.

— Ça fait quelque temps que je ne l'ai pas sorti.

— Pourquoi avoir un bateau si on ne le sort pas ? demanda Harper de manière plus hostile que voulu.

— Pour avoir un toit sur la tête. L'essence est dispendieuse, et je n'ai pas réellement d'endroit où je veux aller.

Il tourna la clé, et le moteur ronronna enfin.

— Et voilà !

Quand ils s'éloignèrent du quai, avançant vers la crique, Harper se détendit un peu, pas entièrement, mais elle se sentit mieux en sachant qu'ils faisaient quelque chose, qu'ils allaient vers quelque chose.

— Merci.

Elle sourit avec gratitude à Daniel à la barre du bateau.

— Il n'y a pas de quoi. Et je te remercie de me réveiller si souvent. J'apprends à vivre sans sommeil.

Il lui sourit, et elle baissa les yeux.

— Je suis désolée de toujours te déranger et je te suis vraiment redevable. Mais je ne savais pas où aller d'autre.

— Hé, je sais.

Il tendit la main et lui toucha doucement le bras.

— Ça va.

— J'espère juste qu'on la retrouvera.

Harper prit une profonde respiration et retourna son regard vers l'eau.

— L'eau est assez agitée, commenta Daniel alors que le bateau bondissait de manière instable.

Alex s'agrippa fermement à la balustrade, afin de ne pas glisser sur le pont.

— Mais le bateau peut le supporter, n'est-ce pas ? demanda Harper.

— Ouais, ouais, mais il vente tellement.

Il se mordit la lèvre et observa Harper du coin de l'œil.

— C'est une nuit froide pour nager. Es-tu certaine que Gemma est allée à la baie ce soir?

— Ouais.

Elle hocha la tête.

— Je sais que je semble folle et trop zélée, et peut-être est-ce le cas. Mais je *sais* que quelque chose ne va pas.

Elle plaça la main sur son ventre, le pressant.

— Je le sens. Gemma a des problèmes et elle a besoin de moi.

— Si tu dis qu'elle a des problèmes, alors je te crois.

— Merci.

Harper avança, plissa les yeux pour voir dans l'obscurité alors qu'ils s'approchaient de la crique.

— Est-ce qu'il peut aller plus rapidement?

— Je le pousse aussi rapidement qu'il peut aller, répondit Daniel. Je savais que le faire aller plus lentement ne serait pas suffisant pour toi.

Quand ils arrivèrent suffisamment proches de la crique pour vraiment la voir, Daniel ouvrit le projecteur du bateau pour en éclairer l'intérieur. Il dut ralentir beaucoup le bateau pour ne pas se fracasser contre les rochers, mais même à cette distance, ils purent voir que la crique était déserte.

— Non, elle doit être là, insista Harper en secouant la tête. Il *faut* qu'elle y soit.

— Est-ce que tu veux que je m'approche plus pour que tu puisses vérifier? demanda Daniel.

— Oui. S'il te plaît.

Daniel amena le bateau aussi près que possible du rivage de la crique, puis l'attacha à un cyprès s'inclinant au-dessus de l'eau. Alex sortit le ponton. Il allait tout juste du bateau au rivage, mais ce fut suffisant. Alex descendit en courant le premier, suivi de Harper.

Le projecteur du bateau éclairait encore la crique. Ainsi, ils purent examiner l'intérieur, même s'il n'y avait pas grand-chose à voir : un cercle de pierres au centre en guise de foyer, des empreintes de pas dans la poussière, et c'était tout.

— J'ai trouvé quelque chose! cria Alex en levant un sac.

— Est-ce que c'est à elle?

Harper courut vers lui et saisit le sac de ses mains. Elle le déchira, mais il ne fallut que quelques hauts coquins et des strings pour que Harper réalise que ce n'étaient pas les vêtements de sa sœur. Mais ce sac était tout ce qu'ils avaient découvert, alors elle le pressa contre sa poitrine et regarda devant elle d'un air absent.

— Ce n'est pas elle, c'est ça? questionna Alex en voyant un string rouge échapper à Harper.

— Qu'avez-vous trouvé? demanda Daniel.

Il était descendu du bateau après eux et il venait d'arriver derrière Harper.

— Je crois que c'est ces filles.

Elle se tourna pour lui faire face et montra le sac à Daniel, comme s'il savait quoi en faire.

— Ces horribles filles lui on fait quelque chose.

— Tu ne sais pas.

Daniel tenta de lui prendre le sac.

— Simplement parce que quelqu'un d'autre a passé du temps ici ne signifie pas que Gemma a quelque chose à voir avec elles.

— Mais où est-elle? fit Harper, les larmes emplissant ses yeux. Elle n'est pas ici. Où peut-elle bien être?

— Gemma!

Alex se résigna à crier son nom, puisqu'il ne savait pas quoi faire d'autre. Il se tint au bord de la crique, criant vers la baie.

— Gemma!

— Peut-être l'avons-nous précédée, suggéra Daniel. Nous sommes arrivés très rapidement, non?

— Tu crois?

Harper leva les yeux vers lui, ses yeux agités fouillant les siens.

— Peut-être.

Il haussa les épaules.

— Y a-t-il un autre endroit où tu crois qu'elle pourrait se trouver?

— Non, je...

Elle laissa ses mots en suspens, le visage se tordant de confusion, puis elle inclina la tête, écoutant. Daniel ouvrit la bouche pour dire quelque chose, mais elle le fit taire en plaçant une main sur sa poitrine.

— Entends-tu ça?

— Quoi? demanda Daniel, puis l'entendit à son tour.

Très faiblement au tout début, mais le vent transporta une musique jusqu'à la crique. C'était un chant comme Harper n'avait jamais entendu, mais il était très familier à Alex.

— C'est Gemma, souffla Alex.

— Pardon? demanda Harper, mais cette fois sans la panique continuelle qui l'empoignait seulement quelques secondes auparavant.

Toute son expression changea, la tension fondant en une sérénité bizarre.

— Harper ? fit Daniel.

Quand elle commença à marcher en direction d'Alex sur le rivage de la crique, il mit une main sur son bras pour l'arrêter.

— Harper ? Est-ce que ça va ? Qu'est-ce qui ne va pas ?

— Tout va bien.

Son front se plissa momentanément à cette affirmation, comme si elle comprenait que ce qu'elle disait n'était pas tout à fait vrai, puis elle se tourna vers Daniel.

— Est-ce que nous cherchions quelque chose ?

— Ouais. Ta sœur.

Il la saisit par les bras et la fit se tourner vers lui.

— Qu'est-ce qui se passe avec toi ?

— Elle m'appelle, lança Alex à personne en particulier, puis plongea dans l'eau, nagea hors de la crique.

— Alex ! cria Daniel. Alex ! Que fais-tu ? Nous avons un bateau !

Il courut jusqu'au rivage. Alex s'éloigna furieusement à la nage, et Daniel ne voulut pas sauter pour le suivre.

— Alex ! Reviens ici dans le foutu bateau !

— Quelque chose cloche, gémit Harper, et Daniel se tourna vers elle et constata qu'elle semblait être sur le point de pleurer.

— Sans déconner, quelque chose cloche.

Il s'avança vers elle, décidant apparemment qu'Alex était une cause perdue, du moins pour le moment.

— Sais-tu pourquoi Alex vient de partir ?

— Non.

Elle glissa la main dans ses cheveux et leva les yeux vers lui.

— Gemma a disparu, et je ne peux...

Elle secoua la tête et se couvrit les oreilles de ses mains.

— C'est cette chanson, Daniel! Elle essaie de me la faire oublier, mais je ne veux pas!

— La chanson?

Daniel l'entendait certainement encore, mais on aurait dit qu'il ne savait pas de quoi parlait Harper.

— Tu ne l'entends pas? demanda Harper en criant, car elle avait bouché ses oreilles.

— Ouais, mais je vais bien, lui assura-t-il.

— Nous devons aller vers la chanson! lui dit Harper. C'est là que se trouve Gemma!

Daniel pensa discuter avec elle, mais quelque chose de vraiment, vraiment bizarre était en train de se produire, et ils n'avaient probablement plus le temps de se questionner. Il prit la main de Harper, la tirant vers le bateau, afin d'aller à la poursuite de Gemma pendant qu'ils en avaient encore la chance.

Pendant tout ce temps, la chanson flotta dans les airs.

— Approche, voyageur épuisé, je te dirigerai à travers les vagues. Ne t'inquiète pas, pauvre voyageur, car ma voix te guidera.

CHAPITRE 26

Véritable forme

— Que faites-vous ? demanda Gemma, se débattant encore avec sa pressante envie de joindre le chant de Lexi et Thea.

— Ce qui doit être fait, lui répondit Penn. J'ai essayé de te raisonner. Je t'ai donné tout ce que tu voulais. Et tu ne veux toujours pas voir la logique. Alors, maintenant, je vais te faire voir.

— Je ne comprends pas.

Gemma lança un regard à travers l'embrasure de la porte, là où les deux sirènes chantaient.

— Que veux-tu me faire voir ? Pourquoi ne peux-tu pas simplement me laisser partir ?

— Parce que nous n'avions qu'à cette pleine lune pour trouver une nouvelle sirène, Gemma, ou nous mourrons toutes. Et tu es peut-être prête à jeter l'éponge, mais je n'abandonne pas aussi aisément. Je n'ai pas survécu les nombreux derniers millénaires pour être simplement anéantie par une salle enfant gâtée.

— Exactement !

Gemma s'accrocha à ce point.

— Je suis horrible. Tu ne veux pas de moi! Laisse-moi partir, et choisis quelqu'un d'autre.

— J'aimerais que ça soit aussi simple, dit Penn, ayant l'air de réellement le penser. La potion ne fait pas toujours effet. Tu es la troisième avec qui nous essayons et la première à se transformer en sirène.

— Que veux-tu dire : la potion ne fait pas toujours effet? demanda Gemma.

— Après l'avoir bue, une de deux choses se produit. Une, tu te transformes en sirène, comme tu l'as fait.

Penn fit un geste vers elle.

— Ou deux, tu meurs.

— Quoi? Pourquoi? questionna Gemma. Comment se fait-il que je me sois transformée et pas les autres filles?

— Nous ne savons pas exactement. Une sirène doit être forte, belle et avoir un lien avec l'eau.

Penn haussa les épaules.

— Certaines des filles que nous avions choisies n'étaient pas suffisamment fortes.

— Mais… vous manquez de temps. Si je meurs, vous mourrez toutes?

Gemma plissa les yeux et regarda Penn.

— Qu'est-ce qui m'empêche de me tuer?

— Premièrement, tu ne sais pas comment. Les sirènes ne sont pas mortelles. Tu ne peux pas simplement te noyer ou te lancer d'un édifice, expliqua Penn. Et l'autre raison est en route en ce moment.

Avant que Gemma puisse répondre, Lexi cria du porche.

— Il arrive ! Je peux le voir ! Il est déjà sur le quai !

— Bien.

Penn sourit.

— Vous pouvez cesser de chanter maintenant, avant de convoquer tous les hommes près de la baie.

Penn se tint entre Gemma et l'embrasure de la porte, puis fit un pas de côté, afin de laisser passer Gemma.

Elle courut vers la porte, passant à toute vitesse près de Lexi et Thea. Elle ne savait pas qui elles avaient appelé ni ce qu'elles avaient prévu de faire avec lui, mais Gemma savait que peu importe ce que ce fut, ce ne serait pas bien.

Quand elle le vit gravissant le sentier, marchant comme s'il dormait encore, elle s'arrêta brusquement sur sa lancée. Ce fut pire que ce qu'elle avait craint.

— Alex.

Dès que son nom franchit ses lèvres, Lexi fut sur lui, enroulant ses bras autour de lui et le guidant sur le sentier. Thea attrapa Gemma, retenant ses bras derrière son dos, afin qu'elle ne se débatte pas.

— Alex ! cria Gemma, mais il tourna à peine les yeux vers elle.

Son regard était trop concentré sur Lexi, qui lui fredonnait une chanson à l'oreille.

— Alex ! Tu dois partir d'ici ! Alex, cours ! C'est un piège ! Elles vont te tuer !

— Tais-toi ! gronda Thea en commençant à la tirer vers le sentier menant à la cabane. Si tu étais simplement venue avec nous, rien de tout ça ne se passerait. C'est ta faute, si nous sommes dans un tel pétrin.

— S'il te plaît ! supplia Gemma. S'il te plaît, laissez-le tranquille.

Penn riait, quand elles entrèrent dans la cabane. Gemma se débattit et frappa Thea, mais c'était comme de se battre contre du granite. Thea était une demi-déesse de trois mille ans, et cela se voyait dans sa force.

Alex avait suivi Lexi de son plein gré jusqu'au centre de la pièce. Il ne pouvait détacher ses yeux d'elle. Elle formait de lents cercles autour de lui, et il tournait la tête pour la suivre. Lexi s'arrêta devant lui, caressa son visage, et il s'inclina pour l'embrasser.

— Alex! cria Gemma, mais il tenta encore d'embrasser Lexi.

Si Lexi n'avait pas bougé la tête à la dernière minute, il y serait parvenu.

— Que lui avez-vous fait?

— En fait, c'est *toi* qui lui as fait.

Penn sortit du coin de la pièce, observant la détresse de Gemma avec une grande satisfaction.

— Il ne serait pas arrivé ici aussi rapidement, si tu ne lui avais pas déjà jeté un sort de sirène auparavant.

— De quoi parles-tu? demanda Gemma. Je ne lui ai jamais rien fait.

— Oh, mais oui.

Penn sourit.

— Tu as *chanté* pour lui, tu l'as appelé. Grâce à ça, il est plus sensible à nos charmes. Il lui sera plus difficile de résister à nos ordres.

— C'est notre chanson, expliqua Lexi.

Elle demeura près d'Alex, celui-ci avait passé ses bras autour d'elle et la regardait avec adoration, mais jusqu'à maintenant, elle avait évité toutes ses tentatives pour l'embrasser.

— Nous mettons les hommes en transe, les faisons suivre nos moindres commandements et nos désirs. Ça fonctionne un peu sur les femmes, mais c'est loin d'être aussi puissant.

Gemma voulut soutenir qu'elle n'avait jamais chanté pour Alex, qu'elle n'avait jamais tenté de lui jeter un sort, mais elle se souvint. Juste après qu'elles l'eurent changée en sirène, elle avait chanté sous la douche. Alex était venu chez elle, et c'était ce jour-là qu'ils s'étaient pelotés de manière si intense sans que ni lui ni elle puissent l'expliquer.

— Ceci est réellement de ma faute, chuchota Gemma.

— Ça ira, dit Lexi, sa voix un peu trop joyeuse pour la situation. Nous faisons toutes des erreurs. Mais nous pouvons apprendre d'elles.

— Lexi a tout à fait raison.

Penn s'approcha de Gemma. Thea la retenait toujours, mais Gemma avait cessé de se débattre.

— Et tu vas apprendre une leçon ce soir, que tu le veuilles ou non.

— Tu n'as pas besoin de faire ça, dit Gemma. Penn, je t'en prie, ne fais pas ça.

— Lexi, voyons avec quoi nous travaillons, ordonna Penn, tout en gardant les yeux sur Gemma.

Lexi glissa lentement, gardant son corps aussi près d'Alex que possible sans le toucher. Elle saisit le bas de son t-shirt trempé et, d'un geste souple, le tira par-dessus sa tête, laissant Alex à moitié nu au centre de la pièce.

— Voilà qui est mieux.

Lexi lui sourit en admirant le torse nu.

— Il est assez mignon, Gemma. Tu as bon goût.

— Que faites-vous ? demanda Gemma. Pourquoi lui faites-vous ça ?

— Tu crois qu'il t'aime ? questionna Penn. Il ne t'aime pas. Il est sur le point de sauter sur Lexi et la posséder.

Elle jeta un regard vers Alex.

— N'est-ce pas, Alex ?

— C'est la chose la plus magnifique que je n'ai jamais vue, dit Alex, la voix monocorde et lointaine.

Lexi s'éloigna d'un pas, et il essaya de la suivre. Elle leva une main, le gardant à distance.

— Elle lui a jeté un sort ! insista Gemma. Il ne peut pas décider de ses actions. Il n'agirait jamais ainsi.

— Mais s'il t'aimait réellement, il aurait surmonté le sort.

Penn garda les yeux sur Gemma, mais se dirigea vers l'endroit où se tenaient Lexi et Alex.

— Il verrait qu'il t'aime. Mais ce n'est pas le cas. Il ne peut pas. Il ne veut pas.

Elle s'approcha encore plus de Gemma, parlant presque dans son oreille.

— Les mortels sont incapables d'aimer.

Devant elle, elle put voir Alex utilisant toute sa retenue pour s'empêcher de courir vers Lexi. Celle-ci se trouvait à quelques mètres de lui, le tentant d'une manière qui le rendait fou.

L'estomac de Gemma se tordit, mais pas de jalousie. Le sort que Lexi lui avait jeté le faisait agir ainsi, et ce sort devait le blesser, lui aussi.

— Très bien, vous avez marqué votre point.

Gemma se tortilla entre les bras de Thea, essayant de s'en libérer.

— Il ne peut pas m'aimer et il ne m'aimera jamais ! Maintenant, laissez-le partir !

— Ne vois-tu pas ?

Penn croisa les bras et étudia Gemma.

— Tout ce qu'il t'a dit était un mensonge. Tout ce qu'il a fait était pour te piéger, car il voulait te posséder et coucher avec toi, comme tous les hommes. Il n'a jamais tenu à toi. Il ne tient qu'à lui-même.

Gemma prit une profonde respiration. Bien que cela lui brisait le cœur, elle comprit que ce que dit Penn était peut-être vrai. Alex ne l'avait même pas regardée, depuis qu'il était arrivé ici, et elle était une sirène, elle aussi. Peut-être que cela signifiait qu'il ne tenait pas à elle.

Mais c'était le même garçon pour qui elle était tombée amoureuse. Même si ses cheveux étaient mouillés, une mèche de sa frange réussissait à se dresser un peu. La manière avec laquelle il l'avait embrassée et étreinte, cela était peut-être faux ou temporaire, mais lui ne l'était pas. Au fond d'elle, Gemma sut sans aucun doute qu'il était bon, gentil et digne de son amour.

— Je m'en fous !

Gemma fusilla Penn du regard.

— Ça importe peu, car *je* l'aime, *lui* !

Penn la regarda, les yeux plissés, et Gemma vit que des mouvements étranges se passaient encore sur son visage, comme si quelque chose en dessous se transformait. Mais cela cessa aussi subitement que cela avait commencé.

— Laisse-la, dit Penn à l'intention de Thea.

Dès que Thea défit sa poigne, Gemma s'éloigna d'elle, se précipitant vers Alex. Quand elle se mit devant lui, il essaya de regarder à côté d'elle, car il ne voulait pas quitter Lexi des yeux.

— Alex, dit Gemma.

Il s'efforça de voir au-delà d'elle. Elle saisit son visage, le forçant à la regarder dans les yeux. Au début, il essaya de se débattre, mais quelque chose changea.

La confusion dans ses yeux acajou commença à se dissiper, et ses pupilles se dilatèrent. Il cligna les yeux à quelques reprises, comme un homme se réveillant, puis tendit la main et toucha le visage de Gemma. Sa peau était froide et mouillée, et de la chair de poule couvrait sa peau nue.

— Gemma ? fit Alex, semblant confus. Oh, mon Dieu ! Gemma, qu'est-ce que j'ai fait ?

— Tu n'as rien fait.

Les yeux emplis de larmes, elle rit un peu.

— Je t'aime.

Elle se mit sur la pointe des pieds et s'étira pour l'embrasser. Sa bouche était froide et merveilleuse, et son baiser la traversa comme un éclair, répandant une chaleur dans tout son corps. Il était réel et véridique, et rien de ce que pourraient dire ou faire les sirènes ne changerait cela.

— Ça suffit !

Penn rugit, et tout à coup, Alex vola loin de Gemma.

Penn s'avança et l'empoigna, puis le lança si brutalement contre le mur derrière eux qu'il s'évanouit et s'effondra sur le plancher. Gemma voulut courir vers lui, mais Penn se tint devant elle. La rage brûlait si intensément dans ses yeux que Gemma n'osa pas la défier sans avoir un plan sérieux, de peur que Penn détruise tout le monde présent dans la cabane.

— Tu n'as vu que deux formes des sirènes, commença Penn, et tout en parlant, sa voix commença à changer, allant de son babillage soyeux à quelque chose de déformé et monstrueux. Je crois qu'il est temps que tu voies notre véritable forme.

Ses bras changèrent en premier, s'allongeant. Ses doigts s'étirèrent de plusieurs centimètres, se terminant en serres recourbées tranchantes. La peau de ses jambes passa de douce et tannée en quelque chose semblant terne, gris et couvert d'écailles. Ce n'est que lorsque ses pieds devinrent des pieds d'oiseau avec de longues griffes que Gemma constata que les jambes de Penn étaient devenues celles d'un émeu.

Penn arqua le dos et poussa un cri ressemblant davantage à celui d'un oiseau mourant qu'à celui d'un humain. Un son de déchirement de peau et de bruissement de plumes emplit la pièce alors que deux ailes sortirent de ses omoplates. Les plumes étaient énormes et noires, chatoyant sous la lumière.

Elle les fit battre, ce qui créa une telle bourrasque que Gemma en fut renversée. Elle rampa vers le mur et leva les yeux vers Penn alors que sa transformation passa de terrible à horrible.

Le visage de Penn se transforma encore. D'abord, ses yeux passèrent de leur noir habituel à un jaune doré d'aigle. Sa bouche pleine s'allongea et s'étira, de sorte que ses lèvres furent ramenées en arrière, formant une ligne écarlate autour de ses dents. Celles-ci ne s'allongèrent pas seulement, mais se multiplièrent, passant d'une simple rangée de dents plates à plusieurs rangées de poignards tranchants comme un rasoir, de sorte que sa bouche ressembla à celle d'une lotte de mer.

Son crâne sembla s'évaser, devenant plus large. Sa chevelure soyeuse noire demeura, tourbillonnant hors de sa tête tel un halo foncé, mais elle parut plus mince et frêle, puisque son crâne avait grossi.

La seule chose demeurant à peu près inchangée fut son torse. Il s'étira et s'amincit, devenant plus squelettique. Ainsi, ses côtes et sa colonne saillirent de manière grotesque. Mais sa poitrine humaine resta la même, le haut du bikini la contenant à peine, puisque la croissance de son corps avait étiré le tissu.

Lorsque la transformation fut apparemment complète, Penn s'approcha de Gemma. Elle bougea la tête d'avant en arrière, ressemblant à une sorte d'hybride entre humain et moineau, et cligna les yeux en regardant Gemma.

— Maintenant, dit Penn, sa voix d'une version déformée de sa voix normale, la *vraie* leçon commence.

CHAPITRE 27

Impuissante

Tandis que Daniel détachait le bateau, Harper se tint à la proue, regardant vers la direction d'où la chanson provenait. Elle garda les mains pressées contre ses oreilles, effrayée de ce qui pourrait lui arriver si elle écoutait la chanson.

Mais ses mains n'étaient pas complètement insonorisées, et une partie de la musique lui parvint. Il lui serait toujours impossible d'expliquer comme cela l'avait fait sentir, mais la manière la plus simple serait que cela avait engourdi ses sens.

Sa panique concernant la disparition de Gemma ou même le plongeon d'Alex dans l'eau agitée disparut presque complètement, quand elle écouta la musique. Si Daniel n'avait pas été là pour essayer de lui faire entendre raison, elle serait peut-être restée dans la crique pour toujours, au du moins aussi longtemps que la chanson aurait continué.

— Oh, merde, dit Daniel, suffisamment fort que Harper l'entendit clairement, et elle se tourna vers lui.

Il se tenait devant le volant, l'expression sinistre.

— Allez, chérie, je t'en prie, ne fais pas ça.

— Daniel?

Harper s'approcha de la cabine et leva les yeux vers lui.

— Que se passe-t-il?

— Le bateau.

Il grimaça.

— Il ne veut pas démarrer.

— Que veux-tu dire? demanda Harper, la voix devenant stridente. Pourquoi l'as-tu même éteint?

— Pour économiser l'essence, mais il va démarrer. Il a juste besoin d'un peu d'amour.

Daniel descendit et fit le tour du bateau vers l'arrière. Harper le suivit, se demandant si elle ne devait pas simplement plonger dans l'eau comme l'avait fait Alex. Il ouvrit l'écoutille au-dessus du moteur. Même si elle ne comprenait pas ce qu'il faisait, elle entendit quelques coups bruyants alors qu'il tentait de réparer quelque chose. En se fondant sur les jurons qu'il poussa, elle ne crut pas que cela se passa bien.

— Daniel! cria Harper, les oreilles toujours bouchées. Je crois que je vais suivre Alex. Je ne peux pas attendre ainsi. Gemma a besoin de moi.

— Harper!

Daniel arrêta ce qu'il faisait et regarda autour de lui.

— Non, j'ai besoin de...

— Non, Harper, écoute!

Il leva la main, laquelle était couverte de graisse noire provenant du moteur.

— La chanson a cessé.

— Ah oui?

Elle baissa les mains. Tout ce qu'elle put entendre fut l'océan autour d'elle, plus de musique.

— Pourquoi? Crois-tu qu'Alex a fait quelque chose?

— Je ne sais pas.

Daniel rabattit l'écoutille et se leva.

— Mais avec un peu de chance, j'ai réparé le problème.

En essuyant ses mains sur son jeans, il courut vers l'avant du bateau. Il grimpa vers le siège du capitaine, et Harper le suivit de près. Quand il fit tourner la clé, le moteur fit le même bruit essoufflé qu'il avait fait sur le quai, mais ne démarra pas.

— Daniel, commença Harper, mais il leva la main pour la faire taire.

— Allez, marmonna Daniel à son bateau. Démarre une dernière fois. Pour moi.

Le bateau émit un bruit métallique, puis prit vie.

— Oui!

Alors qu'ils s'éloignaient de la crique, il lança un coup d'œil vers Harper.

— Je te l'avais dit qu'il partirait.

— Je n'ai pas douté de toi une seconde, mentit Harper.

— Où allons-nous? s'enquit Daniel.

Il les guida dans la direction où Alex était parti, mais c'était tout ce qu'il savait.

— Je ne sais pas.

Harper secoua la tête, plissant les yeux pour voir quelque chose à l'horizon.

— La seule chose par ici est l'endroit de M. McAllister.

— Tu veux dire l'île de Bernie? demanda Daniel en pointant vers la forme foncée de l'île au loin devant eux.

— Ouais.

Elle hocha la tête.

— La chanson avait l'air de provenir de cette direction, tu ne crois pas?

— Je crois, oui.

— Dirigeons-nous là, alors.

Elle croisa les bras et regarda droit devant.

— Comment se fait-il que cette chanson ne t'ait pas rendu fou comme Alex et moi?

— Je ne sais pas.

Il secoua la tête et baissa les yeux vers elle.

— Comment se fait-il que ça t'ait rendue folle? C'était comme si elle t'avait hypnotisée.

— Je ne sais pas.

Elle poussa un profond soupir.

— Espérons juste que ça ne se reproduira plus.

Quand ils s'approchèrent de l'île, Daniel éteignit le projecteur, à la suggestion de Harper. Ils n'avaient aucune idée de ce qui se passait là, mais ils s'entendirent que l'élément de surprise jouerait probablement en leur faveur.

Il avança *La mouette crasseuse* jusqu'au quai. Avant que le bateau soit complètement immobile, Harper tenta de sauter par-dessus la balustrade. Avant qu'elle arrive sur le quai, Daniel lui saisit le bras.

— Non, chuchota-t-il, la voix basse, afin que personne ne les entende. Je ne te laisserai pas aller là-bas toute seule.

— Mais...

Harper essaya de discuter avec lui, mais il secoua la tête.

Sachant probablement qu'elle ne lui laisserait pas le temps d'attacher le bateau, il lança simplement l'ancre. Daniel grimpa sur le quai, puis aida Harper.

Ses pieds avaient à peine eu le temps de toucher les planches qu'elle entendit Gemma crier. Elle ne comprit pas exactement ce qu'elle dit, mais il sembla qu'elle criait à l'adresse d'Alex. Harper voulut courir vers la cabane, mais Daniel lui prit la main, l'empêchant de courir vers une situation dangereuse comme une parfaite idiote.

Ils se dépêchèrent sur le quai, courant presque, mais ils ralentirent, quand ils commencèrent à gravir le sentier. Toutes les lumières dans la cabane étaient allumées, et ils purent entendre Penn et Gemma parler. Le vent soufflant dans les arbres transporta les voix au loin, de sorte qu'ils ne comprirent pas.

La porte avant de la cabane était grande ouverte, alors Daniel et Harper sortirent du sentier avant d'être repérés. Sous le couvert des arbres, ils s'approchèrent en rampant jusqu'à la cabane.

Leurs regards étaient tellement concentrés vers la cabane, essayant d'apercevoir ce qui se passait à l'intérieur, qu'ils ne firent pas attention où ils marchaient. Daniel marcha dans quelque chose et glissa, tombant sur ses genoux dans une flaque humide.

Il réussit à ne pas s'effondrer davantage en se retenant de sa main. Quand il la leva, il avait quelque chose de collé à sa paume. Cela rappela à Harper un ver mort, mais c'était trop épais.

Il baissa les yeux et le vit avant Harper. Daniel sauta, s'éloigna aussi rapidement qu'il put du corps et s'essuya les mains sur son pantalon. C'est à ce moment que Harper baissa les yeux et vit Bernie.

Bernie McAllister gisait sur le dos, son ventre ouvert, ses intestins traînant dehors.

Un cri commença à se former dans sa gorge, mais avant qu'il puisse en sortir complètement, Daniel plaça la main sur sa bouche. Il la poussa contre le tronc d'un gros chêne.

— Tu ne peux pas crier, chuchota Daniel, et Harper hocha la tête, alors il ôta sa main.

La vérité était que Harper ne voulait même pas crier. Elle voulait pleurer et aller vers Bernie. C'était le même vieil homme qui avait pris soin d'elle durant le pire moment de son enfance. Il avait toujours été gentil avec elle et il avait été évidé comme un poisson.

Heureusement, entre Daniel lui bloquant la vue et l'obscurité sous les arbres, elle ne vit pas très bien Bernie. Mais elle le vit suffisamment pour savoir qu'il était mort.

Derrière eux, dans la cabane, retentit un fort bruit et le cri de quelqu'un. Cela l'aida à repousser la tragédie du meurtre de Bernie et à se concentrer sur la rescousse de sa sœur. Elle se tourna pour courir aveuglément, mais Daniel la garda contre l'arbre.

— Nous devons aller chercher Gemma *maintenant*, lâcha Harper.

— Je promets que je ne la laisserai pas se faire mal, mais nous ne pouvons pas simplement accourir. Elles ont déchiré un homme adulte. Nous ne pouvons pas y aller sans arme.

Harper voulut discuter avec lui, mais il avait raison. Même si elle voulait défoncer la porte avant à cette seconde et agripper Gemma, elle savait de quoi ces filles étaient capables. Et si elle y allait sans être préparée, elle ne réussirait qu'à faire tuer Gemma, Daniel, Alex et elle-même.

Derrière la cabane de Bernie se trouvait un large hangar. Comme il vivait seul sur cette île, il ne le verrouillait jamais. Daniel l'ouvrit, mais c'était le noir complet. Il tâtonna autour, afin de trouver quelque chose qu'il put utiliser comme arme, et faillit se transpercer avec une fourche.

Il la tendit à Harper et continua sa fouille à la recherche de quelque chose pour lui-même. Puis, Gemma commença à crier, et Harper ne put attendre plus longtemps. Elle bondit vers le devant de la cabane, et Daniel la suivit.

CHAPITRE 28

Pacte

Penn s'éloigna de Gemma. Pendant une brève seconde, Gemma ressentit un certain soulagement. Puis, Penn se retourna, faisant dos à Gemma. Ses ailes voilaient presque entièrement la vue de Gemma. Gemma était accroupie sur le plancher et elle pouvait voir Alex étendu de l'autre côté de la pièce, encore évanoui.

— Laisse-le tranquille !

Gemma se remit avec peine sur ses pieds.

Elle chargea en direction de Penn, mais celle-ci déploya une aile. L'aile vola par-derrière et frappa Gemma avec tant de force qu'elle plana dans les airs et se fracassa contre le mur. Apparemment sans même se forcer, Penn l'avait rejetée. Elle était trop puissante pour Gemma, du moins en humaine.

Gemma essaya de se forcer à se transformer en le même oiseau monstrueux que Penn, mais n'y parvint pas. Elle eut beau s'efforcer de serrer les poings ou se contraindre, sa forme demeura la même.

— Tu dois laisser derrière toi ta vie de mortelle, dit Penn en se retournant pour la regarder.

Elle inclina la tête sur le côté, et ses crochets ne se joignaient pas complètement, quand elle parla. Ils étaient trop de travers pour vraiment se fermer.

— Je vais laisser derrière moi tout ce que tu veux, dit Gemma. Mais ne lui faites pas de mal.

— Mais c'est ce que nous faisons. Ça fait partie d'être une sirène.

Elle pointa d'une de ses serres en direction d'Alex.

— Et comme tu refuses de l'abandonner, quelle meilleure méthode pour t'enseigner comment être une sirène que de le manger?

— Ce n'est réellement pas si mal, intervint Lexi.

Elle et Thea se tenaient dans un coin de la pièce, toujours dans leur forme normale humaine.

— Ça semble dégoûtant au début, mais c'est réellement incroyable, quand tu t'y mets.

— Ce n'est pas le fait que ce soit dégoûtant. C'est une personne, fit Gemma, essayant de demeurer calme. Vous ne pouvez pas simplement le tuer.

— Ouais, effectivement, on peut, dit Thea sèchement. Nous le devons, en fait.

— Je sais, je sais.

Lexi eut une expression triste, comme si elle compatissait avec Gemma sur une mauvaise coupe de cheveux plutôt que sur le fait que le meurtre était répréhensible moralement.

— Mais des gens meurent tout le temps. Ils sont tellement fragiles que nous leur faisons en fait une faveur. Quand nous les tuons, ils ne souffrent pas. Ils accueillent la mort. Et Penn a raison. La plupart des garçons sont des salauds, et c'est ce qu'ils cherchent, de toute façon.

— Alex ne cherche rien ! Il n'a jamais fait de mal à personne !

Gemma refoula ses larmes, mais elle commença à réaliser combien il était futile d'essayer de raisonner avec elles.

— D'accord, vous gagnez !

Penn échangea un regard avec Thea, puis observa avec curiosité Gemma.

— Nous avons déjà gagné, Gemma, dit Penn.

— Tu as raison.

Gemma fit un pas vers elle, la regardant droit dans ses yeux reptiliens.

— Je ne sais pas comment me tuer. Ou vous tuer. Pas encore. Mais si vous lui faites du mal, si tu poses une griffe sur sa tête, je ferais ma mission de vie de nous détruire toutes.

Penn plissa les yeux et émit un grognement guttural.

— *Mais* si vous le laissez tranquille, je vais vous suivre de plein gré, promit Gemma. Je ferai ce que vous demanderez, quand vous le demanderez jusqu'à la fin des temps. Je me joindrai à vous et serai votre esclave. Mais s'il vous plaît, laissez-le.

Penn sembla réfléchir pendant un moment, puis se tourna vers Thea et Lexi.

— Ça serait bien d'avoir une esclave.

Thea haussa les épaules.

— Et nous venons de manger, alors je n'ai pas tellement faim.

Penn laissa échapper un profond soupir et ferma les yeux.

— Très bien.

— Nom de Dieu! cria Harper, et Gemma se tourna pour voir sa sœur dans l'embrasure de la porte de la cabane.

Elle avait une fourche dans les mains, comme si elle voulait transpercer quiconque se tiendrait entre elle et sa sœur, mais elle se figea, quand elle vit le monstre se dressant là. Daniel était juste derrière elle et il resta abasourdi jusqu'à ce que Penn se tourne vers eux.

Penn ouvrit la bouche, poussant un fort cri, et c'est ce qui incita Daniel à l'action. Il saisit la fourche des mains de Harper et la contourna. Lexi se précipita sur lui. Mais avant qu'elle puisse le plaquer, Daniel la frappa dans l'estomac avec le manche de la fourche, et elle recula.

Il chargea en direction de Penn, mais elle était rapide comme l'éclair. En un clin d'œil, elle agrippa la fourche et l'arracha de ses mains. Du revers de son autre main, elle frappa Daniel, laissant trois vilaines entailles sur sa joue.

Daniel tomba à la renverse, et Penn leva la fourche, comme si elle allait l'empaler.

— Penn, ne fais pas ça! hurla Gemma.

Elle se rua vers elle et se tint entre Daniel et la fourche.

— Je vais avec vous! Foutons le camp d'ici! D'accord? Vous avez déjà eu ce que vous vouliez dans cette ville. Partons simplement.

— Gemma, non!

Harper tenta de courir vers sa sœur, mais Thea lui donna un coup de coude dans le ventre, quand elle approcha. Harper s'effondra sur le sol en se tenant le ventre et en toussant.

— Elle a raison, dit Thea à Penn. Nous perdons du temps. Le soleil va se lever, et les policiers sont déjà en train de fouiller la baie pour d'autres corps. Nous devrions simplement foutre le camp.

Lexi s'était relevée et elle donna un coup de pied sur le bras de Daniel.

— Enfoiré.

— Lexi, allez, viens.

Thea sortit en reculant de la cabane, et Lexi lança un regard hargneux vers Daniel avant de suivre Thea. Elles n'allèrent pas plus loin que le porche avant, où elles attendirent Penn et Gemma.

Penn roula les yeux, puis cassa d'un bruit sec de ses mains la fourche. Grâce à sa grande force, elle jeta les deux morceaux à travers une fenêtre, ce qui fit éclater le verre et s'éparpiller sur le plancher.

Ensuite, elle commença à se retransformer en sa forme humaine. D'abord, ses ailes se replièrent dans son dos, puis ses jambes et ses bras raccourcirent, et enfin, son visage se transforma jusqu'à ce qu'il retrouve sa beauté étonnante de toujours.

Harper et Daniel observèrent, pétrifiés, pendant que Penn se transforma. S'ils ne l'avaient pas vue eux-mêmes, ils ne l'auraient jamais cru.

Penn fit craquer son cou et réajusta les courroies de son bikini, mais sinon, tout était parfait.

— J'épargne ta famille et tes amis, dit Penn à Gemma. Tu m'es *énormément* redevable.

— Je sais, admit Gemma.

— Allons-y.

Penn saisit le bras de Gemma, au cas où elle décide-rait de changer d'idée, et commença à avancer vers la porte.

— Gemma, ne fais pas ça.

Harper se leva en se tenant toujours le ventre et regarda plaintivement sa sœur.

— Tu n'as pas à aller avec elles. Nous pouvons les vaincre.

— Désolée, Harper.

Gemma se tourna, afin de voir Harper tout en mar-chant à reculons vers la sortie de la cabane avec Penn.

— Prends soin d'Alex pour moi, d'accord?

Thea et Lexi se précipitèrent devant, courant dans le sentier.

Harper avança, disant le nom de sa sœur, mais cette dernière ne fit que secouer la tête. Elle se retourna, et Penn et elle coururent dans le sentier. Harper les pour-suivit, mais Gemma était trop rapide, beaucoup plus rapide qu'elle n'avait jamais été.

— Harper! cria Daniel.

Il se leva et courut derrière elle, espérant l'arrêter avant qu'elle fasse quelque chose de stupide.

Quand Harper arriva au quai, Penn et Gemma étaient déjà au bout. Gemma lança un coup d'œil par-dessus son épaule, puis plongea dans la baie.

Le soleil avait commencé à se lever, baignant l'eau d'une lumière rose pâle, et Harper put voir Thea et Lexi s'éloigner à la nage. Elles s'étaient déjà transformées, et leur queue de sirène éclaboussa hors de l'eau avant qu'elles plongent.

Juste au moment où Harper arriva au bout du quai, elle sentit les bras de Daniel autour d'elle, l'empêchant de sauter à l'eau derrière sa sœur. Ses bras étaient étendus devant elle, comme si elle pensait pouvoir attraper Gemma.

— Gemma! cria Harper en repoussant Daniel, mais il refusa de la libérer.

Gemma refit surface une seule fois, mais elle ne regarda jamais en direction du quai. Harper vit seulement la tête de Gemma, puis les écailles irisées de sa queue chatoyer sous les rayons du soleil avant d'être submergée.

— Harper, arrête.

La voix de Daniel était ferme à son oreille.

— Elle ne reviendra pas, et là où elle va, tu ne peux pas la suivre.

— Pourquoi pas? demanda Harper, mais elle avait cessé de se débattre. Pourquoi ne puis-je pas la suivre?

— Parce que tu ne peux pas respirer sous l'eau et tu ne sais pas contre quoi tu te bats.

Elle cessa de lutter et devient molle dans ses bras. Daniel la déposa sur le quai, et elle s'agenouilla, scrutant toujours l'océan. Il s'agenouilla près d'elle, ses bras l'entourant encore.

— Quelles étaient ces choses? demanda Harper.

— Je n'en ai aucune idée. Je n'ai jamais rien vu de tel.

— Alors, je suis censée simplement la laisser partir avec elles et rester à ne rien faire?

Harper se tourna pour le regarder, son visage tout près du sien.

— Non, tu ne vas pas rester à ne rien faire.

Daniel secoua la tête.

— Nous trouverons ce que sont ces choses, découvrirons comment les arrêter, puis nous irons récupérer ta sœur.

— Mais elle est avec elles *maintenant*. Et si elles lui font du mal ? Qu'est-ce qui les empêche de la tuer ?

— Harper, dit Daniel aussi doucement qu'il put. Tu l'as vu partir à la nage avec elles. Elle ressemblait à une sirène.

Il fit une pause.

— Elle est l'une d'entre elles, maintenant.

— Non, ce n'est pas vrai, Daniel. Elle ne ferait jamais mal à personne. Elle n'est pas comme elles !

— Je sais ça, mais elle peut au moins passer pour l'une d'elles. Et pour le moment, je crois que c'est une bonne chose. Ça la gardera en vie.

Des larmes inondèrent les yeux de Harper, et elle les essuya brutalement de la main. Elle se retourna vers l'eau.

— Allô ?

Alex cria de la cabane.

— Gemma ? Est-ce qu'il y a quelqu'un ?

Il franchit la porte en titubant.

— Est-ce que ça va ? demanda Daniel à Harper en la regardant sérieusement. Est-ce que ça ira, si je te laisse un instant pour aller voir Alex ?

— Ouais, ça ira.

Elle hocha la tête. Quand il se leva, elle le regarda.

— Dépêche-toi, et mets-le sur le bateau. Plus tôt nous partirons, plus tôt nous découvrirons comment détruire ces salopes.

Daniel lui sourit faiblement et hocha la tête. Il monta le sentier pour prendre soin d'Alex, mais Harper resta où elle se trouvait, regardant l'eau. Elle entendit Daniel parler à Alex, s'assurant qu'il allait bien, et Alex essaya de démêler ce dont il se souvenait.

Mais Harper ne prêta pas vraiment attention à tout cela. Elle était concentrée à forger un plan. Elle allait récupérer sa sœur, même si c'était la dernière chose qu'elle ferait.

Ne manquez pas la suite de la série
Mélodie de l'eau

Berceuse

CHAPITRE 1

Conséquence

Harper se réveilla quand le soleil commença à se coucher. Elle plissa les yeux sous la faible lumière orange filtrant à travers les rideaux. Pendant un moment, un bref et splendide moment, elle oublia la nuit précédente, la nuit où sa petite sœur avait été attaquée avant de se transformer en une sorte de femme-poisson et de disparaître dans l'océan.

Puis, tout lui revint. Sa tête se mit à cogner à ce souvenir, et elle ferma les yeux.

Après que Gemma se soit éloignée à la nage, laissant Harper seule sur le quai sur l'île de Bernie, Daniel était allé voir Alex pour s'assurer qu'il allait bien. Quand ils étaient arrivés à la cabane, Alex était évanoui sur le plancher. Harper n'avait pas vu ce qui s'était passé, mais il ne lui avait pas été difficile de l'imaginer.

Une horrible créature oiseau se tenait au-dessus de lui. Sa bouche était emplie de dents tranchantes comme des rasoirs, et d'énormes ailes noires s'étiraient derrière la créature. Puis, elle s'était transformée en une différente sorte de monstre : la magnifique Penn.

Il était presque impossible pour Harper de se faire à cette idée. Lorsque Alex était revenu à lui, il était certain que les choses dont il se souvenait provenaient d'un rêve étrange amené par un traumatisme crânien. Mais Harper et Daniel avaient été forcés de lui dire que tout était vrai. Les monstres étaient réels, et Gemma était partie.

Et après tout cela, Harper savait qu'elle devait retourner à la maison et tenter d'expliquer à son père ce qui s'était passé, même si elle ne comprenait pas elle-même. Elle ne pouvait pas lui dire la vérité. Il n'y avait aucune possibilité qu'une personne saine d'esprit pouvait la croire, à moins d'en avoir été témoin.

Alors, Harper dit à Brian que Gemma s'était enfuie avec Penn et ses amies. C'était près de la vérité, mais même cela était difficile pour lui à comprendre. Harper demeura debout toute la matinée à convaincre son père que Gemma n'allait pas revenir à la maison, et c'était là l'une des choses les plus difficiles qu'elle avait faite.

Mais elle savait que les choses n'allaient que devenir encore plus difficiles. Harper ne savait même pas ce que Penn et les autres filles étaient, ni encore moins comme les arrêter ou comment récupérer Gemma.

Mais demeurer au lit toute la journée n'allait rien résoudre. Harper roula sur elle-même et prit son portable sur la table de nuit, voulant vérifier l'heure. Elle remarqua qu'elle avait manqué deux appels provenant d'un numéro qu'elle ne connaissait pas. Gemma avait laissé son portable à la maison, alors si elle appelait, cela proviendrait d'un numéro inconnu.

Le cœur de Harper sombra. Elle était tellement morte de fatigue qu'elle ne s'était pas réveillée quand son portable avait sonné. Harper se pressa de vérifier sa messagerie vocale.

— Vous avez un nouveau message, annonça la voix automatisée, et Harper jura contre elle entre ses dents.

Si elle avait manqué un appel de sa sœur, elle ne se le pardonnerait jamais.

— Hé, Harper, c'est Daniel, sa voix profonde traversant le portable.

— *Daniel*, murmura Harper en plaçant une main sur son front en écoutant le message.

— J'ai eu ton numéro par la fille revêche de la bibliothèque. Je voulais m'assurer que tu es bien rentrée chez toi et voir comment tu allais après... eh bien, tu sais, ce qui s'est passé la nuit dernière. J'ai gardé un œil ouvert pour Gemma, comme tu me l'as demandé. J'ai sorti le bateau tôt ce matin, mais je ne l'ai pas vue. Je vais continuer de fouiller. Je t'aviserai, si je trouve quoi que ce soit. Alors, donne-moi un coup de fil plus tard.

Daniel fit une pause.

— J'espère que tu vas bien.

Quand son message se termina, elle laissa le téléphone contre son oreille pendant une minute, même après que la voix automatisée lui eut assuré qu'elle n'avait pas d'autre message.

C'était gentil de la part de Daniel d'avoir téléphoné pour s'informer d'elle, mais Harper ne pouvait pas le rappeler. L'étrange flirt qu'elle avait eu avec lui devait être repoussé de son esprit. S'il découvrait quelque chose au sujet de Gemma, Daniel l'informerait, mais c'était le seul moment où elle devait lui parler. Ce qui arrivait à Gemma devait passer en premier. Harper devait gérer cela avant de pouvoir penser à quoi que ce soit d'autre.

Harper avait dormi dans ses vêtements de la veille, et ils empestaient l'océan et la transpiration. Elle prit des vêtements de rechange, puis se faufila dans le couloir vers la salle de bain, au cas où son père serait à la maison. Il n'y avait rien de plus qu'elle pouvait lui dire concernant la disparition de Gemma, mais elle savait que Brian allait vouloir ressasser jusqu'à ce que cela ait du sens.

Elle se lava rapidement, puis s'habilla. Elle se dirigeait furtivement vers sa chambre quand elle lança un coup d'œil vers celle de Gemma. Quelque chose dans la vision de la pièce sombre brisa son cœur. S'arrêtant dans l'embrasure, Harper ne put s'empêcher de se demander si Gemma allait habiter cette chambre de nouveau.

Harper avala la boule se formant dans sa gorge et secoua la tête, essayant de refouler ce sentiment. Évidemment que Gemma allait y habiter de nouveau! Harper n'arrêterait pas de la chercher jusqu'à ce que Gemma soit à la maison.

Quand Harper retourna dans sa chambre, elle cria presque de surprise. Alex était assis sur son lit, fixant le sol et ayant l'air abattu.

— Alex? réussit à dire Harper une fois que son cœur eut ralenti. Que fais-tu ici?

Elle entra dans la pièce.

— Oh, désolé.

Il leva la tête et fit un signe vers le rez-de-chaussée.

— Ton père m'a laissé entrer. Je suis venu pour parler.

Elle jeta un coup d'œil par-dessus son épaule, s'attendant presque à voir Brian dans le couloir en train d'écouter, puis elle ferma la porte de sa chambre.

— Comment mon père semblait aller? demanda Harper.

— Ça allait, je crois.

Alex haussa les épaules, et elle remarqua une coupure sur son front provenant probablement de ce qui l'avait assommé la nuit précédente.

— Un peu triste et troublé. Il m'a posé des questions au sujet de Gemma, mais je lui ai dit que je ne savais pas où elle était.

Elle avait voulu téléphoner à Alex pour qu'ils mettent leur histoire au point sur ce qui était arrivé à Gemma. La vérité étant qu'ils ne savaient pas où elle se trouvait, et c'était une aussi bonne réponse qu'une autre.

— Alors, qu'est-ce qui s'est passé hier soir ? lui demanda directement Alex.

— Je n'en ai aucune idée.

Harper secoua la tête et s'assit sur la chaise devant son bureau.

— Je ne sais même pas ce qu'étaient ces... ces *choses*.

— J'arrive à peine à me souvenir à quoi elles ressemblent.

Il plissa le front en tentant de réfléchir.

— La nuit dernière est un étrange brouillard d'images qui n'ont aucun sens.

— C'est probablement parce que tu t'es fait frapper à la tête, fit Harper.

Alex sembla réfléchir pendant un moment, puis répondit.

— Non. Je ne crois pas. Je me souviens de tout très clairement jusqu'à ce que nous soyons dans la crique et que cette chanson commence.

Harper avait en fait oublié la chanson jusqu'à ce qu'Alex en parle. Elle ne se souvint pas des mots, mais la mélodie refit surface comme un rêve à demi oublié.

Il y avait quelques minutes dans la crique que Harper ne pouvait pas se souvenir non plus. Les événements étaient un mélange confus, mais elle se rappelait une envie et une attirance vers la chanson imaginaire. Daniel l'avait empêchée de plonger dans l'océan, comme Alex l'avait fait, mais c'était à peu près tout ce dont elle se souvenait jusqu'à ce qu'ils soient sur le bateau de nouveau.

— As-tu nagé jusqu'à l'île ? demanda Harper, sachant que ce devait être ce qu'il avait fait.

— Je crois.

Il secoua encore la tête.

— Je n'arrive pas à me souvenir de grand-chose. Il y avait cette chanson, puis j'ai nagé, ensuite j'étais sur l'île. Ces jolies filles étaient là, et... et Gemma. Elle m'a embrassé...

Il déglutit avec peine.

— Te souviens-tu de la créature ? questionna Harper.

— L'oiseau ? demanda Alex, et elle hocha la tête. Est-ce que c'est ça que c'était ? Un vraiment gros oiseau ?

— C'était plus un oiseau monstre, tenta d'expliquer Harper. Mais ensuite, il s'est transformé et est devenu Penn.

— Donc, ces jolies filles sont des sortes de métamorphes ? fit Alex. Parce qu'elles se transforment en poisson, c'est ça ? Gemma et ces filles se sont transformées en poisson, puis sont parties à la nage ?

— Des femmes-poissons, je crois, le corrigea Harper.

— C'est tellement insensé, dit doucement Alex, presque pour lui-même, puis il leva les yeux vers Harper, ses yeux brun foncé scrutant sérieusement les siens. Une question stupide, mais je dois la poser. Gemma n'a pas toujours été... une femme-poisson, n'est-ce pas ? Ce n'est pas une sorte de malédiction familiale comme dans *Teen Wolf* ?

— Non.

Harper sourit malgré elle et secoua la tête.

— Non. Il n'y a aucune histoire de femme-poisson ou d'autres êtres mythologiques dans notre famille.

— D'accord. C'est bon, dit Alex, puis il changea d'idée et remua la tête dans tous les sens. En fait, pas réellement. Si tu avais su ce que c'est, ce serait plus facile d'y faire face.

— Tout à fait, acquiesça Harper.

— Alors, tu n'as aucune idée de ce que Gemma, Penn ou ces filles pourraient être ? s'enquit Alex.

— Non, admit Harper à regret.

— Et tu ne sais pas où elles sont allées ?

— Non.

— Alors, comment allons-nous la faire revenir ? demanda Alex.

— Eh bien…

Harper prit une profonde respiration.

— Nous découvrons ce qu'elles sont et comment les arrêter, puis nous les retrouvons et nous récupérons Gemma.